# 雅思词汇

## 词根+联想
### 记忆法

俞敏洪 ● 编著

D1377364

西安交通大学出版社
XI`AN JIAOTONG UNIVERSITY PRESS

**图书在版编目(CIP)数据**

雅思词汇词根＋联想记忆法 / 俞敏洪编著. —西安
：西安交通大学出版社，2012（2012.12 重印）
ISBN 978-7-5605-4347-5

Ⅰ. ①雅… Ⅱ. ①俞… Ⅲ. ①
IELTS—词汇—记忆术—自学参考资料 Ⅳ. ①H313

中国版本图书馆 CIP 数据核字(2012)第 095037 号

| | | |
|---|---|---|
| 书　　名 | 雅思词汇词根＋联想记忆法 | |
| 编　　著 | 俞敏洪 | |
| 责任编辑 | 黄科丰 | |
| 封面设计 | 大愚设计 | |
| 出版发行 | 西安交通大学出版社 | |
| 地　　址 | 西安市兴庆南路 10 号（邮编：710049） | |
| 电　　话 | (010)62605588　 62605019（发行部） | |
| | (029)82668315（总编室） | |
| 读者信箱 | bj62605588@163.com | |
| 印　　刷 | 北京朝阳新艺印刷有限公司 | |
| 字　　数 | 270 千 | |
| 开　　本 | 880mm×1230mm　1/32 | |
| 印　　张 | 11.5 | |
| 版　　次 | 2012 年 12 月第 1 版第 3 次印刷 | |
| 书　　号 | ISBN 978-7-5605-4347-5/H · 1362 | |
| 定　　价 | 32.00 元 | |

# 新东方图书策划委员会

**主任**　俞敏洪

**委员**　(按姓氏笔画为序)

王　强　　包凡一

仲晓红　　沙云龙

陈向东　　张洪伟

邱政政　　汪海涛

周成刚　　徐小平

谢　琴　　窦中川

# 选 择 (代序)

20世纪70年代的中国人，生活在没有任何选择的痛苦中，思想和生活都被禁锢在一个点上，谁要想离开那个点，就会受到惩罚。人们感到生命和灵魂都不属于自己，也不敢属于自己。

20世纪80年代的中国人，生活依然没有太多的选择，但人们已经可以开始梦想，梦想自己可以过上更好的生活。尽管梦想还不够大胆，因为大多数人根本就不敢梦想出国，但我们可以梦想着自己从农村走向城市，从农民变成大学生。尽管大学毕业后，工作仍然要服从国家分配，但生命的很大一部分已经开始属于自己，灵魂也开始从内心深处复活。

20世纪90年代的中国人，生活中开始出现了更多的选择。90年代的中学生，依然只有高考一条路可以选择，但大学生则有了很多的选择。大学毕业后，学生可以选择由国家分配工作，也可以选择自己找工作，可以选择继续读研究生，也可以选择出国留学。90年代的中国人，已经从思想的禁锢中解放出来，还没有面临就业和竞争的压力，面临的是令人头晕目眩的未来。人们为了自己的梦想拼命努力，个个表现得气度非凡。当时人们最大的梦想就是能够去美国读书，而且还要拿美国人的奖学金去读书。十年的努力，有近三十万中国学生实现了自己的梦想。最后形成了一股出国的潮流，很有点像一首歌所唱的那样，没有什么能够阻挡，我对自由的向往。

21世纪的前十年，我们正生活在其中，最大的感受就是面对生存我们有了更大的压力，不是我们变得贫困得活不下去，而是中国向市场化迈进的步伐快得让人来不及做好任何心理准备。没有人再来帮助我们安排未来，没有人再来告诉我们哪一个点属于自己，没有人告诉我们上完大学其实不一定找得到好工作。每一个人都意识到如果想要在生活中取胜，必须增强自身的竞争力。还好，中国人有了更多的选择来为增强自己的竞争力做好准备。父母为了子女的未来，不仅希望他们能够考上中国的名牌大学，更希望孩子们尽早出国留学。由于美国有录取大学本科生的限制，许多父母开始把孩子们送到英国、澳大利亚等国家去读书。大学生们依然梦想着去美国，但一场"911"惨剧，使得美国人几年内看任何一个人都像恐怖分子。中国学生获得美国大学录取的比例大大降低，很多有着出国梦想的学生，也开始把眼光转向美国之外的其他国家，发现这些国家也有很精彩的学术殿堂。牛津、剑桥、悉尼大学等名校，在遥远的国度闪烁着迷人的光芒。

随着出国留学成为中国人面向未来的最佳选择之一，各个国家及其考试机构向中国发起了猛烈进攻。他们像猎狗一样，用敏锐的嗅觉闻到了猎物的味道，于是乎各种海外教育机构一下子涌进中国，一时间是鱼龙混杂，面目难辨。托福、雅思等等的竞争，几乎形成了血拼场面。由于缺乏行业标准，缺乏专家指导，很多中介机构昧了良心只想挣钱，很多学生都难免上当，把自己送进了不三不四的学校，白白花了很多钱，才大呼上当。

每一条路走出来，都有很多英雄走在前面，他们牺牲了自己为后来者指路。十几年的留学事业，已经开始从迷雾之中走出来。感谢很多人以前的努力，现在想要出国留学的人，已经开始变得越来越理性，认真地思考出国留学和自己未来的关系，用挑剔的眼光来选择自己希望去读书的学校和自己的专业。面对未来，我非常欣喜地看到，中国的留学事业已经开始走向成熟，这一事业将为中国带来更多的具备竞争实力的国际化人才，这些人才将为中国的建设和发展做出巨大的贡献。

面对国际教育市场，美国向中国学生打开了本科学习和研究生学习的大门，同时西方其他国家为了吸引中国学生，也把门开得更大。这种形势，对中国学生，对中国未来，都是史无前例的幸事。面对这种形势，新东方能够做的，就是让学生知道到底什么选择是最好的选择，同时帮助学生努力学习，鼓励学生努力学习，以最快的速度通过选择的门槛，进入新一轮的人生拼搏。

新东方所做的事情虽微不足道，但我们一直在努力，而且我们的努力很真诚，现在放在大家面前的这本雅思词汇记忆书籍，是我们努力的一次证明。如果这本书能够对你的出国梦想有所帮助，使你前进的步伐更快一些，我们就得到了你巨大的鼓励和支持，真心希望新东方能够成为大家前进时的助跑器和垫脚石！

新东方教育科技集团董事长兼总裁

# 目 录

# 本书特色

## 1. 原汁原味的真题例句

与中国考生所熟悉的四六级考试的句子相比，雅思考试中出现的句子(尤其是阅读句子)较长、信息量较大。针对这一特点，本书收录的例句约70%来源于雅思真题，力求再现真实考试环境，让考生通过熟悉考题而学习词汇。

## 2. 收词全面，涵盖雅思四大题型词汇

通过对雅思真题的分析，本书提炼出雅思听力、阅读、写作和口语四大题型中常见和常用单词和词组，并根据雅思考试的特点和趋势，补充了最贴近雅思考试的单词和词组，共计约3,500个核心单词(组)，堪称目前收词最全面的雅思词汇书。

## 3. 实用、有趣的记忆方法和插图

贯穿本书的"词根+联想"记忆法，是以词根词缀为主，并利用单词的分拆、谐音和词与词之间的联系来记忆单词。通过这种方法背单词，事半功倍且遗忘率较低。此外，本书还为一些单词配上了生动、有趣的漫画插图，帮你在短时间内轻松掌握雅思词汇。

## 4. 标出听力、口语单词，有针对性进行记忆

听力和口语单词是紧密相连的。本书将听力部分出现的词汇、词组及与口语考试话题相关的词汇用*标出，使学生有目的地掌握这部分词汇，并牢记词汇的发音。

## 5. 丰富的口语习语和搭配

雅思考试注重英语的应用能力和综合素质，其中听力、口语两大题型更是贴近日常生活，因此日常使用的习语和搭配跟词汇具有同等的重要性。有鉴于此，本书收录了大量的日常习语和搭配，以帮助考生突破习语难关。

## 6. 国际音标体系标注英式发音

根据雅思听力测试的特点，本书采用国际音标体系标注英式发音，更符合雅思听力的考查特点。

# Word List 1

**abandon** [əˈbændən] *vt.* 放弃，遗弃
【记】联想记忆：a+band(带子)+on→一条带子在地上→放弃，遗弃
【例】She and her tribe had to *abandon* their lands and retreat to Canada. 她和她的部落被迫放弃了土地，退到加拿大。
【派】abandonment(*n.* 放弃，遗弃)

**abate** [əˈbeit] *v.* 减轻；降价
【记】词根记忆：a(加强)+bate(减弱，减少)→减轻
【例】After the closedown of the airport, noise pollution *abated*. 机场关闭后，噪音小多了。

**\*ability** [əˈbiləti] *n.* 能力；本领；才能
【例】Classes are organised according to *ability* level. 根据能力水平来分班。

**abolish** [əˈbɔliʃ] *vt.* 废止，废除
【例】The ancient Olympics were *abolished* by the Roman Emperor Theodosius in 393 AD, after Greece lost its independence. 在希腊丧失主权之后，罗马皇帝Theodosius于公元393年废除了古代奥林匹克运动会。

**\*abound** [əˈbaund] *vi.* 富于；充满

【记】词根记忆：a(不，无)+bound(边界) → 没有边界 → 充满

【例】The mountain streams *abound* with fish. 山溪里有许多鱼。

**\*absent** [ˈæbsənt] *a.* 不在场的；心不在焉的

【记】词根记忆：ab(离去)+sent(送) → 送走 → 不在场的

【例】Why were you absent from my birthday party yesterday? 你昨天怎么没来参加我的生日派对呢?

**\*absenteeism** [ˌæbsənˈtiːizəm] *n.* 旷课；旷工

【记】词根记忆：absent(缺席)+ee(人)+ism → 旷课；旷工

【例】In an attempt to reduce the level of *absenteeism* amongst employees, the company introduced three different strategies. 该公司采用了三种不同的策略，希望以此降低员工的旷工率。

**\*absorb** [əbˈsɔːb] *v.* 吸收；吸引…的注意

【记】词根记忆：ab(离去)+sorb(吸收) → 吸收掉 → 吸收

【例】Trees can *absorb* carbon dioxide. 树木可以吸收二氧化碳。// The writer was so *absorbed* in his writing that he forgot to flick the ashes from his cigar. 作家全神贯注地写作，忘了弹去雪茄烟的烟灰。

【派】absorption(*n.* 吸收)

**abstraction** [æbˈstrækʃən] *n.* 抽象

【例】Logic, rationality and *abstraction* have their origins in the left hemisphere. 逻辑、推理和抽象思维都源自大脑左半球。

**absurd** [əbˈsəːd] *a.* 荒谬的，荒唐的

【例】Wearing a swimming suit during a snowstorm is *absurd*. 下雪天穿泳装可真荒唐。

**\*abuse** [əˈbjuːz] *vt./n.* 滥用；虐待；辱骂

【记】词根记忆：ab(变坏)+use(使用) → 使用不当 → 滥用

【例】Biometrics may raise thorny questions about privacy and the potential for *abuse*. 生物测定学可能会引起与隐私有关的棘手问题，也可能导致对此技术的滥用。

**academic** [ˌækəˈdemik] *a.* 学院的；学术的；不切实际的；*n.* 大学教师

【例】Once in higher education, you can apply for a loan at any time in the *academic* year. 进入高校以后，你就可以在学年内的任何时间申请贷款。

【派】academia(*n.* 学术界；学术生涯)；academically(*a.* 学术的)

**accelerate** [əkˈseləreit] *vt. & vi.* 加速；促进

【记】词根记忆：ac(加强)+celer(速度)+ate(使…) → 加速

【例】The leader loses ground as the rest of the runners *accelerate*. 领先者在其余赛跑者加速时逐渐失去了优势。

**\*access** [ˈækses] *n.* 接近；进入；通道；*vt.* 进入；使用

【记】词根记忆：ac+cess(去) → 来去要走(的路) → 通道

【例】The students could *access* the internet in the library. 学生们可以在图书馆上网。

**accessible** [əkˈsesəbl] *a.* 能接近的；可以达到的✓

【例】He pointed his telescope to every *accessible* part of the sky and recorded what he saw. 他将望远镜指向天空中所有可以达到的地方，并将看到的记录下来。

**\*accessory** [əkˈsesəri] *n.* 附件；[常*pl.*]装饰品✓

【记】联想记忆：access(接近)+ory → 接近主要的 → 附件

【例】The uniforms for women in the company were white frocks decorated with purple, white and green *accessories*. 这家公司的女式工作服是点缀有紫色、白色和绿色装饰物的白色制服。

**\*accommodation** [əˌkɔməˈdeiʃən] *n.* 住处，膳宿

【记】联想记忆：ac+commod(看做common-普通的)+ation(表状态) → 平凡人的生活离不开吃喝拉撒睡 → 膳宿

【例】If you are booking *accommodation* through the school, your course and *accommodation* deposit will be $200. 如果你通过学校预订食宿，你的学费和膳宿押金是200美元。

**accompany** [əˈkʌmpəni] *vt. & vi.* 陪伴；伴奏

【记】联想记忆：ac(加强)+company(公司；陪伴) → 陪伴

【例】Your enrolment form must be *accompanied* by the course deposit of $100. 你的登记表和100美元的课程押金必须一起上交。

**accomplish** [əˈkʌmpliʃ] *vt.* 达到(目的)，完成

【记】联想记忆：ac+compl(看做complete完成)+ish(使) → 完成

【例】We must *accomplish* the task before noon. 我们必须在中午之前完成这项任务。

**\*account** [əˈkaunt] *n.* 账，账户；*v.* 说明…的原因；占

【记】联想记忆：ac(加强)+count(数) → 账目需要一数再数，保证正确

【例】Coal is expected to *account* for almost 27 per cent of the world's energy needs. 预计煤炭的需求将占世界能源需求的27%左右。

**accountant** [ə'kauntənt] *n.* 会计师

【记】词根记忆：account(账)+ant(人) → 管账的人 → 会计师

*****accreditation** [ə,kredi'teiʃən] *n.* 信任；委派；鉴定合格

【记】来自accredit(*vt.* 信任；授权)

【例】Our school has already reached the standards for the *accreditation* of colleges. 我们学校已经达到了学院资格认定的标准。

**accumulate** [ə'kjuːmjuleit] *v.* 积累；堆积

【记】词根记忆：ac(不断)+cumul(堆积)+ate → 不断堆积 → 积累

【例】The debris that *accumulated* at the foot of the volcano reached a depth, in places, of 200 feet. 堆积在火山脚下的岩屑在一些地方有200英尺厚。

【派】accumulation(*n.* 积累；堆积物)

**accuracy** ['ækjurəsi] *n.* 准确(性)，精确(性)

【记】词根记忆：ac(加强)+cur(关心)+acy(表性质) → 一再关心，使其精确

【例】The technician placed the machine in the correct spot with complete *accuracy*. 技术员将机器精确无误地安放在正确的位置。

**accurate** ['ækjurət] *a.* 正确无误的；精确的

【例】The forecast was soon proved *accurate*. 预言不久就被证明是准确的。

【派】accuracy(*n.* 正确度；精确性)；inaccurate(*a.* 错误的)

*****achievement** [ə'tʃiːvmənt] *n.* 成就，成绩

【记】来自achieve(*vt.* 完成)，a(加强)+chieve(看做chief主要部分) → 做完主要部分 → 完成

【例】His *achievements* spread from the sun and moon to remote galaxies. 他的研究成就从太阳、月亮延伸到遥远的星系。

*****acid** ['æsid] *n.* 酸；*a.* 酸的；尖刻的

【例】DNA is the short form of deoxyribonucleic *acid*. DNA是脱氧核糖核酸的缩写形式。

**acknowledge** [ək'nɔlidʒ] *vt.* 承认，确认；感谢

【记】联想记忆：ac+know(知道)+ledge → 大家都知道了，所以不得不承认

【例】Plagiarism is taking other people's work without *acknowledging* it, that is, without saying where it comes from. 剽窃就是拿人家的作品却不承认，即不说明其出处。

**acoustic** [ə'ku:stik] *a.* 声音(学)的；听觉的

【例】In the houses near the highway special *acoustic* seals should be fitted to the doors to reduce noise. 公路旁的房门上应该安装专门的隔音封条，以降低噪音。

**acquaint** [ə'kweint] *vt.* (使)认识；(使)熟悉

【记】词根记忆：ac+quaint(知道) → 使熟悉

【例】Film provides an ideal opportunity to *acquaint* viewers with something unknown. 电影给观众提供了一个了解未知事物的绝佳机会。

**acquaintance** [ə'kweintəns] *n.* 认识；了解

【例】It was in the United States that I made the *acquaintance* of Professor Jones. 我是在美国结识琼斯教授的。

**\*acquire** [ə'kwaiə] *vt.* 取得，获得

【记】词根记忆：ac+quire(追求) → 不断寻求才能够获得

【例】In the process of evolution, monkeys have not *acquired* the art of speech. 在进化的过程中，猴子未能获得语言能力。

**acquisition** [ˌækwi'ziʃən] *n.* 取得；获得物

【例】Tom's newest *acquisition* is a luxurious sports car. 汤姆新获得了一辆豪华跑车。

**\*acrobat** ['ækrəbæt] *n.* 特技演员；杂技演员

【记】词根记忆：acro(高)+bat(走) → 高空走的人 → 杂技演员

【例】They are *acrobats* with the Albanian State Circus. 他们是阿尔巴尼亚国家马戏团的杂技演员。

**\*activate** ['æktiveit] *vt. & vi.* 激活；加速反应

【记】词根记忆：activ(看做active活跃的)+ate(使) → 使活跃 → 激活

【例】Nicotine in cigarette smoke *activates* small blood cells that increase the likelihood of blood clots, thereby affecting blood circulation throughout the body. 香烟中的尼古丁会激活小的血细胞，这些血细胞增加了血栓的可能性，从而影响到整个身体的血液循环。

【派】activator(*n.* 催化剂)

**\*actual** ['æktʃuəl] *a.* 实际的；真实的

【例】Is this vase an *actual* antique or a copy? 这个花瓶是真古董还是赝品？

【派】actually(*ad.* 实际上；居然)

5

**acumen** [əˈkjuːmen] *n.* 敏锐；精明

【记】词根记忆：acu(尖，酸，锐利)+men(表名词) → 敏锐；精明

【例】Sometimes, organizations with sound financial backing, good product ideas and market *acumen* underperform and fail to meet shareholders' expectations. 有时，拥有雄厚的资金保障、良好的产品理念和对市场的精准把握的公司却表现不佳，不能达到股东们的期望。

**acute** [əˈkjuːt] *a.* 灵敏的；剧烈的，猛烈的

【例】Dogs have very *acute* hearing. 狗的听觉很灵敏。

**\*adapt** [əˈdæpt] *vt. & vi.* 使适合；改编

【记】词根记忆：ad+apt(适当的) → 使适合

【例】All those older buildings in the city have been *adapted* for present-day use. 城里的旧建筑已经全部经过改造，以方便现在使用。

【派】adaptable(*a.* 能适应的；可修改的)

**adaptation** [ˌædæpˈteiʃən] *n.* 适应；改编

【例】The simplicity of Indian ways of life has been judged an evolutionary *adaptation* to forest ecology. 印第安人的生活方式很简单，这被认为是对森林生态环境的进化性适应。

**addict** [ˈædikt] *n.* 有瘾的人

[əˈdikt] *vt.* 使上瘾

【记】词根记忆：ad（加强）+dict (说，要求) → 不断要求 → 使上瘾

【例】The most tragical sight of all is the very young *addicts*. 最可悲的一幕是目睹到那些非常年青的吸毒者。

**\*addition** [əˈdiʃən] *n.* 加，增加(物)

【记】来自add(加)+ition(表名词) → 加，增加

【例】This fruit is a welcome *addition* to the English diet. 这种添加在英式食谱中的水果很受欢迎。

**\*additional** [əˈdiʃənl] *a.* 附加的；追加的

【例】In recent years a number of *additional* countries have subscribed to the Ottawa Charter. 近几年，又有许多国家同意加入《渥太华宪章》。

\*address [əˈdres] *n.* 地址；演说 *vt.* 说话；对付

【例】In the marketing course we *address* all these commercial issues. 在营销课上，我们讨论所有这些商业问题。

\*adequate [ˈædikwit] *a.* 充足的；合适的，胜任的

【记】词根记忆：ad(加强)+equ(平等)+ate(…的) → 比平等多的 → 充足的

【例】Good lifestyle habits and the provision of *adequate* health care are critical factors of governing health. 良好的生活习惯和适当的卫生保健是保持健康的关键因素。

【派】inadequate(*a.* 不充足的；不适当的)

\*adhere [ədˈhiə] *vi.* 粘附；遵守；坚持

【记】词根记忆：ad(加强)+her(粘附)+e → 粘附

【例】Our firm has a set of standards which *adhere* to international requirements. 我们公司拥有一套符合国际要求的标准。

adjacent [əˈdʒeisənt] *a.* 邻近的，毗连的

【例】People living in houses *adjacent* to the airport are agonized by noise for years. 住在机场附近的居民常年受到噪音的困扰。

\*adjust [əˈdʒʌst] *v.* 校准；调节；使…适应

【记】词根记忆：ad+just(正确) → 使正确 → 校准；调节

【例】Research shows that older readers are having difficulty in *adjusting* to texts without pictures. 调查显示：年纪较大的读者不习惯阅读那些不带图画的文章。

\*administer [ədˈministə] *vt. & vi.* 掌管；给予

【例】The personnel director *administers* the attendance policy. 人事经理负责考勤。//Doctors can *administer* curative drugs to treat lung cancer. 医生可以开一些医疗药物来治疗肺癌。

\*administration [ədminiˈstreiʃən] *n.* 管理(部门)；行政(机关)

【记】联想记忆：ad(做)+ministr(看做minister部长)+ation(表状态) → 部长的工作 → 管理，行政

【例】The *administration* office is opposite the car park on the left. 管理办公室在停车场的对面左手处。

admission [ədˈmiʃən] *n.* 允许进入；许可入学

【记】词根记忆：ad(加强)+miss(送)+ion → 准许送入 → 允许进入

【例】If you have any questions, please contact the *Admissions* & Information Office. 如果你有任何问题，请与招生信息办公室联系。

**\*admit** [əd'mit] *v.* 承认；准许…进入；准许…加入

【记】词根记忆：ad+mit(送) → 能送进去 → 准许…进入

【例】Bill was forced to *admit* that he had cheated on the test. 比尔被迫承认他在考试中做弊了。

【派】admission(*n.* 准许进入；入场费；承认)

**adolescent** [ˌædəu'lesənt] *n.* 青少年；*a.* 青春期的；青少年的

【记】联想记忆：adol(看做adult成年人)+esc(计算机上退出键)+ent(人) → 好想从成年人退回到青少年

【例】The *adolescent* always respects parents who admit their mistakes. 青少年往往尊敬承认自己错误的父母。

**\*adopt** [ə'dɔpt] *vt.* 采用，采取；收养

【记】词根记忆：ad+opt(选择) → 通过选择 → 采用，采取

【例】After becoming independent of the local authority and *adopting* its new title, our College continued to build on its first class reputation. 自从我们学院脱离当地部门并改了新名之后，就一直致力于打造成一所一流院校。

**advance** [əd'vɑːns] *v./n.* 前进；预付；*a.* 预先的；先行的

【例】It is essential to reserve a computer three days in *advance* if you want to use one. 如果你想使用电脑，最好提前3天预订。

**\*advanced** [əd'vɑːnst] *a.* 先进的

【例】Prehistoric Amazonians developed technology and art that were *advanced* for their time. 史前亚马逊人创造了超越他们时代的科技和艺术。

**\*advantage** [əd'vɑːntidʒ] *n.* 优点，优势

【例】I suppose your survey has the *advantage* of more detailed information. 我认为你调查的优势在于有更加详细的资料。

**\*advent** ['ædvənt] *n.* 到来，出现

【记】词根记忆：ad+vent(来) → 到来，出现

【例】Sea ports have been transformed by the *advent* of powered vessels, whose size and draught have increased. 配有引擎的货船体积更加庞大，可以装载更多货物，它们的出现改变了海港原有的样子。

**adventure** [əd'ventʃə] *n.* 冒险，冒险活动

【例】Hypotheses are *adventures* of the mind. 假定是思想上的冒险。

**adverse** ['ædvəːs] *a.* 不利的，有害的

【记】词根记忆：ad(坏)+vers(转)+e → 往坏的方向转 → 不利的

【例】Smoking can produce substantial *adverse* effects on the heart and lungs. 吸烟对人的心脏和肺极为有害。

*advertise  ['ædvətaiz] *vt.* 为…做广告；宣传

【例】The total number of jobs *advertised* in the journal was 120. 这本杂志上刊登了120个职位。

【派】advertiser(*n.* 广告客户)；advertisement(*n.* 广告)

advocate  ['ædvəkit] *vt.* 提倡；*n.* 拥护者；提倡者

【记】词根记忆：ad(加强)+voc(声音，喊叫)+ate(做) → 大声喊 → 提倡

【例】Some architects *advocated* the use of masonry in the construction of skyscrapers. 一些建筑师提倡采用石工技术建造摩天大楼。

*aeration  [,eiə'reiʃən] *n.* 通风

【例】The tunnels abandoned by the beetles provide excellent *aeration* and water channels for root systems of plants. 被甲虫遗弃的地下通道为植物的根系提供了绝佳的通风和汲水管道。

aerobics  [eə'rəubiks] *n.* 有氧运动法；健美操

【记】词根记忆：aero(空气)+b+ics(…活动) → 有氧运动 → 健美操

【例】This room is used mainly for badminton and *aerobics*.
这间屋子主要用作羽毛球室，也可以在这里跳健美操。

*aeronautics  [,eərə'nɔ:tiks] *n.* 航空学

【记】词根记忆：aero(空气)+naut(航行)+ics → 航空学

【例】The *Aeronautics* Building is on the left side of the university campus. 这所大学的航空学大楼位于校园的左侧。

aeroplane  ['eərəplein] *n.* 飞机

【记】词根记忆：aero(天空)+plane(飞机) → 飞机

【例】The manager will travel in a private *aeroplane* from Sydney to Queensland. 经理将乘坐私人飞机从悉尼飞往昆士兰。

aerospace  ['eərəuspeis] *n.* 宇宙空间；航空宇宙

【记】词根记忆：aero(空气)+space(太空) → 宇宙空间

【例】Working as an engineer at British *Aerospace* will not necessarily be a similar experience to working in the same capacity at GE. 在英国宇航公司做一名工程师和在美国通用电器公司做一名工程师的经历未必相同。

aesthetic  [es'θetik; i:s'θetik] *a.* 美学的；审美的

【记】词根记忆：a+esthe(感觉)+tic(…的) → 美感的 → 美学的

【例】What are utilitarian objects to a Westerner may be prized *aesthetic* objects in other cultures. 被西方人视为代表功利性的东西，在其他文化中可能会因其美学价值而备受推崇。

\*affect [əˈfekt] *v.* 影响；感染

【记】词根记忆：af(使)+fect(做) → 使人做 → 影响

【例】No activity *affects* more of the earth's surface than farming. 耕种是对地表影响最大的人类活动。

\*afflict [əˈflikt] *vt.* 使苦恼；折磨

【记】词根记忆：af+flict(打击) → 一再地打击→使苦恼；折磨

【例】Financial difficulties *afflicted* the Smiths. 经济问题困扰着史密斯一家。

# Word List 2

**\*afford** [əˈfɔːd] *vt.* 担负得起

【记】联想记忆：af+ford(看做Ford美国大财阀福特家族)→财大气粗→担负得起

【例】They would not be able to *afford* cars or homes. 他们买不起汽车和房子。

【派】affordable(*a.* 能负担的，承担得起的)

**\*agency** [ˈeidʒənsi] *n.* 机构；代理，代办

【记】词根记忆：ag(行动)+ency(表状态)→代为行动→代理

【例】We establish links and access to the organisation's *agencies*. 我们同这一组织的代理机构建立了链接，能直接进入这些机构。

【派】agent(*n.* 代理人；代理商)

**\*agenda** [əˈdʒendə] *n.* 议程；议程表

【记】词根记忆：ag(做)+enda(表示名词多数)→做的事情→议程

【例】Blueprinting a meeting involves creating an *agenda* and clarifying rules for the meeting. 起草会议计划包括制定会议议程和明确会议章程。

**aggravation** [ˌæɡrəˈveiʃən] *n.* 加重；恶化

11

【例】Carrying heavy boxes can cause *aggravation* of prior back injuries. 背部受伤时搬重物，会加重疼痛。

\*aggressive [ə'gresiv] *a.* 侵略的，攻击性的；有闯劲的

【记】词根记忆：ag(加强)+gress(行走)+ive(…的) → 不断行走，走到别国 → 侵略的

【例】The incentive for the more *aggressive* use of rockets came not from within the European continent but from far-away India. 将火箭用作更具攻击性武器的动机并非来自欧洲大陆，而是来自遥远的印度。

【派】aggressively(*ad.* 放肆地)

\*aggressiveness [ə,gre'sivnis] *n.* 侵略；争斗；攻击

【例】The message behind a crushing handshake is *aggressiveness* and a desire to compete. 在和他人握手时如果很用力，它传达的信息是争斗或想和对方竞争。

agriculture ['ægrikʌltʃə] *n.* 农业；农学

【记】词根记忆：agri(田地，农业)+cult(耕种，培养)+ure(表状态) → 农业，农学

【派】agricultural(*a.* 农业的，农学的)

\*ailment ['eilmənt] *n.* 疾病

【记】联想记忆：a(一个)+il(看做ill)+ment → 一个ill → 疾病

【例】New medical technology will cure more *ailments* that afflict humanity. 新的医学技术可以治疗更多困扰人类的疾病。

\*airtight ['eətait] *a.* 密闭的；无懈可击的

【记】组合词：air(空气)+tight(不透气的) → 不透气的 → 密闭的

【例】Bill put the bear in an *airtight* glass container. 比尔把啤酒装进了一个密闭的玻璃容器里。

aisle [ail] *n.* 过道；通道

【记】联想记忆：ai(看做air空气)+sle → 让空气流通的道 → 通道

【例】In the supermarket, the end of an *aisle* is usually used for promoting special offers. 超市过道的尽头常用来促销特价商品。

\*alarm [ə'lɑːm] *n.* 报警器；闹钟；警报；*vt.* (使)惊恐；(使)担心

【记】联想记忆：al+arm(武器) → 受了惊吓，拿起武器 → 惊恐

【例】Everytime when you leave your house, make sure the windows and doors are shut, and set the burglar *alarm.* 每次出门时都应确定

门窗已关好，并打开了防盗警铃。

alchemist

**\*alchemist** [ˈælkimist] *n.* 炼金术士

【记】联想记忆：al+chemist（化学家）→ 炼金术士

**alcohol** [ˈælkəhɔl] *n.* 酒精

【例】Passive smoking is the third most preventable cause of death after active smoking and *alcohol*-related diseases. 被动吸烟是除主动吸烟和酗酒引发的疾病外的第三大可以预防的致死原因。

**alert** [əˈləːt] *a.* 警惕的；*n.* 警戒；警报；*vt.* 警告

【记】联想记忆：Red Alert 红色警戒，20世纪90年代风靡全球的电脑游戏

【例】We must keep fully *alert*. 我们必须保持高度警惕。

**\*alienation** [ˌeiljəˈneiʃən] *n.* 疏远；离间

【例】The creation of healthy social environment must address issues such as poverty, pollution, natural resource depletion, social *alienation* and poor working conditions. 要营造健康的社会环境，不可忽视的问题很多，如贫困、污染、自然资源枯竭、社会关系疏离以及恶劣的工作环境等。

**\*alight** [əˈlait] *vi.* 落下；*a.* 点着的

【记】词根记忆：a(在…)+light(点着)→ 点着的

【例】The earliest peoples probably stored fire by keeping slow burning logs *alight* or by carrying charcoal in pots. 最原始人类保存火种的方法可能是让原木缓慢燃烧保持不灭，或是将木炭装进罐子里。

**alignment** [əˈlainmənt] *n.* 排成直线；联盟

【记】来自align(*vt.* 使成一行；使结盟)，a+lign(看做line线)→ 排成直线

【例】If your bed doesn't give enough support, back muscles and ligaments work all night trying to correct spinal *alignment*, so you wake up with a tired aching back. 如果你的床不能给你足够的支撑，背部肌肉和韧带便会整晚工作以校直脊柱，因此在第二天醒来时你就会觉得腰酸背痛。

**\*alley** [ˈæli] *n.* 小巷；胡同

【例】There are many blind *alleys* in this town. 这个镇子里有很多死

胡同。

**allocate** [ˈæləkeit] *vt.* 分配；分派

【记】词根记忆：al(加强)+loc(地方)+ate(做) → 不断把东西发送到地方 → 分配；分派

【例】The world-wide coal industry *allocates* extensive resources to researching and developing new technologies. 全球的煤炭业为新技术的研发提供了广泛的资源。

【派】allocation(*n.* 分配；安置)

**allowance** [əˈlauəns] *n.* 津贴；允许，容忍

【记】联想记忆：allow(允许)+ance → 允许，容忍

【例】I have a good retirement *allowance* that will make it easy for me to buy a nice house. 我有一笔丰厚的退休金，可以让我轻而易举地买一栋漂亮的房子。

**\*alluvial** [əˈljuːviəl] *a.* 冲积的；淤积的

【例】The seabed here consisted of *alluvial* silt and mud deposits. 此地的海床由冲击到这里的细沙和沉积的淤泥构成。

**\*almond** [ˈɑːmənd] *n.* 杏树；杏仁

【例】Mary prefers *almonds* to peanuts. 和花生比，很多人更喜欢杏仁。

**alter** [ˈɔːltə] *vt.* 改变；变动

【记】本身为词根：改变状态

【例】We may be able to *alter* our genetic inheritance if we so choose. 如果愿意，我们可以改变自己的基因遗传。

**alternate** [ɔːlˈtəːnət] *a.* 轮流的；间隔的

[ˈɔːltəːneit] *v.* (使)轮流

【记】词根记忆：altern(改变状态)+ate(…的) → 交替改变的 → 轮流的

【例】Snow and rain *alternated*, and it was very cold outside. 外面雨雪交加，非常寒冷。

**\*alternative** [ɔːlˈtəːnətiv] *n.* 二选一，选择；*a.* 两者选一的

【记】词根记忆：altern(改变状态)+ative(…的) → (在两者间)改变状态 → 二选一

【例】The coal industry should be abandoned in favour of *alternative* energy sources. 应该用其他的替代能源来取代煤炭业。

【派】alternatively(*ad.* 二选一地)

**altitude** ['æltitjuːd] *n.* 海拔；[*pl.*] 高地

【记】词根记忆：alt(高)+itude(表状态) → 海拔

【例】One common type of coffee bean, called Robusta, is grown at *altitudes* below 600 metres. 叫做Robusta的咖啡豆是常见的咖啡豆之一，它生长在海拔600米以下的地方。

**aluminium** [ˌæljuˈminiəm] *n.* 铝

【例】The US produces 300 million *aluminium* drink cans each day. 美国每天要生产三亿只铝质饮料罐。

**amass** [əˈmæs] *vt.* 积聚

【记】词根记忆：a+mass(一团) → 变成一团 → 积聚

【例】The monopoly capitalists *amassed* fabulous wealth during World War II. 二战期间，垄断资本家大发横财。

**amateur** ['æmətʃə(r); 'æmətə] *n.* 外行；业余爱好者；*a.* 业余的

【记】词根记忆：amat(爱)+eur(人) → 业余爱好者

【例】Only *amateur* athletes are allowed to compete in this sports games. 这次运动会只允许业余运动员参加。

**amaze** [əˈmeiz] *vt.* 使惊奇，使惊愕

【例】We are *amazed* at the perfect symmetry of the building. 我们惊诧于这座建筑物完美的对称格局。

**\*ambassador** [æmˈbæsədə] *n.* 大使，使节

**ambiguous** [æmˈbigjuəs] *a.* 含糊其辞的；不明确的

【记】词根记忆：ambi(两边)+gu+ous(…的) → 左思右想 → 不明确的

【例】Thinking in categories enables us to categorise phenomena that are essentially *ambiguous*. 够分类思考能够使我们可以将一些本质上含糊的现象进行分类。

**\*ambitious** [æmˈbiʃəs] *a.* 有抱负的；有野心的

【记】来自ambition (*n.* 野心)，ambi (两边)+tion → 两边都想要 → 野心

【例】The Human Genome Project is the most *ambitious* scientific project since the Apollo programme, which landed a man on the moon. 人类基因工程是继阿波罗登月计划后最具雄心的科学项目。

**ambulance** ['æmbjuləns] *n.* 救护车；野战医院

【记】联想记忆：ambul(行走)+ance(表性质) → 哪里有病人就走到哪里的车 → 救护车

【例】There is a car accident, please send an *ambulance* as soon as possible. 这里发生了一起车祸，请尽快派救护车来。

\*amorphous [əˈmɔːfəs] *a.* 无定形的；无组织的；非结晶质的

【记】词根记忆：a+morph(形状)+ous → 无定形的

【例】The Swedish chemist called Pasch discovered *amorphous* phosphorus. 瑞典化学家帕斯发现了无定形磷。

\*amount [əˈmaunt] *n.* 总额；*vi.* 合计

【例】The chart shows the *amount* spent on six consumer goods in European countries. 这张图表显示了欧洲国家用于六种消费品的总花费。

amplify [ˈæmplifai] *vt.* 放大(声音等)；

*vi.* 详述

【记】词根记忆：ampl(大)+ify(使…) → 放大

amplify

【例】Let me *amplify* so that you will understand the overall problem. 让我来详细解释一下，这样你就会理解整个问题了。

\*analogous [əˈnæləgəs] *a.* 类似的

【记】来自analogy(*n.* 类似)

【例】The task was strictly *analogous* to the one that we had finished before. 这个任务和我们先前完成的极为相似。

\*analyse [ˈænəlaiz] *vt.* 分析；分解

【记】词根记忆：ana(分开)+lyse(放) → 分开放 → 分解；分析

【例】The objective of the Human Genome Project is to map and *analyse* every single gene within the double helix of humanity's DNA. 人类基因工程的目标就是绘制和分析人类呈双螺旋状DNA中的每一个基因。

【派】analysis(*n.* 分析)；analyst(*n.* 分析家；化验员)

\*anatomy [əˈnætəmi] *n.* 解剖学；解剖结构

【记】词根记忆：ana (分开)+tomy (切) → 切开身体 → 解剖学

anatomy

【例】Leon devoted his life to studying the human *anatomy*. 利昂毕生致力于

研究人体解剖学。

【派】anatomical(*a.* 解剖学的)

**ancient** [ˈeinʃənt] *a.* 古老的；年老的

【记】发音记忆："安神的"→那古老的旋律让人心安神宁

【例】The *Ancient* Greeks used lenses to concentrate the sun's rays on dry leaves to light fire. 古希腊人用透镜将太阳光聚集在干树叶上取火。

**\*and so forth** 等等

【例】In many parts of Australia, standing water—that is dams, puddles *and so forth*—dry up rapidly. 澳大利亚大部分地方的静止水，即水库、水坑等地的水，干得很快。

**\*anecdotal** [ˌænikˈdəutl] *a.* 轶话的，轶闻趣事的

【例】There is only *anecdotal* evidence of life on Mars. 火星上存在生命仅仅是传言。

**\*announce** [əˈnauns] *vt.* 宣布；声称

【例】In 1989, a team of American and Canadian archaeologists *announced* that they had found the site of an ancient city. 1989年，一个由美国和加拿大的考古学家组成的团队宣布，他们发现了一处古城遗址。

【派】announcement(*n.* 宣告；发表)；announcer(*n.* 广播员，播报员)

**annoy** [əˈnɔi] *vt.* 使烦恼；打搅

【例】The bathroom light which flikered quite badly *annoyed* me very much. 浴室里的灯闪来闪去，真让我心烦。

**\*annual** [ˈænjuəl] *a.* 每年的，一年一次的

【记】词根记忆：ann(年)+ual(…的)→每年的

【例】All students at the college are entitled to become members of the Sports Centre for an *annual* fee of $200. 大学里的学生只需交200美元的年费，就可以成为运动中心的会员。

【派】annually(*ad.* 一年一次，每年)

**\*anthropologist** [ˌænθrəˈpɔlədʒist] *n.* 人类学家

【例】The lecturer is an *anthropologist*. 这位讲师是人类学家。

**\*anticipate** [ænˈtisipeit] *v.* 先于…行动；预见

【记】词根记忆：anti(前)+cip(落下)+ate→提前落下→预见

【例】We need someone who can *anticipate* and respond to changes in the fashion industry. 我们需要一个能预见时装业变化并能做出相

应安排的人。

【派】anticipation(*n.* 预料)

**\*antidote** [ˈæntidəut] *n.* 解毒药

antidote

【记】词根记忆：anti(反)+dote(药剂)→反毒的药→解毒药

【例】Researchers could not say for sure which medicine might be a successful *antidote* to bacterial infection. 研究人员不能确定哪种药可以得到证实，能有效地治疗细菌感染。

**\*antiquity** [ænˈtikwəti] *n.* 古代；古迹

【记】来自antique(*a.* 古代的)

【例】No one knows how much *antiquity* has been stolen or destroyed. 没人知道有多少古迹被偷盗或毁坏了。

**\*anxious** [ˈæŋkʃəs] *a.* 渴望的；忧虑的

【例】He is *anxious* to enter the competition. 他很想去参加比赛。

**\*apace** [əˈpeis] *ad.* 快速地，急速地

【例】The research went on *apace*. 研究进展迅速。

**apart** [əˈpɑːt] *ad.* 相间隔；分离；除去；*a.* 分离的

【记】词根记忆：a(⋯的)+part(分开)→分离的

【例】*Apart* from the Second World War period, the Winter Olympics were held every four years. 除了二战期间，冬奥会每4年举行一次。

**\*ape** [eip] *n.* 猿；*vt.* 模仿

【例】It is pretty well agreed that *apes* and men come from a common ancestor. 人们普遍认为类人猿和人类有共同的祖先。

**apparatus** [ˌæpəˈreitəs] *n.* 器械；组织

【记】词根记忆：ap(加强)+para(辅助)+tus → 起辅助作用的东西 → 器械

【例】This *apparatus* has been thoroughly tested. 这套设备已全面测试过了。

**\*apparent** [əˈpærənt] *a.* 显然的；表面上的

【记】联想记忆：ap+parent(父母)→父母对儿女的爱是显而易见的→显然的

【例】This tendency was *apparent* in the late 1980s. 这种趋势在20世

纪80年代末很明显。

**\*apparently** [əˈpærəntli] *ad.* 显然地；看来

【例】*Apparently*, a caretaker government seemed not to be potent. 很明显，临时政府似乎无法胜任工作。

**\*appeal** [əˈpiːl] *vi.* 呼吁；吸引；*n.* 感染力，吸引力

【例】You should read things that *appeal* to you. 你应该阅读一些让你感兴趣的东西。

**\*appearance** [əˈpiərəns] *n.* 出现；外观

【记】来自appear(*vi.* 出现)

【例】His sudden *appearance* surprised me greatly. 他的突然出现让我大吃一惊。

**appetite** [ˈæpitait] *n.* 食欲，胃口

【记】联想记忆：ap(加强)+pet(宠爱，喜爱)+ite → 喜欢吃的东西会勾起人的食欲 → 食欲

【例】My supper by this time was cold, and my *appetite* was gone. 我的晚餐这时候已经凉了，我也没胃口了。

**applaud** [əˈplɔːd] *v.* (向…)鼓掌喝彩；称赞

【记】词根记忆：ap(加强)+plaud(鼓掌) → 鼓掌喝彩

【例】They *applaud* their favorite comedienne as she comes on the stage. 当他们最喜欢的女喜剧演员登台时，他们鼓掌欢迎。

**appliance** [əˈplaiəns] *n.* 用具，器具

【记】来自apply(运用)+ance(表性质) → 可用的东西 → 用具，器具

【例】On Wednesdays, I repair electrical *appliances* free of charge. 每逢周三，我都给人免费修理电器。

**applicant** [ˈæplikənt] *n.* 申请人

【例】We have interviewed twenty-six *applicants* and none of them are qualified. 我们已经面试了26个申请者，可没有人符合条件。

**\*application** [ˌæpliˈkeiʃən] *n.* 申请；应用，运用

【例】I think this invention has many useful *applications*. 我认为这项发明的应用会非常广泛。

**\*apply** [əˈplai] *v.* 应用，使用；申请

【记】联想记忆：提供(supply) → 使用(apply)

【例】If you would like more information on how to *apply* for a student loan, then you should contact The Student Loans Company. 如果你想获得更多有关申请学生贷款的信息，那么你应该和学生贷款公

司联系。

**appoint** [ə'pɔint] *vt.* 任命，委任；指定(时间、地点等)

【记】联想记忆：ap(加强)+point(指向，指出) → 指定某人做某事 → 任命

【例】He is *appointed* to administer funds. 他被指派去管理一些基金。

**\*appointment** [ə'pɔintmənt] *n.* 约会

【例】If for some reason you cannot keep your *appointment*, please telephone. 如果由于某种原因不能赴约，请您电话告知。

**appraisal** [ə'preizəl] *n.* 估计；评价

【记】联想记忆：ap(加强)+prais(e)(称赞)+al → 称赞是一种好的评价

【例】Susan's *appraisal* of the writer's work was favorable. 苏珊对这位作家的作品给予了肯定的评价。

**\*approach** [ə'prəutʃ] *vt.* 向…靠近，来临；*n.* 方法，途径

【记】词根记忆：ap(加强)+proach(接近) → 一再接近 → 来临

【例】As autumn *approaches*, the beekeepers pack up their hives and go south. 秋天来临，养蜂人打点蜂房转往南方。

【派】approachability(*n.* 可接近，易接近)

**\*appropriate** [ə'prəupriət] *a.* 适当的

[ə'prəuprieit] *v.* 挪用；拨出(款项)

【记】词根记忆：ap+propr(拥有)+iate → 变为自己拥有 → 挪用

【例】Personality questionnaires are used by companies to put people in *appropriate* areas of work. 很多公司使用个性调查问卷的方式把员工安排到适合的工作岗位。

# Word List 3

词根词缀预习表

| | | | |
|---|---|---|---|
| **aqua** | 水 aquarium (*n.* 水族馆) | **arbor** | 树 arboreal (*a.* 树木的; 栖于树木的) |
| **astro** | 星 astrology (*n.* 占星学) | **ath** | 比赛 athlete (*n.* 运动员) |
| **aud** | 大胆 audacious (*a.* 大胆的) | **audi** | 听 audio (*a.* 听觉的) |
| **rog** | 要求 arrogance (*n.* 傲慢, 自大) | **simil** | 相同 assimilate (*vt.* 吸收; 使同化) |
| **spir** | 呼吸 aspiration (*n.* 强烈的愿望; 志向) | **sum** | 拿, 取 assume (*vt.* 假定, 设想) |

**approval** [əˈpruːvəl] *n.* 赞成, 同意; 正式批准

【例】Mining is subject to stringent controls and *approvals* processes. 采矿要接受严格的控制和审批程序。

*approve [əˈpruːv] *vt.* 批准, 同意

【记】联想记忆: ap+prove(证实) → 经过证实才能批准 → 批准, 同意

【例】You can begin making purchases immediately after your application is *approved*. 你的申请得到批准后, 马上就可以购买了。

**approximate** [əˈprɔksimit] *a.* 近似的; *vt.* 近似

【记】词根记忆: ap+proxim(接近)+ate → 接近的 → 近似的

【例】I would like to know the *approximate* price of this car. 我想了解一下这辆车的大概价位。

【派】approximately(*ad.* 近似地, 大约)

**apt** [æpt] *a.* 易于…的; 适宜的; 敏捷的

【记】本身为词根: 适应, 能力

【例】Artists are *apt* at revealing the inner world of human beings. 艺术家们善于展现人的内心世界。

*aptitude [ˈæptitjuːd] *n.* 适宜; 才能

【记】词根记忆: apt(能力)+itude(状态) → 才能

21

【例】Each branch of this company had employees of comparable *aptitudes*. 该公司的所有分公司都雇佣能力相当的员工。

\*aquarium [əˈkweəriəm] *n.* 养鱼池；玻璃缸；水族馆

【记】词根记忆：aqua(水)+rium → 水族馆

【例】We are going to take the kids to the new *aquarium* this weekend. 这周末我们打算带孩子们去新开的水族馆。

\*arable [ˈærəbl] *a.* 可耕作的；*n.* 耕地

【记】联想记忆：ar(看做art技术)+able → 通过技术认定可耕 → 可耕作的

【例】On the top of the hill, the *arable* ground has been seeded. 山顶上那片适合耕种的土地已经进行耕作了。

arboreal [ɑːˈbɔːriəl] *a.* 树木的；栖于树木的

【记】词根记忆：arbor(树)+eal → 树木的

【例】Koala is an *arboreal* animal. 树袋熊是一种栖息在树上的动物。

architect [ˈɑːkitekt] *n.* 建筑师

【例】Among mathematicians and *architects*, left-handers tend to be more common. 在数学家和建筑师中，左撇子往往更为常见。

\*architecture [ˈɑːkitektʃə] *n.* 建筑(学)；建筑式样(风格)

【例】The trend in *architecture* now favours smaller—scale building design. 现在建筑设计的流行趋势是小户型。

【派】architectural(*a.* 建筑的)

\*archive [ˈɑːkaiv] *n.* 档案文件；档案室；*vt.* 存档

【例】The museum drew on its *archive* collection for its exhibition. 博物馆为了展览使用了收藏的档案。

\*argue [ˈɑːgjuː] *v.* 争论，说服

【记】发音记忆："阿Q" → 阿Q喜欢和人争论

【例】The study *argues* that the type of action needed against passive smoking should be similar to that being taken against AIDS. 该研究证明人们需要采取类似防范艾滋病的方法来防范被动吸烟。

【派】arguably(*ad.* 可论证地，可辩解地)

\*argument [ˈɑːgjumənt] *n.* 争论；观点

【例】Support your *argument* with examples and relevant evidence, please. 请用实例和相关证据来支持你的论点。

**aridity** [əˈridəti] *n.* 干旱；乏味

【记】来自arid(*a.* 干旱的；无趣的)

【例】The most challenging natural problem of Australia is *aridity*.
干旱是澳大利亚面临的最具挑战性的自然问题。

*__**arithmetic**__ [əˈriθmətik] *n.* 算术

【记】联想记忆：数学(mathematic)包括算术(arithmetic)

*__**arrange**__ [əˈreindʒ] *v.* 安排；排列

【记】词根记忆：ar(加强)+range(排列) → 有序地排列 → 安排

【例】The Language Institute activities co-ordinator can assist students
to *arrange* any sport and leisure activities. 语言学院的活动负责人可
以帮助学生安排任何体育和休闲活动。

*__**arrangement**__ [əˈreindʒmənt] *n.* 安排；[常*pl.*]准备工作

【例】Larger firms appear to be more willing to experiment with
flexible working *arrangements*. 较大型的企业似乎更愿意尝试弹性
工作制。

*__**array**__ [əˈrei] *v.* 部署；*n.* 陈列；大批

【记】联想记忆：ar+ray(光线) → 像光线一样整齐排列 → 部署；陈
列

【例】Corso's drink corner is a shelf with an *array* of bottles and
glasses on it. 科索的酒水区是一个陈列着许多酒瓶和玻璃杯的架
子。

**arrogance** [ˈærəgəns] *n.* 傲慢，自大

【记】词根记忆：ar+rog(要求)+ance → 一再地要求 → 傲慢，自大

【例】His *arrogance* impressed us most unfavourably. 他的傲慢态度
给我们留下了极坏的印象。

*__**artefact**__ [ˈɑːtifækt] *n.* 人工制品

【记】联想记忆：arti(技巧)+e+fact(制作) → 用技巧做的东西 → 人
工制品

【例】The museum collections included approximately 300,000
*artefacts*. 博物馆里收藏了大约30万件手工艺品。

**artery** [ˈɑːtəri] *n.* 动脉；要道

【记】和vein(*n.* 静脉)一起记

【例】The patient underwent an operation to unblock his coronary
*artery*. 这位病人接受了一次冠状动脉疏通手术。

*__**arthritis**__ [ɑːˈθraitis] *n.* 关节炎

【记】词根记忆：arthr(连结；关节)+itis(炎症)→关节炎

【例】Rheumatoid *arthritis* belongs to the family of autoimmune diseases. 类风湿关节炎属于自体免疫系统类疾病。

\*artificial [ˌɑːtiˈfiʃəl] *a.* 人工的，人造的

【记】词根记忆：arti(技巧)+fic(做)+ial(…的)→表面技巧→人工的

【例】We use no *artificial* additives of any kind in our products. 我们的产品中没有使用任何人工添加剂。

as for/to 至于，关于

【例】*As for* the glass changing colours instantly, that may come true. 至于让玻璃瞬间变幻色彩，也会成为现实。

as if/though 好像，仿佛

【例】The little girl's lips quiver, *as if* she is about to cry. 小女孩的嘴唇颤抖着，好像要哭了。

ash [æʃ] *n.* 灰；灰烬；[*pl.*] 骨灰，遗骸

【例】The volcanic *ash* caused a lot of damage in the village. 火山灰给村庄造成了很大的破坏。

\*aspect [ˈæspekt] *n.* 方面；外观，样子

【记】词根记忆：a(加强)+spect(看)→仔细看一个东西的外观

【例】A great deal of empirical evidence shows that pictures in a book interfere in a damaging way with all *aspects* of learning to read. 大量经验表明，书中的插图给学习阅读的各方面都造成了不利的影响。

aspiration [ˌæspəˈreiʃən] *n.* 强烈的愿望；志向；渴望达到的目的

【记】词根记忆：a(无)+spir(呼吸)+ation→(渴望得快要)窒息了→强烈的愿望

【例】A building reflects the ideas and *aspirations* of the designer and client. 建筑物反映出设计者和客户的理念与要求。

\*assemble [əˈsembl] *vt.* 集合；装配

【记】联想记忆：as(加强)+semble(类似)→物以类聚→集合

【例】All components were *assembled* in the front workshop. 所有部件都是在前面的车间组装的。

【派】assembly(*n.* 集会；组装)

\*assess [əˈses] *v.* 评定；估价

【例】Core samples are always extracted to *assess* the quality and quantity of coal at a site before mining. 在开采前，通常会收集选地

的矿样来评估矿质和储量。

【派】assessment(*n.* 评定；核定的付款额)

**asset** [ˈæset] *n.* 财产；优点

【例】Organizations should recognize that their employees are a significant part of their financial *assets*. 各组织应该承认员工是其财产的重要组成部分。

***assign** [əˈsain] *vt.* 指派，分配

【记】联想记忆：as+sign(签名)→签名指派某人做某事

【例】In the United States, more land is *assigned* to car use than to housing. 美国的土地更多地被划分做停车之用，而不是建造住宅。

***assignment** [əˈsainmənt] *n.* 任务

【例】Have you been given any writing *assignments* yet? 有人给你布置写作作业了吗？

**assimilate** [əˈsimileit] *vt.* 吸收；使同化

【记】词根记忆：as+simil(相同)+ate(使…)→使相同→使同化

【例】We *assimilate* some kinds of food more easily than others. 和其他食物相比，有些食物更容易被吸收。

**assistance** [əˈsistəns] *n.* 协助，援助

【例】Farmers are to receive financial *assistance* to help see them through the worst drought in over 50 years. 农民们将得到经济援助，以度过这场50多年来最严重的一次干旱。

***assistant** [əˈsistənt] *n.* 助理

【例】The employees felt that their *assistant* manager was closer to them than the manager. 和经理相比，员工们感觉助理经理与他们更亲近。

***associate** [əˈsəuʃieit] *vt.* 使联合；使有联系；*vi.* 交往

[əˈsəuʃiit] *n.* 伙伴；同事；*a.* 副的

【记】联想记忆：as(加强)+soci(看做social交际的)+ate(做)→交往

【例】People always *associate* noise with headaches, and for most of us excessive noise creates the conditions for a headache. 人们总是把噪音和头疼联系在一起；对于我们大多数人来说，过多的噪音是引起头疼的条件。

***association** [əˌsəusiˈeiʃən] *n.* 协会

***assume** [əˈsjuːm] *vt.* 假定，设想

【记】词根记忆：as+sume(拿，取)→预先拿取→假定，设想

25

【例】Ecologists have *assumed* that tropical ecosystems were shaped entirely by natural forces. 生态学家设想热带生态系统完全是由自然的力量形成的。

**assumption** [ə'sʌmpʃən] *n.* 假定，假设

【例】The *assumption* has been shown to be incorrect by recent research. 最近的研究证明这一假设不正确。

**assurance** [ə'ʃuərəns] *n.* 信心；保证；(人寿)保险

【记】来自 assure(*vt.* 保证)

【例】quality *assurance* system 质量保证体系

**\*asthma** ['æsmə] *n.* 哮喘症

【例】A world-wide rise in *asthma*, over the past four decades is said to be linked with increased air pollution. 据说，在过去的40年里，世界范围内哮喘病发病率升高与越来越严重的空气污染有关。

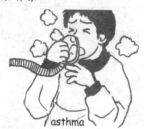
asthma

**astonish** [ə'stɔniʃ] *vt.* 使惊讶，使吃惊

【记】联想记忆：a(一个)+ston(看做stone石头)+ish(使)→ 一石激起千层浪，怎不叫人惊讶

【例】Arthur made *astonishing* progress in his studies. 亚瑟在学业上取得了惊人的进步。

**astound** [ə'staund] *v.* (使)震惊

【记】联想记忆：as+tound(看做sound)→ 像被大声所吓倒 → 震惊

【例】The eruption in May 1980 of Mount St. Helens, Washington State, *astounded* the world with its violence. 1980年5月，位于华盛顿的圣海伦火山喷发所产生的强大破坏力震惊了世界。

**astray** [ə'strei] *ad.* 迷路地；误入歧途地

【记】联想记忆：as(像)+tray(盘子)→ 像在盘子里转圈圈 → 迷路地，误入歧途地

【例】Follow the guide or you'll go *astray* in the jungle. 跟着导游，否则你们会在丛林里迷路的。

**astrology** [ə'strɔlədʒi] *n.* 占星学；占星术

【记】词根记忆：astro(星)+(o)logy(…学)→ 占星学

**\*astronaut** ['æstrənɔːt] *n.* 宇航员

【例】The rocket transported the *astronauts* to mysterious realms beyond the Earth. 火箭将宇航员运载到地球以外的神秘太空。

*asymmetry [æˈsimitri] n. 不对称

【记】词根记忆：a(不)+symmetry(对称)→ 不对称

【例】*Asymmetry* is a common feature of the human body. 不对称是人类共同的特点。

【派】asymmetric( a. 不对称的，不均匀的)

*at least 至少

【例】Fulltime courses last *at least* one academic year in this college. 这所大学的全日制课程至少要上一学年。

at random 随便地，任意地

【例】Each programme was assigned *at random* a division that had been historically high in productivity and a division that had been below average in productivity. 每个项目被随机分配给一个生产效率历来很高的部门和一个生产效率低于平均水平的部门。

athlete [ˈæθliːt] n. 运动员；体育家

【记】发音记忆："爱死你的"→ 运动员体格健美让人喜爱

【派】athletic( a. 运动的，运动员的)

*atmosphere [ˈætməsˌfiə] n. 大气；气氛；环境

【记】词根记忆：atmo+sphere(球体)→ 围绕地球的空气 → 大气

【例】Uranus' *atmosphere* consists largely of hydrogen and helium. 天王星的大气主要由氢和氦组成。

【派】atmospheric( a. 大气的)

atomic [əˈtɔmik] a. 原子(能)的

【例】*Atomic* energy powers the submarine. 原子能供给潜艇动力。

attach [əˈtætʃ] vt. 贴上；使喜爱；使附属

【记】词根记忆：at(加强)+tach(接触)→ 接触上 → 贴上；使附属

【例】The parking sticker must be *attached* to the front windscreen of the car to be valid. 停车证必须贴在汽车挡风玻璃上，这样才有效。

*attack [əˈtæk] v. /n. 进攻；抨击；(疾病等)突然发作

【记】联想记忆：at(加强)+tack(看做tank坦克)→ 用坦克加强进攻

【例】Passive smoking cause between 30,000 and 60,000 deaths from heart *attacks* each year in the United States. 在美国，被动吸烟每年导致三到六万人死于心脏病。

attain [əˈtein] vt. 达到；获得

【记】词根记忆：at+tain(拿住) → 稳稳拿住 → 获得

【例】Sustainable development is to *attain* a perpetual balance between population，economic growth and the environment. 可持续发展就是要达到人口、经济增长和环境三者之间的永久平衡。

**\*attempt** [ə'tempt] *n. /vt.* 尝试；试图；努力

【记】词根记忆：at(加强)+tempt(诱惑，考验) → 试图引诱别人

【例】A series of lectures organised by the Students' Union is part of the union's *attempt* to help students stay healthy.
学生会举办的一系列讲座是为帮助学生保持健康而做的努力的一部分。

**\*attend** [ə'tend] *vt.* 出席；照料；*vi.* 专心于；致力于

【记】联想记忆：at+tend(伸展) → 伸长脖子看 → 专心于

【例】Students under the age of 16 cannot *attend* any of the courses offered by the college. 未满16岁的学生不能学习本学院的任何课程。

【派】attendance(*n.* 出席；照料)；attention(*n.* 注意；关心)

**attraction** [ə'trækʃən] *n.* 吸引(力)

【例】The *attraction* of single—speed cycles is their simplicity and reliability. 单速自行车吸引人之处在于其简单性和可靠性。

**attribute** ['ætribjuːt] *n.* 属性；品质；[ə'tribjuːt] *vt.* 把…归于

【记】词根记忆：at+tribute(给予) → 把…归于

【例】The global increase in greenhouse gases has been *attributed* to industrial pollution in developed countries. 全球温室气体的增加归咎于发达国家的工业污染。

**\*audacious** [ɔː'deiʃəs] *a.* 大胆的；有冒险精神的；鲁莽的

【记】词根记忆：aud(大胆)+acious(多…的) → 大胆的

【例】The *audacious* proposal was quickly denied by the committee.
这个冒险的建议很快就被委员会否决了。

**audio** ['ɔːdiəu] *a.* 听觉的；声音的

【记】词根记忆：audi(听)+o → 听觉的

【例】Teams of typists transcribed the *audio* tapes to produce a computerised database of ten million words. 声音录入组将磁带转录成一千万字的电脑数据库。

**audition** [ɔː'diʃən] *n.* 试演；听力

【记】联想记忆：aud(听)+tion → 听(新演员)唱 → 试演

【例】I became a professional singer after I took many *auditions*. 经过多次试唱，我成了一名职业歌手。

**\*authority** [ɔːˈθɔːrəti] *n*.权力，权威；[常*pl.*]权力机关

【例】Dark colours give an aura of *authority* while lighter pastel shades suggest approachability. 深色调给人一种权威的感觉，而清淡柔和的色调使人感到亲切。

**authorize** [ˈɔːθəraiz] *vt.*批准，认可；授权

【例】When an *authorized* user wishes to enter or use the facility, the system scans the person's corresponding characteristics and attempts to match them against those on record. 被授权的用户如果想进入或使用这一工具，系统会对其相应的特征进行扫描并与记录里的资料进行核对。

【派】unauthorised(*a.* 未经授权的，未批准的)；authoritative(*a.* 有权威性的；命令式的)

**\*automatically** [ˌɔːtəˈmætikəli] *ad.*自动地；无意识地

【记】词根记忆：auto(自己)+mat(动)+ic(…的) → 自动地

【例】Cars will be *automatically* controlled by computer in the future. 未来的汽车将由计算机自动控制。

**avail** [əˈveil] *n.*效用；利益；*v.*利用

【记】词根记忆：a(加强)+vail(价值) → 有价值 → 利益

【例】*Avail* yourself of every opportunity to enrich your knowledge. 利用每一个机会扩大自己的知识面。

**\*available** [əˈveiləbl] *a.*可获得的；可用的

【例】We hope that ostrich meat will be *available* soon and before long will be as cheap as beef. 我们希望不久就可以买到鸵鸟肉，而且希望它的价格不久就会变得和牛肉一样便宜。

**avalanche** [ˈævəlɑːntʃ] *n. /v.*雪崩

avalanche

【记】联想记忆：三个a像滚下的雪球

【例】An earthquake triggered an *avalanche*. 地震引起一场雪崩。

**avenue** [ˈævinjuː] *n.*林阴道，大街；方法，途径

【例】They explored every *avenue* to cure his cancer. 他们寻找各种方法来治疗他的癌症。

# Word List 4

*average [ˈævərɪdʒ] n. 平均（数）；a. 平均的；平常的

【例】How many hours a day on *average* do you watch TV? 你平均每天看多长时间的电视？

*avoid [əˈvɔid] vt. 避免；躲开

【记】联想记忆：a（加强）+void（空旷，空虚）→使空旷→躲开

【例】Building big commercial buildings underground can be a way to *avoid* disfiguring or threatening a beautiful landscape. 在地下建商业大楼可以避免破坏或威胁到美丽的风景。

【派】avoidance（n. 避免）

*award [əˈwɔːd] n. 奖；评判；vt. 授予；给与

【例】Our experience would suggest that the long-term effects of incentive *awards* on absenteeism are questionable. 我们的经验表明，激励奖对旷课的长期效果值得质疑。

*aware [əˈweə] a. 知道的；意识到的

【例】Most ecologists were *aware* that the areas of Amazonia they were working in had been shaped by human settlement. 大多数生态学家意识到他们研究的亚马逊地区已经受到人类居住的影响。

【派】unaware（a. 不知道的，没意识到的）；awareness（n. 知道）

*awful [ˈɔːful] a. 糟糕的

30

【例】The food at the hostel was *awful*. 这家饭店的食物很糟糕。

**bachelor** ['bætʃələ] *n.* 学士；单身汉

【例】Tom is working towards a *Bachelor* of Social Sciences degree in the university of Cambridge. 汤姆在剑桥大学攻读社会科学的学士学位。

*__backbone__ ['bækbəun] *n.* 脊椎；骨干；支柱

【例】The Ottawa Charter for Health Promotion outlined in 1986 remains as the *backbone* of health action today. 1986年起草的《渥太华健康促进宪章》仍是今天健康活动的支柱。

**bacterial** [bæk'tiəriəl] *a.* 细菌的

【例】Leaving any remaining nonviable tissue may create an environment for *bacterial* growth. 留下任何残存的死组织都可能为细菌生长创造环境。

**badge** [bædʒ] *n.* 徽章；标记；象征

【例】Are there any marks or *badges* on your briefcase that make it stand out? 你的手提包上是否有什么记号或是标记使它看起来与众不同？

**badminton** ['bædmintən] *n.* 羽毛球

【例】There is a sports hall for squash, *badminton*, volleyball and several other indoor sports in my university. 我所在的大学有一个体育馆，在里面可以打壁球、羽毛球、排球，还可以做其他室内运动。

*__balance__ ['bæləns] *n.* 平衡；余额；*vt.* 平衡

【记】联想记忆：bal（看做ball球）+ ance → 球操选手需要很好的平衡能力 → 平衡

balance

【例】If you have a well *balanced* diet, then you should be getting all the vitamins that you need for normal daily activity. 如果你饮食均衡合理，就会获得每天日常所需的所有维生素。

**balcony** ['bælkəni] *n.* 阳台；楼座

【记】发音记忆："包给你" → 把整个包厢都"包给你" → 楼座

【例】From your cabin *balcony* you'll find that you can't see anyone else and the only noise you should hear is the birds. 从你小屋的阳台看不到任何人，听到的只有鸟鸣。

**bamboo** [bæmˈbuː] *n.* 竹子
【记】发音记忆："颁布" → 古时颁布的法令是刻在竹简上的 → 竹子

**\*band** [bænd] *n.* 乐队；带子；波段；*v.* 用带绑扎
【记】和 hand(*n.* 手)一起记
【例】The Brazlian Drum *Band* will be appearing on stage in the next show. 下一个节目将是巴西鼓乐队的表演。

**bankrupt** [ˈbæŋkrʌpt] *a.* 破产的
【记】联想记忆：bank（银行）+ rupt（打破）→ 银行里的账户被打破 → 破产的

bankrupt

【例】The theatre went *bankrupt* with over ten billion dollars of debt last January. 去年一月份，那家剧院因负债超过一百亿美元而破产。

**bankruptcy** [ˈbæŋkrəptsi] *n.* 破产
【例】Unwise investments led the firm into *bankruptcy*. 草率的投资导致了公司破产。

**\*banner** [ˈbænə] *n.* 横幅；旗帜
【记】联想记忆：ban(禁止)+n+er → 禁止悬挂横幅
【例】On the wall is the *banner* welcoming the Friends of Italian Opera. 墙上挂着一条"欢迎意大利歌剧团朋友"的横幅。

**\*bar** [bɑː] *n.* 酒吧；栅栏；棒，条状物；*vt.* 闩(门、窗等)；阻拦
【例】Architects in the 18th and 19th centuries began to create buildings by using steel, glass and concrete strengthened steel *bars*. 18、19世纪的建筑师开始使用钢铁、玻璃和混凝土加固的钢条来建造房屋。

**\*barbecue** [ˈbɑːbikjuː] *n.* 金属烤肉架；烧烤野餐
【记】词根记忆：barb(倒钩)+ecue → 用倒钩挂上肉烤 → 烧烤野餐
【例】Membership gives wide access to activities like basketball and football as well as *barbecues* and other social functions. 会员可以参加各种活动，诸如打篮球、踢足球、吃烧烤以及其它社交集会。

**\*bare** [beə] *a.* 赤裸的，光秃的
【例】Certain plants can cause irritation if you touch them with *bare* skin. 某些植物在和皮肤接触时，会引起皮肤过敏。

**\*barely** ['beəli] *ad.*仅仅，几乎不

【例】Rainfall *barely* penetrates the soil in this area. 该地区有些降雨几乎不能渗到土壤里。

**bargain** ['bɑ:gin] *vi.*讨价还价；*n.*契约；便宜货

【例】The employees and the employer reached a *bargain*. 雇员和老板达成了一项协议。

**\*barge** [bɑ:dʒ] *n.*驳船；*v.*猛撞；闯

【记】发音记忆："八只" → 八只驳船

【例】Beekeepers moved beehives on *barges* along the river to their next destination. 养蜂人用驳船载着蜂箱顺流而下，驶向下一个目的地。

**\*bark** [bɑ:k] *vi.*吠叫；*n.*犬吠声；树皮

【记】发音记忆："巴克" → 巴克很像一只狗的名字 → (狗等)吠

【例】Our neighbor's dog *barks* constantly. 邻居家的狗总是叫个不停。//Almost all the trees of the surrounding forest were flattened, and their branches and *bark* ripped off by the shock wave of the explosion from the erupting volcano. 火山喷发引起爆炸，爆炸带来的巨浪将周围的树林夷为平地,树枝和树皮也剥落下来。

**baron** ['bærən] *n.*贵族；男爵

【记】发音记忆："白人" → 欧洲的贵族一般都是白人

【例】The Frenchman *Baron* Pierre de Coubertin, an educator and scholar, founded the modern Olympics. 法国教育家及学者皮埃尔·德·顾拜旦男爵创办了现代奥运会。

**\*barrel** ['bærəl] *n.*桶，圆筒

【记】联想记忆：bar(横木)+rel → 横木围住的(东西) → 桶

【例】The milk is poured into *barrels* for shipment. 牛奶被倒进桶里准备装运。

**\*barrier** ['bæriə] *n.*栅栏；检票口；障碍；屏障

【记】联想记忆：bar(栅栏)+rier → 栅栏；障碍

【例】The language *barrier* presents itself in stark form to firms who wish to market their products in other countries. 对于那些希望在其他国家销售自己产品的公司来说，语言成了他们明显的障碍。

**\*basis** ['beisis] *n.*基础；根据；原则

【例】Water transport means cheap access, the chief *basis* of all port economies. 水路运输意味着运费低廉，这也是建立港口经济的

主要基础。

**batch** [bætʃ] *n.* 一批；一批生产量

【记】联想记忆：bat(蝙蝠)+ch → 蝙蝠都是成群生活 → 一批

【例】The *batch* number is printed on the bottom of each jar. 每个罐口瓶底都印有生产批号。

**battery** [ˈbætəri] *n.* 电池(组)，蓄电池(组)

【记】联想记忆：bat(蝙蝠)+tery → 给蝙蝠飞行提供能量 → 电池(组)

【例】When your car's *battery* run low, you can go to the nearest battery maintenance point for a replacement. 当你的汽车电池电量不足时，你可以到最近的电池给养站换电池。

**bay** [bei] *n.* 海湾

【记】联想记忆：baby中间少了一个b就是海湾

【例】There were hundreds of boats in the *bay* enjoying the good weather. 海湾里停泊着上百艘船，船上的人们享受着好天气。

**\*beam** [biːm] *n.* 束；梁；笑容；*v.* 面露喜色；定向发出

【记】联想记忆：be+am → 做我自己，成为国家的栋梁 → 梁

【例】The light *beams* up into the night sky, shining like a beacon miles away. 这束光直射夜空，像几英里外的灯塔一般闪闪发亮。

**\*beehive** [ˈbiːhaiv] *n.* 蜂窝；蜂箱

【记】组合词：bee(蜜蜂)+hive(蜂房，蜂箱) → 蜂窝；蜂箱

【例】A *beehive* is where bees live. 蜂箱是蜜蜂居住的地方。

beehive

**beforehand** [biˈfɔːhænd] *ad.* 预先，事先

【记】组合词：before(在…以前)+hand(手) → 抢在…之前下手 → 预先，事先

【例】The experiment will last for one year. *Beforehand*, several months are devoted to planning. 试验将持续一年的时间。在此之前，要用几个月的时间制定计划。

**behalf** [biˈhɑːf] *n.* 为了…的利益；代表

【记】联想记忆：be(使)+half(半) → 使两半，一变二，当然生利 → 利益

【例】He made an impassioned speech on *behalf* of his country. 他代表他的国家发表了热情洋溢的演说。

**behave** [biˈheiv] *vi.* 表现，举止

【记】联想记忆：be+have(有) → 所拥有的 → 表现，举止

【例】Managers often *behave* very differently outside the office. 通常，经理在办公室内外的举止判若两人。

\*belief [bi'li:f] *n.* 信仰，信条；相信

【例】The *belief* that rain and murky weather make people more unhappy is borne out by a study in Belgium. 人们相信雨天和阴沉的天气会让人更加忧郁，这种想法已被比利时的一项研究证实。

\*belt [belt] *n.* 地带；腰带

【例】Molten glass travelled over a moving *belt* of perforated steel oozing through the holes into moulds. 融化的玻璃流过一根移动的带孔钢条，通过孔眼滴入模子内。

\*beneath [bi'ni:θ] *prep. /ad.* 在下方，在底下

【记】联想记忆：be(加强)+neath(在…之下) → 在下方

【例】Shall we rest in the shade *beneath* these trees? 我们在树下阴凉处休息一下好吗？

beneficial [ˌbeni'fiʃəl] *a.* 有利的，有益的

【记】词根记忆：bene(善，好)+fic(做)+ial(…的) → 做好事 → 有益的

【例】How *beneficial* do you think it is to group students according to their level of ability? 你认为按照能力的高低给学生分组有多大益处？

\*benefit ['benifit] *n.* 利益；好处；*vt.* 有益于；得益

【记】词根记忆：bene(善，好)+fit → 利益，好处

【例】Increased leisure time would *benefit* two-career households. 增加休息时间会使双职工家庭受益。

\*besides [bi'saidz] *ad.* 而且；*prep.* 除…之外

【例】*Besides* turning floral nectar into honey, these hardworking insects also pollinate crops for farmers. 除了将花蜜酿成蜂蜜，这些辛勤的蜜蜂还给农民的庄稼授粉。

\*betray [bi'trei] *vt.* 出卖；辜负；泄露(秘密等)；显露

【记】发音记忆："被踹" → 被人暗地里踹了一脚 → 出卖

【例】If you treat him as a friend, he will treat you well and will never *betray* you. 如果你把他当作朋友，他就会对你很好而且绝对不会背叛你。

\*beverage ['bevəridʒ] *n.* 饮料

【记】联想记忆：b+ever+age → 饮料曾经是我的最爱

【例】The hotel provided the best available accommodation, food and *beverage,* and meeting facilities in Sydney's southern suburbs. 在悉尼南部市郊，这家旅馆提供的住房、餐饮及会议设施是最棒的。

**beware** [bi'weə] *v.* 谨防；当心

【记】联想记忆：be(使)+ware(音似：歪耳) → 使歪耳，歪耳提防 → 谨防，当心

【例】There are some venomous snakes to *beware* of in this area. 该地区有毒蛇，要小心。

**\*beyond** [bi'jɔnd] *prep.* 超出

【记】香港红极一时的乐队"Beyond"就是这个词

【例】The overload principle refers to an athlete stimulating a muscle *beyond* its current capacity. 超负荷法则是指运动员将肌肉刺激到超过目前的承受力。

**bibliography** [ˌbibli'ɔgrəfi] *n.* 参考书目；书目

【记】词根记忆：biblio(书)+graphy(写) → 写书所用的书 → 参考书目

【例】I'm looking for those books which my professor lists in the *bibliography.* 我正在找教授列在参考书目单上的那些书。

**bid** [bid] *n. /vt.* 出价；投标

【记】发音记忆："必得" → 出价时抱着必得的态度

【例】Those willing to extend the validity of their *bid* shall be neither required nor permitted to modify it. 那些愿意延长其投标有效期的投标人，不需要也不允许修改其投标。

**\*bilateral** [ˌbai'lætərəl] *a.* 双边的；双方的

【记】词根记忆：bi(双)+later(侧面)+al → 双边的

【例】The two countries worked out a *bilateral* agreement. 两国达成了双边协议。

**\*bin** [bin] *n.* 大箱子；仓

【例】After trucks collect garbage, the empty *bins* are put outside of the house. 垃圾车收走垃圾后，空垃圾箱会放在房子外面。

**bind** [baind] *vt.* 捆绑；约束

【记】发音记忆："绑的"→绑着的东西是受约束的→捆绑；约束

【例】The laws must *bind* everyone, high and low, or they are not laws at all. 法律必须约束所有人，无论高低贵贱，否则根本就不能算是法律。

**biography** [baiˈɔgrəfi] *n.* 传记

【记】词根记忆：bio(生命)+graphy(写)→记录生命→传记

【例】He found a career entirely devoted to *biography*. 他找了一份从事传记创作的职业。

*biometrics** [ˌbaiəuˈmetriks] *n.* 生物测定学

【例】*Biometrics* is a little-known but fast-growing technology. 生物测定学是一门鲜为人知但发展迅速的技术。

*bistro** [ˈbistrəu] *n.* 小酒馆；小餐馆

【例】The Geneva *Bistro* is always a popular place in this area. 这家杜松子酒馆在这一带很受欢迎。

*bit** [bit] *n.* 少许；小片；小块

【例】Hot coffee is a *bit* hard to carry. 热咖啡有点不好拿。

**bizarre** [biˈzɑː] *a.* 奇形怪状的；怪诞的

【记】联想记忆：集市(bazaar)上都是奇形怪状的(bizarre)货物

【例】The story has a certain *bizarre* interest. 这个故事有一种怪诞的趣味。

*blade** [bleid] *n.* 刀片；草叶

【记】热门电影《刀锋战士》英文为Blade

【例】The rotating *blades* can shave away the wax that covers each cell. 旋转的刀片可以刮掉附在每个蜂房内壁上的蜂蜡。

*blame** [bleim] *vt.* 责怪，责备

【例】The British diet could be partially to *blame* for the increase in back pain. 从某种程度上说，英式饮食遭受谴责是因为它会加重背部疼痛。

*blank** [blæŋk] *a.* 空白的

【记】联想记忆：b(看做be是)+lank(看做lack缺乏)→缺乏内容→空白的

【例】Would you mind my asking about your salary? Or we can leave it *blank*. 你介意我问一下你的薪水吗？我们也可以不填这一项。

*blanket** [ˈblæŋkit] *n.* 毯子；厚的覆盖物

【记】联想记忆：blank(空的)+et(小)→毯子铺在一小块空地上

【例】It is so strange that this hotel does not provide sheets, *blankets*, or towels. 这家旅馆不提供被单、毯子和毛巾，真是让人奇怪。

**\*blast** [blɑːst] *n.* 一阵(大风)；冲击；
*vt.* 爆破；枯萎

blast

【记】联想记忆：b+last（最后）→ 最后一声b → 爆炸

【例】The granite was *blasted* into boulders no bigger than two metres in diameter. 花岗岩被炸成直径不超过两米的大石头。

**blaze** [bleiz] *vi.* 熊熊燃烧；发(强)光；迸发；*n.* 火焰

【记】联想记忆：b(音似：不)+laze(偷懒) → 一直燃烧不偷懒，所谓"蜡炬成灰泪始干" → 熊熊燃烧

【例】The fires *blaze* fiercely on the plain. 大火在草原上熊熊燃烧。

**\*blend** [blend] *v.* (使)混和；*n.* 混合物；混合

【例】The music gradually *blended* into the city noises. 音乐逐渐和城市的噪音混杂在了一起。

**block** [blɔk] *vt.* 阻碍；堵塞；*n.* 大块；街区

【例】New residential *blocks* are to be completed in three months. 新的住宅区预计3个月后完工。

【派】blockage(*n.* 障碍物)

**blonde** [blɔnd] *a.* 白肤金发的；*n.* 金发碧眼的女人

**\*bloom** [bluːm] *n.* 花；开花(期)；青春焕发(的时期)；*v.* (使)开花

【记】联想记忆：杜鹃花开(bloom)鲜红如血(blood)

【例】By the time the flowers *bloom*, the new queens will be laying eggs. 鲜花盛开之时，新的蜂王便会产卵。

**\*blueprint** [ˈbluːˌprint] *n.* 蓝图，方案

【记】组合词：blue(蓝)+print(印刷的图) → 蓝图

【例】The plans for improving the financial system have only reached the *blueprint* stage so far. 改善金融体系的计划目前尚处于筹划阶段。

**blunt** [blʌnt] *a.* 钝的；率直的；*vt.* 把…弄钝；减弱

【记】发音记忆："不拦的" → 口无遮拦的 → 率直的

【例】The bad weather has *blunted* our enthusiasm for camping. 坏天气打击了我们去露营的热情。

\*board [bɔːd] *n.* 板；委员会

【例】All ceilings will require double-thickness plaster *board* to be used in the construction. 在建造过程中，所有的天花板都需要使用双层厚的石灰板。

\*boast [bəust] *v. /n.* 自夸；夸耀

【记】联想记忆：北京的烤鸭（roast duck）值得夸耀（boast）

【例】She is always *boasting* about how wonderful her children are. 她总是夸耀她的孩子们多么出色。

bold [bəuld] *a.* 粗（字）体的；大胆的，鲁莽的

【记】联想记忆：b+old（年长）→ 年长的人通常不会太鲁莽

【例】The International Style was largely characterised by the *bold* use of new materials and simple, geometric forms. "国际风格"的主要特征体现在大胆使用新材料和简单的几何形状上。

# Word List 5

### 词根词缀预习表

**brilli** 发光 brilliant（*a.* 光辉灿烂的；卓越的） **calc** 石块 calcium（*n.* 钙）

**-ar** （名词后缀）表人 burglar（*n.* 窃贼） **ary** （名词后缀）场所 boundary（*n.* 分界）

**-ing** （形容词后缀）…的 booming（*a.* 发展迅速的）

**let** （名次后缀）小 booklet（*n.* 小册子） **-ly** （副词后缀）…地 briefly（*ad.* 暂时地）

**\*bolster** ［'bəulstə］*n.* 垫子；*vt.* 支持；支撑

【例】To protect airports near the sea, the coastline is being *bolstered* with a twelve kilometres of sea defences. 为了保护近海的机场，海岸线上支起了12公里长的沿海防护栏。

**bonus** ［'bəunəs］*n.* 奖金，红利；好处

【记】联想记忆：bon（好的）+us（我们）→ 发奖金啦，我们都说好！→ 奖金，红利

【例】Scrapping farm-price support and protection for coal-mining offers a two-fold *bonus*: a cleaner environment and a more efficient economy. 取消农产品价格补贴和煤矿开采保护有两方面的好处：第一，营造了更为干净的环境；第二，发展了更高效的经济。

**booklet** ［'buklit］*n.* 小册子

【记】联想记忆：book（书）+let（小）→ 小册子

【例】If you look on the back of the *booklet*, you'll see a map of the school. 看一下这本小册子的背面，你就会看到这所学校的地图。

**\*bookrest** ［'bukrest］*n.* 阅书架

【例】Using a *bookrest* which raises the material you are reading 45 degrees to the desk will help reduce your chance of a headache. 阅书架可以将阅读材料呈45度地摆放在桌子上，使用它可以降低因阅读引起头疼的几率。

*booming ['bu:miŋ] a.发展迅速的；激增的

【记】来自boom（n.繁荣）

【例】a booming economy 发展迅速的市场

*boot [bu:t] n.（长统）靴子；（汽车后部的）行李箱；[the~]解雇

【记】联想记忆：足（foot）蹬长靴（boot）

【例】You'd better take along a good pair of hiking boots if you want to take advantage of the wonderful trails in the mountains. 如果想要领略山中丛林徒步旅行的惊险刺激，你最好带上一双好点儿的户外长靴。

booth [bu:ð] n.（隔开的）小房间；公用电话亭；售货棚

【记】和tooth（n. 牙齿）一起记

【例】In our company, we work in separate booths. 在公司里，我们在隔间里工作。

*border ['bɔ:də] n.边缘；边界；v.接壤，接近

【记】联想记忆：b+order（命令）→ 听从命令不许出边界

【例】Heavy forests border the road. 这条路紧靠着茂密森林的边缘。

*bore [bɔ:] vt.使厌烦；钻（孔）；n.令人讨厌的人（或事）

【例】There is such a wide variety of cultures in this program that it is difficult to get bored. 这次的节目中有很多关于不同文化的知识，因此听起来不会让人感到厌倦。

*boulder ['bəuldə] n.大石头；鹅卵石

【例】The boulder is too big to put into the cave. 石头太大了，塞不进洞里。

bounce [bauns] v.弹起，反弹

【记】联想记忆：又跳（bound）又弹（bounce）

【例】Don't bounce on the bed, you'll break the springs! 别在床上乱蹦，你会把弹簧弄断的。

*bound [baund] a.负有义务的；一定的，必然的

【例】Because these courses start every Monday, there's bound to be one that fits in with your academic, personal or professional commitments. 因为这些课程每周一都开，所以一定有适合你学

习、针对你个人或工作内容的课程。

**boundary** ［ˈbaundəri］ *n.* 分界线；边界

【记】来自bound(界限)+ary(表场所)→边界

【例】Mount St. Helens is located along the *boundary* of two of the moving plates that make up the Earth's crust. 圣海伦火山位于组成地壳的两大移动板块的边界线上。

**\*bow** ［bəu］ *n.* 弓；*v.*［bau］低下(头)；压弯；鞠躬

【记】联想记忆：彩虹(rainbow)没有了雨(rain)就变成了没有色彩的弓子(bow)

【例】When you're introduced to a stranger, you may simply *bow* to each other. 当你被介绍给一个陌生人的时候，你们可能只是彼此点一下头。

**\*branch** ［brɑ:ntʃ］ *n.* 树枝；分部，分科

【例】You may pay your account at *branches* of the Federal Bank. 你可以在联邦银行的分行支付款项。

**brand** ［brænd］ *n.* 商标；品牌；*vt.* 铭刻；打烙印于

【例】What *brand* of cola do you like? 你喜欢喝什么牌子的可乐？

**\*brass** ［brɑ:s］ *n.* 黄铜；黄铜器；铜管乐器

【记】联想记忆：敲击黄铜(brass)可发出低沉的声音(bass)

【例】A *brass* knocker was fixed on the door. 门上装了一个黄铜制成的门环。

**breakdown** ［ˈbreikdaun］ *n.* 倒塌；(健康、精神等)衰竭；分裂

【记】来自词组break down倒塌，垮掉

【例】Gloomy people are likely to suffer from a nervous *breakdown*. 忧郁的人容易精神崩溃。

**breakthrough** ［ˈbreikθru:］ *n.* 突破；重要的新发现

【记】来自词组break through突破

【例】A brilliant intellectual *breakthrough* does not ensure that the transition is made from theory to practice. 重大的学术突破并不能保证从理论到实践转变的成功。

**\*breakwater** ［ˈbreikwɔ:tə］ *n.* 防浪堤

【记】组合词：break(超过)+water(水)→超过水位→防浪堤

【例】A harbour can be consolidated by building *breakwaters*. 可以通过修建防浪堤来加固海港。

**breed** ［bri:d］ *n.* 品种；*v.* 教养；繁殖；酿成

【例】Rabbits *breed* very quickly. 兔子繁殖非常快。

**breeze** [briːz] *n.* 微风，和风

【记】联想记忆：和风(breeze)吹化了冰冻的(freeze)河流

【例】The systems mix light, sounds, *breezes* and scents to stimulate people who spend long periods below ground. 该系统综合了光线、声音、轻风和香味来刺激长期呆在地下的人。

**\*brew** [bruː] *v.* 酿造；冲泡；酝酿

【记】联想记忆：喝下自酿(brew)的苦酒，他紧皱起眉头(brow)

【例】When there is a thunderstorm *brewing*, some people complain of the air being "heavy" and of feeling irritable. 暴风雨就要来临，人们抱怨空气沉闷而且感觉烦躁。

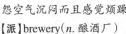
brew

【派】brewery(*n.* 酿酒厂)

**brief** [briːf] *n.* 概要；*a.* 简短的

【例】The lecture is a *brief* history of civil engineering development. 这次的讲座是关于土木工程发展简史的。

**briefcase** ['briːfkeis] *n.* 公文包

【记】组合词：brief(摘要)+case(容器)→存放摘要的容器→公文包

【例】She had papers, pens and a novel inside her *briefcase*. 她的公文包里有论文、钢笔和小说。

**\*briefly** ['briːfli] *ad.* 暂时地；简要地

【例】He paused *briefly* before continuing. 他停了片刻又继续进行。

**brilliant** ['briljənt] *a.* 光辉灿烂的；卓越的

【记】词根记忆：brilli(发光)+ant(…的) → 发光的 → 光辉灿烂的

【例】That's a *brilliant* solution to the problem. 那可真是一个解决问题的好办法。

**bring around/round** 说服；使恢复知觉(或健康)

【例】Tom fainted! Send him to the hospital at once to *bring* him *round*. 汤姆昏了过去，赶紧把他送进医院，让他苏醒过来！

**bring out** 出版；激起；鼓励

【例】Mary is very shy, try to *bring* her *out*. 玛丽很怕羞，要设法鼓励她说话。

43

**\*brochure** [ˈbrəuʃuə] *n.* 小册子；说明书

【记】发音记忆："不用求"→有了小册子，就不用求别人了

【例】Please inform us of your trade terms and forward samples and a product *brochure*. 请告知贵方的贸易条件，并寄来货样及产品小册子。

**\*bronchitis** [brɔŋˈkaitis] *n.* [医] 支气管炎

【例】Smoking can cause problems such as pneumonia, *bronchitis* and influenza. 吸烟能引起肺炎、支气管炎和流行性感冒等疾病。

**brood** [bruːd] *vi.* 沉思；孵蛋；*n.* （雏鸡等）一窝

【记】联想记忆：一家的孩子(brood)流着相同的血(blood)

【例】In the *brood* chamber, the bees will stash honey to eat later.
蜜蜂在卵室中贮藏蜂蜜，以供日后食用。

brood

**broom** [bruːm] *n.* 扫帚

【例】He picks up the *broom* and bangs on the ceiling. 他拿起扫把，猛击天花板。

**\*brunt** [brʌnt] *n.* 冲击；冲力

【记】联想记忆：b+run(跑)+t→迎着跑过去→冲击

【例】The *brunt* of a typhoon can be abated by the breakwaters. 防浪堤可以缓解台风的冲击力。

**bubble** [ˈbʌbl] *n.* 气泡；水泡；*v.* 沸腾；潺潺的流

【记】象声词：指水冒泡的声音

【例】Water *bubbles* at 100 degrees centigrade. 水在100摄氏度时沸腾。

**bucket** [ˈbʌkit] *n.* 水桶

【例】I knocked over the *bucket* and the water poured out all over the floor. 我把水桶弄翻了，水洒了一地。

**buckle** [ˈbʌkl] *n.* 皮带扣环；*v.* 扣紧；(使)变形；弯曲

【记】联想记忆：buck(雄鹿)+le→用搭扣扣紧雄鹿

【例】Buildings, pipes and roads tend to *buckle* and crack because of the movement of the earth. 由于地壳的运动，建筑物、地下管道以及道路等往往会变形或是破裂。

*budget [ˈbʌdʒit] n. 预算，预算拨款

【例】I'm going to talk about ways of making sure that you eat well while at the same time staying within your *budget*. 我将会谈到一些方法，让你在不超过预算的前提下吃好。

*buffalo [ˈbʌfələu] n. 水牛；(北美)野牛

【例】The Native Americans followed the wounded *buffalo* until it fell dead. 这些印第安人紧追这头受伤的水牛不放，直到它倒地死去。

*bulb [bʌlb] n. 灯泡

【例】Light *bulbs* are made by a machine at the rate of 66,000 an hour. 电灯泡的封套是由一台每小时速率为66,000的机器生产的。

bulge [bʌldʒ] n. /v. 膨胀；凸出；塞满

【例】In early May, the northern flank of the mountain *bulged*, and the summit rose by 500 feet, which indicated that the volcano would erupt. 五月初，火山的北部山脊隆起，最高峰升高了500英尺，这预示着它即将喷发。

* bulk [bʌlk] n. 大量；大批

【记】联想记忆：公牛(bull)总是大批(bulk)地行动

【例】Ports take advantage of the need for breaking up *bulk* material. 港口充分利用其能分解大宗原料需求的优势。

*bullet [ˈbulit] n. 枪弹，子弹

【记】联想记忆：bull(芝加哥公牛队)+et → 芝加哥公牛队队员身手敏捷，如子弹般穿梭在球场中

【例】In reaction to the forward discharge of *bullets*, the gun moves backward. 发射子弹所产生的后挫力，会使枪向前动一下。

*bulletin [ˈbulitin] n. 简明新闻；公告；学报

【例】Tom is going for some news *bulletins*. 汤姆正在寻找一些新闻短讯。

bump into 不期而遇，邂逅

【例】I'm glad I *bumped into* you. 很高兴碰到你。

bunch [bʌntʃ] n. 束

【例】She picked me a *bunch* of flowers. 她给我采了一束鲜花。

**\*bungalow** [ˈbʌŋgələu] *n.* (带走廊的)平房

【例】Developers do not build the tiny *bungalows* that served the first postwar generation of home buyers. 开发商不建造供应给战后第一代买房人的小平房。

**bureau** [ˈbjuərəu] *n.* 局；处；所

【记】法语词：办公室

**bureaucracy** [bjuəˈrɔkrəsi] *n.* 官僚主义；官僚机构

【记】词根记忆：bureau(政府的局)+cracy(统治)→官僚机构

【例】Since you hate bureaucracy, you must learn to work with *bureaucracy* to save it from itself. 既然你们痛恨官僚主义，那你们就必须学会与官僚主义共事，只有这样才会将其克服。

**\*burgeon** [ˈbə:dʒən] *v.* 迅速成长；发展

【记】词根记忆：burg(=bud花蕾)+eon→成长，burg本身是单词，意为"城，镇"→成长的地方

【例】To serve the *burgeoning* tourist industry, an array of professionals has developed. 为了满足旅游行业日益增长的需求，(国家)已经培养了一大批专业人员。

**burglar** [ˈbə:glə] *n.* 窃贼

burglar

【记】联想记忆：burg(看做bag包)+lar→背着大包入室盗窃→窃贼

【例】When you leave the house, make sure the windows and doors are shut, and set the *burglar* alarm. 当你离开房子时，务必关好门窗，并打开防盗报警器。

【派】burglary(*n.* 夜盗行为；夜盗罪)

**\*burrow** [ˈbʌrəu] *v.* 挖掘；翻寻；*n.* 地洞

【记】联想记忆：用犁(furrow)来翻寻(burrow)

【例】Most dung beetles *burrow* into the soil and bury dung in tunnels. 大多数蜣螂在地下挖洞，并将粪球埋在地下。

**burst** [bə:st] *v.* 爆炸；突然发作；*n.* 爆炸

【例】Water pipes often *burst* in cold weather. 水管在寒冷的天气里经常冻裂。

**\*bury** [ˈberi] *v.* 埋葬；埋藏，掩藏

【例】Some birds *bury* their eggs under the ground. 有些鸟类将自己的

蛋埋在地下。

【派】burial(n. 埋葬，埋藏)

**bypass** ['baɪpɑːs] n. (绕过市镇的)旁道；vt. 绕过

【记】来自词组pass by经过

【例】If we take the *bypass*, we'll avoid the town centre. 我们走小路的话，就能绕开镇中心。

**\*cable** ['keɪbl] n. 缆绳；电缆；电报；v. 发电报

【记】联想记忆：他在工作台(table)上夜以继日地研究电缆(cable)

【例】The street is blocked off because workers are laying telephone *cable*. 因为工作人员正在铺设电话线，所以这条街被封锁了。

**cafeteria** [ˌkæfɪ'tɪərɪə] n. 自助餐馆

【记】来自cafe(咖啡馆)+teria → 自助餐馆

【例】Bill had lunch in the school *cafeteria*. 比尔在学校食堂吃的午饭。

**calcium** ['kælsɪəm] n. 钙

【记】词根记忆：calc(石灰)+ium → 石灰中含碳酸钙 → 钙

【例】*Calcium* is essential for developing healthy bones. 钙对骨骼的健康生长至关重要。

**calculate** ['kælkjuleɪt] vt. 计算；统计

【记】词根记忆：calcul(计算)+ate(做) → 计算，计划

【例】It has been *calculated* that 17 percent of lung cancer cases can be attributed to high levels of exposure to second-hand tobacco smoke. 据统计，有17%的肺癌是由于长期处于高度的二手烟环境而引起的。

**\*calendar** ['kælɪndə] n. 日历；月历；日程表

【记】联想记忆：cal(看做call叫)+end(结束)+ar → 一年到头对日子的叫法 → 日历；月历

【例】Their five-year-old son is able to use the calendar to count how many days until his birthday. 他们五岁的儿子能用日历数出离他的生日还有多少天。

**calf** [kɑːf] n. 牛犊，幼崽

【记】联想记忆：小牛(calf)是半(half)大的牛

【例】A cow produces only one *calf* a year. 牛一年只生一胎。

**\*calibre** ['kælɪbə] n. 才干，能力；口径

【记】联想记忆：ca(看做can能)+libr(书)+e → 能看很多书籍 → 才干

【例】They suggest that the *calibre* of these institutions be carefully examined. 他们建议要仔细调查这些机构的资质。

**calm** [kɑːm] *a.*镇静的；平静的；*v.*(使)平静；(使)镇静

【记】联想记忆：她手(palm)心出汗，内心很不平静(calm)

【例】The pilot managed to bring the aircraft and its 50 passengers down safely in the *calm* waters of the bay. 飞行员成功地将飞机降落在风平浪静的海湾中，确保了50名乘客的安全。

**calorie** [ˈkæləri] *n.*卡(路里)

【记】发音记忆："卡路里"

【例】The energy content of food is measured in *calories*. 食物中所含热量是通过卡路里来计算的。

***camel** [ˈkæməl] *n.*骆驼

【记】联想记忆：came(来)+l → 把骆驼牵过来

【例】A characteristic of the *camel* is its ability to live for a long time without water. 骆驼的特点是不喝水也能活很长时间。

**cameral** [kæmərəl] *n.*(立法机关)院的

***campaign** [kæmˈpein] *n.*战役；活动；*v.*参加活动；作战

【例】Local authorities in London *campaigned* to be allowed to enforce anti-pollution laws themselves. 伦敦当地政权发动游行，要求赋予他们执行反污染法案的权力。

***camper** [ˈkæmpə] *n.*露营者，宿营者

【记】来自camp(露营，宿营)+er → 露营者，宿营者

【例】I'm afraid I'm not a very good *camper*, I tend to feel a bit frightened sleeping outdoors. 恐怕我不是个好的露营者，因为我往往害怕睡在户外。

**campfire** [ˈkæmpfaiə] *n.*营火；营火会

【记】来自camp(露营，宿营)+fire(火) → 营火

【例】The *campfire* smoldered for hours after the blaze died out. 营火在火焰熄灭后闷烧了好几个小时。

***campus** [ˈkæmpəs] *n.*校园，学校场地

【记】联想记忆：camp(野营地)+us(我们) → 校园是学生们学习的营地

【例】There isn't enough room on *campus* for everyone to park. 学校的车位不够。

# Word List 6

*cancel [ˈkænsəl] *v.* 取消;抵消;删去

【例】Could you please call the dentist at 816-25285 and *cancel* the appointment for me? 你能拨打816-25285帮我取消和牙医的预约吗?

*candidate [ˈkændidit] *n.* 候选人;申请求职者

【记】联想记忆: can(能)+did(做)+ate → 能做实事的人才能当候选人

【例】These forms have to be filled out by the *candidates*. 这些表格需要申请者来填写。

*cannon [ˈkænən] *n.* 加农炮,大炮

【记】发音记忆

【例】They relied on grenades and *cannons* to repel their enemies. 他们用手榴弹和大炮击退了敌人。

*canoe [kəˈnuː] *n.* 独木舟

【例】The waves spun the *canoe* a hundred and eighty degrees. 急流使独木舟旋转了180度。

canteen [kænˈtiːn] *n.* 餐厅,食堂

【记】发音记忆:"看停" → 小孩一看到餐厅就停下不走了

canteen

【例】Why don't I go to the *canteen* and buy something while you stay here and wait? 要不我去食堂买吃的，你在这等我?

\*Cantonese [ˌkæntəˈniːz] *n.* 广东人；广东话

【例】She wrote a book of *Cantonese* recipes. 她写了本粤菜菜谱。

\*cap [kæp] *n.* 帽子；*v.* 盖在…上面

【例】The sand dredged from the waters will be used to provide a two-metre *capping* layer over the granite platform. 从水里挖出的沙子将被用来覆盖在大理石平台上，该覆盖层厚达2米。

capable [ˈkeipəbl] *a.* 有能力的；能够的

【记】词根记忆：cap(握住)+able(能…的) → 能握得住的 → 有能力的

【例】The bridge is *capable* of carrying 150-tonne trucks. 这座桥能够承受载重150吨的卡车。

\*capacity [kəˈpæsiti] *n.* 能力，才能

【记】词根记忆：cap(拿)+acity(表状态、情况) → 能拿住 → 能力

【例】Without genetic variability a species lacks the *capacity* to evolve and cannot adapt to changes in its environment. 如果没有遗传的多样性，物种就会缺乏进化的能力，也就不能适应其环境的变化。

capsule [ˈkæpsjuːl] *n.* 胶囊(剂)；密封舱

【记】联想记忆：cap (帽子)+sule (音似："seal"密封) → 帽状物 → 胶囊；密封舱

【例】A *capsule* is long and thin, and you can open it up and take out what's in it. 胶囊通常长而薄，你可以把它打开，把里面的药倒出来。

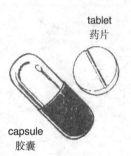

tablet
药片

capsule
胶囊

\*captive [ˈkæptiv] *a.* 被俘的，被捕获的

【记】词根记忆：capt(抓)+ive(…的) → 被捕获的

【例】Today approximately 10 species might be said to have been "saved" by *captive* breeding programmes. 据说现在约有10个物种通过抓捕繁殖计划获得拯救。

\*capture [ˈkæptʃə] *vt.* 捕获，俘获；引起

【记】词根记忆：capt(抓)+ure(表行为) → 抓住 → 捕获

【例】The beautiful vision is *captured* through photographs, postcards and films. 这一美丽的景象被捕捉到照片、明信片和电影上。

*cardiovascular  [ˌkɑːdiəuˈvæskjulə] *a.* 心血管的

【例】People who smoke cigarettes are continually damaging their *cardiovascular* system. 吸烟的人在不断地损害他们自身的心血管系统。

*career  [kəˈriə] *n.* 生涯；经历；职业

【记】和同音词Korea(*n.* 韩国)一起记

【例】The idea of having a single *career* is becoming an old fashioned one. 只从事一种职业的想法现在已经开始变得落伍了。

*carousel  [ˌkærəˈsel] *n.* (又作carrousel)旋转式传送带

【例】I put my baggage on the airport *carousel*. 我把行李放到机场的行李传送带上。

carve  [kɑːv] *vt.* 切；雕刻

*cascade  [kæsˈkeid] *n.* 小瀑布

【记】词根记忆：cas(落下)+cad(落下)+e → 一再落下 → 小瀑布

【例】The *cascade* falls over a tall cliff. 瀑布从高高的悬崖上倾泻而下。

cash  [kæʃ] *n.* 现金，现款；*vt.* 把…兑现

【例】You can withdraw *cash* from a cashpoint machine with a cashcard. 你可以用提款卡在取款机上提取现金。

cash machine
自动提款机
*CASH MACHINE*

cassette  [kəˈset] *n.* 盒式录音(或录像)带

【例】There are *cassettes* for students to borrow to practise their English. 这里有磁带，可供学生借用练习英语。

cash    cashcard
提款卡

videotape
录像带

cast  [kɑːst] *vt.* 投，扔

【例】When we finally stop at the centre of an aisle, we pause and take stock, *casting* our eyes along the length of it. 我们最后到了过道的中间，停下来清点存货，目测其长度。

Scotch tape
透明胶带

cassette
磁带

casualty  [ˈkæʒjuəlti] *n.* 伤亡(人员)；损失的东西

51

【记】联想记忆：来自casual(a. 偶然的)

【例】The major *casualty* of cutting down forests on a large scale has been the environment itself. 受大规模森林砍伐影响最多的是环境本身。

**catastrophe** [kə'tæstrəfi] *n.* 大灾难

【记】词根记忆：cat(看做cad落下)+astro(星星)+phe → 星星坠落，大难临头 → 大灾难

【例】*Catastrophes* such as fire, flood, drought or epidemic may reduce population sizes in areas involved. 大火、洪水、干旱或流行疾病等大灾难可能会使受灾地区的人口减少。

【派】catastrophic(a. 悲惨的；灾难性的)

**category** ['kætigəri] *n.* 种类；类别

【记】词根记忆：cata(下面)+gory → 向下细分 → 类别，种类

【例】After the final interview, potential recruits were divided into three *categories*. 经过最后的面试，可能入选的新学员被分成三类。

**cater** ['keitə] *v.* 满足需要(或欲望)；提供饮食及服务

【记】联想记忆：cat(小猫)+er → 小猫饿了 → 提供饮食及服务

【例】The role of tourism is to *cater* to the needs of the tourists in accordance with their class. 旅游业就是一个满足各阶层旅游人士需求的行业。

【派】catering(n. 餐饮业)

**caution** ['kɔ:ʃən] *n.* 谨慎，小心；*vt.* 警告

【记】发音记忆："考生" → 考生要谨慎答题 → 谨慎

【例】You should exercise extreme *caution* when driving in fog. 在雾中开车要格外的小心。

**cautious** ['kɔ:ʃəs] *a.* 十分小心的，谨慎的

【记】联想记忆：caut(看做cat)+ious(…的) → 像猫一样的 → 谨慎的

【例】We should be more *cautious* not to make any mistakes in our papers. 我们要更加小心以避免在试卷上出现任何错误。

**\*cease** [si:s] *v.* 停止，终止

【记】联想记忆：c+ease(安逸；安心) → 生于忧患，死于安乐 → 停止，终止

【例】The music *ceased*, and the audience broke into applause. 音乐停了，观众爆发出热烈的掌声。

*celebrate [ˈselibreit] v. 赞扬，歌颂；庆祝

【例】The architectural style *celebrated* scientific and engineering achievements by openly parading the sophisticated techniques used in construction. 建筑风格通过公开展示建筑中的先进技术来称颂科学和工程方面的成就。

【派】celebration(*n.* 庆祝，庆典)

* celebrity [siˈlebrəti] n. 名声；知名人士

【例】The lecture will be given by a sports *celebrity*.
这场讲座由一位体育名人主讲。

*cell [sel] n. 细胞；小房间；电池

【例】Scientists are doing cellular research, looking at changes in *cells* when the body is under stress. 科学家正在进行细胞研究，观察身体在压力下体细胞内部发生的变化。

【派】cellular(*a.* 细胞的)

*censor [ˈsensə] vt. 审查，检查(书报)；n. 检查员

【记】词根记忆：cens(评估)+or → 审查，检查(书报)

【例】Should films and television be *censored* or should we be free to choose what we see? 电影和电视应该接受审查还是由我们自由选择？

【派】censorship(*n.* 审查制度)

*censure [ˈsenʃə] v. /n. 责难，非难

【记】联想记忆：cens(评估)+ure → 因为评估不及格，所以遭到责难

【例】The warden *censured* the guard for letting the prisoner escape.
典狱官责骂狱警放走了罪犯。

centennial [senˈtenjəl] n. 百年纪念；a. 一百年的

【记】词根记忆：cent(百)+enn(年)+ial → 百年纪念

【例】Many statesmen attended the *centennial* celebration of the founding of the republic. 许多政治家出席了该共和国成立百年的纪念庆典。

centigrade [ˈsentigreid] a. 百分度的；摄氏的

【记】词根记忆：centi(一百)+grade(等级) → 百分度的

【例】This substance has a relatively high ignition temperature of 182 degrees *centigrade*. 这种物质的燃点相对较高，达到182摄氏度。

* centrifugal force 离心力

【例】*Centrifugal force* throws the honey out of the combs. 离心力使

蜂蜜从蜂巢里掉了出来。

**ceramic** [si'ræmik] *a.* 陶器的；*n.* [*pl.*] 陶瓷器
【记】联想记忆：c+era(时代，时期)+mic → 古时中国以陶器而闻名
【例】Glass *ceramics* can serve as nose cones of missiles. 玻璃瓷可用来制造导弹的头锥体。

**cereal** ['siəriəl] *n.* 谷类食物；谷物
【记】联想记忆：ce+real(真正的) → 真正的健康食品 → 谷类食物
【例】The east of the UK is its great *cereal*-producing region. 英国东部地区是英国最大的产谷区。

**ceremony** ['serimən i] *n.* 典礼；仪式
【记】联想记忆：cere(蜡)+mony(看做money钱) → 古代做典礼，蜡烛和钱是少不了的 → 典礼
【例】The graduation *ceremony* in many universities is an important occasion. 在很多大学，毕业典礼是非常重要的事。

*****certificate** [sə'tifikit] *n.* 证书，执照
【记】词根记忆：cert(搞清)+i+fic(做)+ate → 搞清什么可以做证明 → 证书
【例】We provide a four-month *certificate* course but you should be aware that this is designed for those who are employed. 我们提供为期4个月的资格认证课程，但是你要明白这一课程是专为在职人员开设的。

*****cervical** ['sə:vikəl] *a.* 子宫颈的；颈部的
【例】Smoking is thought to cause about 14 per cent of leukemia and *cervical* cancers. 约有14%的白血病和宫颈癌被认为是由吸烟引发的。

**chain** [tʃein] *n.* 一系列；连锁店；*vt.* 用链条栓住
【例】During the show he will be *chained* and thrown into a sealed aquarium from which he will try to escape. 在表演中他会被用链条捆起来，然后被扔到一个密封的玻璃缸里，他要设法从那里逃出来。

*****challenge** ['tʃælindʒ] *n.* /*vt.* 挑战；质疑
【例】The greatest *challenge* in this respect is time. 这一方面面临的最大挑战是时间问题。

*****chamber** ['tʃeimbə] *n.* 室；洞穴；(枪)膛
【例】In the brood *chamber* below, the bees will stash honey to eat later. 在蜂箱的下部，蜜蜂会贮藏蜂蜜，以供日后食用。

**\*champion** [ˈtʃæmpiən] *n.* 冠军

【记】发音记忆："产品" → 冠军是付出无数汗水后的"产品"

**\*chancellor** [ˈtʃɑːnsələ] *n.* 大臣；总理；首席法官；大学校长

【记】联想记忆：chance(运气)+llor → 运气好，当了总理

【例】Harold was the first *chancellor* of our university. 哈罗德是我们大学的第一任校长。

**\*channel** [ˈtʃænəl] *n.* 海峡；水道；[常*pl.*] 途径；频道

【记】联想记忆：卫视音乐台就是Channel V

【例】We're doing some market research for a new television *channel* starting in two years' time. 我们在为日后两年内开通新的电视频道做市场调查。

**chapel** [ˈtʃæpəl] *n.* 小教堂；祈祷室

【记】联想记忆：chap(看做chamber房间)+el(小) → 小教堂

【例】Jack was organist in the Octagon *Chapel* in the city of Bath. 杰克是巴斯市八角教堂的风琴师。

**\*character** [ˈkærəktə] *n.* 性格；性质；人物

【记】联想记忆：char+acter (看做actor演员) → 演员刻画人物性格惟妙惟肖

【例】The interview does give you a bit of information about an applicant's *character*. 面试确实给你提供一些和应聘者性格有关的信息。

**\*characteristic** [ˌkærəktəˈristik] *n.* 特性；特征；*a.* 特有的；典型的

【例】Many *characteristics*, such as height and intelligence, result not from the action of genes alone. 诸如身高、智力等特征并不完全是基因作用的结果。

**\*charcoal** [ˈtʃɑːkəul] *n.* 炭，木炭

【记】组合词：char(烧焦)+coal(煤炭) → 将煤炭烧焦 → 炭

【例】Unable to make flame for themselves, the earliest peoples probably stored fire by carrying *charcoal* in pots. 由于自己不能生火，最早的人类可能是将木炭装在陶罐中来保存火种。

**\*charge** [ˈtʃɑːdʒ] *n.* 费用；管理；*v.* 收费；控告

【例】Drivers will be *charged* according to the roads they use. 根据司机行驶的公路对其征收费用。

**charity** [ˈtʃæriti] *n.* 慈善；施舍；慈善机构

【记】联想记忆：cha(拼音：茶)+rity → 请喝茶 → 施舍

【例】I have some things to give to *charity* in a box in the front room. 我在前厅用盒子装了些东西，准备捐给慈善机构。

*chart [tʃɑːt] *n.* 图，图表

【例】The first *chart* shows the reasons why adults decide to study. 第一张图表显示了成年人打算学习的原因。

charter [ˈtʃɑːtə] *n.* (公司)执照；宪章；*vt.* 包租车船

【例】There's the Ticket Shop, where you can get inexpensive *charter* flights. 那是票务窗口，在那里你可以找到便宜的包机航线。

*chase [tʃeis] *v.* 追捕；追求；雕镂

【记】联想记忆："cheese" → 谁动了我的"奶酪"，我就去追赶

【例】The babysitter *chased* the kids around the yard. 带孩子的人满院子地追赶孩子。

*cheat [tʃiːt] *v.* 欺骗；作弊；*n.* 欺骗；骗子

【例】Tour operators try to *cheat* tourists. 旅行社的工作人员试图欺骗游客。

*check-up [ˈtʃekʌp] *n.* 检查；查体

【例】I go to my dentist for a *check-up* every two months. 我每两个月就要去牙医那里作检查。

*chef [ʃef] *n.* 厨师长，厨师

【记】联想记忆：厨房的长官(chief)，因为官比较小，所以没有官的内在实质(i)

chef

【例】Chefs wore white because they worked with flour, but the main *chef* wore a black hat to show he supervised. 厨师通常带白帽子是因为他们整天和面粉打交道，但主厨戴黑色的帽子是为了表明他的监督身份。

*chemical [ˈkemikəl] *a.* 化学的；*n.* 化学制品

【例】The *chemicals* will contaminate water resources when drained into the river. 这些化学物质如果被排放到河里会污染水源。

*cherry [ˈtʃeri] *n.* 樱桃(树)

【记】联想记忆：要会分清浆果(berry)和樱桃(cherry)

【例】Farmers will rent the bees to pollinate almond and *cherry* trees. 农夫会从养蜂人那儿租蜜蜂来给杏树和樱桃树授粉。

**\*chest** [tʃest] *n.* 胸；资金

【例】Numerous fund-raising activities are combined to fill the coffers of the "war *chest*". 很多集资活动一起为筹集"战争专款"添砖加瓦。

**\*chew** [tʃuː] *v.* 咀嚼；回味；熟思

【例】Rats like to *chew* on something hard. 老鼠喜欢咬硬物。

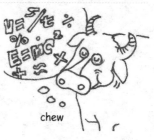
chew

**\*chief** [tʃiːf] *a.* 主要的；为首的

【例】Paula is the *chief* counsellor at Liverpool's famous pain clinic. 波拉是利物浦著名的疼痛治疗诊所的首席顾问。

**\*chink** [tʃiŋk] *n.* 裂缝，裂口

【记】联想记忆：chin(看做china瓷器)+k(口) → 瓷器容易裂

【例】Closer inspection revealed a *chink* of sky-light through window. 走近点儿看就会发现天窗的玻璃上有一道裂缝。

**\*chip** [tʃip] *n.* 碎片；芯片；瑕疵；*v.* 削(或凿)下(屑片或碎片)

【记】联想记忆：大家对KFC的炸薯条(fried chips)一定不陌生

【例】Electronic *chips* recorded the presence of a vehicle in a given high traffic area at a given time. 电子芯片记录了某一时间内，车辆在某一繁忙路段的通行情况。

**cholesterol** [kəˈlestərəl] *n.* 胆固醇

【记】词根记忆：chole(胆，胆汁)+sterol(固醇) → 胆固醇

【例】Ostrich meat is much lower in fat and *cholesterol* than beef. 鸵鸟肉中的脂肪和胆固醇含量比牛肉中的低很多。

**chorus** [ˈkɔːrəs] *n.* 合唱队；合唱；*vt.* 齐声说

【例】The *chorus* usually plays a large part in the music festival. 合唱在音乐节上通常扮演着重要的角色。

**chronic** [ˈkrɔnik] *a.* (疾病)慢性的；积习难改的

【记】词根记忆：chron(时间)+ic(…的) → 长时间的 → 慢性的

【例】Jim suffers from *chronic* back pain after the car-wreck. 车祸后吉姆一直背疼。

**chunk** [tʃʌŋk] *n.* 大块；相当大的部分(或数量)

【记】发音记忆："常客" → 饭馆的常客占客人的一大部分 → 相当大的部分

【例】Research and development now take up a sizeable *chunk* of the military budget. 现在研发经费占军事预算相当大的一部分。

**cinematography** [ˌsiniməˈtɔgrəfi] *n.* **电影摄影术**

【例】The new film provided the raw material for the introduction of *cinematography* a few years later. 新的电影胶片为几年后电影摄影术的诞生提供了材料。

**\*circle** [ˈsəːkl] *n.* 圆；圈子；阶层；*v.* 圈出；环绕…移动

【记】词根记忆：circ(圆，圈)+le → 圆(圈)；圈子

【例】What you are doing will start up a vicious *circle*. 你正在做的事情会引起恶性循环。

【派】circular(*a.* 圆形的；循环的；*n.* 通知)

# Word List 7

**circulation** [ˌsəːkjuˈleiʃən] *n.* 循环；流通

【记】来自 circulate（v. 循环，流通）

【例】Nicotine and other toxins in cigarette smoke will affect blood *circulation* throughout the body. 香烟中的尼古丁和其它毒素会影响人体内的血液循环。

**\*circumstance** [ˈsəːkəmstəns] *n.* 环境；[*pl.*] 境况，情况

【记】词根记忆：circum（周围）+stance（站）→ 周围存在的事物 → 环境

【例】In social *circumstances*, dress has often been used as a sign of role. 在社交圈内，服装通常被看做是某种职业角色的标志。

**\*circus** [ˈsəːkəs] *n.* 马戏团；环形广场

【记】词根记忆：circ（圆，环）+us → 环形广场

【例】The *circus* trainer snapped his whip. 马戏团主管把鞭子抽得很响。

**\*cite** [sait] *vt.* 引用；引证

【例】Studies of the sources *cited* in publications lead to a conclusion: the use of foreign-language sources is often found to be as low as 10 percent. 关于出版物中引用的原始资料的研究得出了一个结论：外语资料的使用仅占10%。

**civil** ['sivəl] *a.* 公民的；民用的

【例】Personality Questionnaires were used by the ancient Chinese for picking out *civil* servants. 古代的中国人用性格测试的方法来挑选文职人员。

**civilization** [ˌsivilai'zeiʃən] *n.* 文明(社会)；文化

【记】来自civilize(*vt.* 使文明)

【例】Many important *civilizations* developed from Asia. 许多重要的文明发源于亚洲。

***claim** [kleim] *n.* 要求；声明；*v.* 声称；要求

【记】本身为词根，意为"大叫"→声称；要求

【例】Many people *claim* they feel better in negatively charged air. 很多人称处在富含负离子的空气中让他们感觉更舒服。

**clamp** [klæmp] *vt.* (用夹具等)夹紧；*n.* 夹钳

【例】If you do not have a parking sticker, the workers will *clamp* your car wheel and give you a fine. 如果你没有停车许可证，工作人员会夹住你的车轮并对你进行罚款。

**clarify** ['klærifai] *v.* 澄清；阐明

【记】词根记忆：clar(清楚，明白)+ify(…化)→清楚化→澄清

【例】Talking to students about the requirements of a course helps to *clarify* what needs to be done. 告诉学生课堂要求有助于他们了解自己所需要做的工作。

【派】clarification(*n.* 澄清，阐明)

**clarity** ['klærəti] *n.* 清楚

【记】词根记忆：clar(清楚)+ity→清楚

【例】This article was written with *clarity*. 这篇文章思路清晰。

***clash** [klæʃ] *n.* 冲突；不协调

【记】象声词：物体撞碎的声音

【例】In the *clash* between environmentalists and developers, the Native Americans have suffered the most. 在环境保护主义者和开发

者之间的冲突中,印第安人受到的伤害最大。

*classical [ˈklæsikəl] *a.* 古典的;传统的;经典的

【例】Some architects look back to the *classical* tradition. 一些建筑师追忆起古典的建筑风格。

classification [ˌklæsifiˈkeiʃən] *n.* 分类;级别

【记】来自classify(*vt.* 把…分类)

【例】The *classification* and analysis of this species occupied scientists for years. 科学家们花费了数年的时间对该物种进行分类和分析。

classify [ˈklæsifai] *vt.* 把…归类,把…分类,把…分级

【记】来自class(分类)+ify(使…)→把…分类

【例】The researcher has *classified* environmental tobacco smoke in the highest risk category for causing cancer. 研究人员将生活中的香烟烟雾定为最容易致癌的因素。

*clay [klei] *n.* 泥土,黏土

【记】联想记忆:c+lay(层)→泥土成一层一层分布

【例】The ancient Egyptians moved *clay* hives, probably on rafts, down the Nile to follow the bloom. 古埃及人带着泥制的蜂箱,可能是乘着筏子,沿尼罗河而下以寻找花源。

*clench [klentʃ] *v.* 握紧;咬紧(牙关等);*n.* 牢牢抓住;钉紧

【例】The doctor told him to relax and not to *clench* his hands like that. 医生告诉他放松自己,别像那样紧握拳头。

clerk [klɑːk] *n.* 办事员;职员

【例】The *clerks* aren't allowed to accept any collect long-distance calls. 职员们不允许接听由接听方付费的长途电话。

【派】clerical(*a.* 书记的,职员的)

*client [ˈklaiənt] *n.* 委托人;顾客,客户

【例】Physical fitness instructors prepare exercise routines to suit the individual *client's* age and level of fitness. 健身教练会根据每一位学员的年龄和健康层次安排他(她)的常规训练。

*climate [ˈklaimit] *n.* 气候;风气,思潮

【例】Farmed ostriches don't need African *climates*. 养殖鸵鸟并不要求一定有非洲的气候条件。

clinic [ˈklinik] *n.* 门诊部

【例】The majority of our patients at the *clinic* tend to be women. 来我们诊所的病人大多数为女性。

**clip** [klip] *n.* 夹子；电影(或电视)片断；*vt.* 夹住
【例】It is said that the US produces 300 million aluminium paper *clips* each day. 据说美国每天生产30亿个铝制纸夹。

**cloakroom** ['kləukru:m] *n.* 衣帽间；〈英〉盥洗室
【记】组合词：cloak(外衣)+room(房间) → 衣帽间
【例】The *cloakroom* where you can hang your coat or leave your bags is just behind us here. 衣帽间就在我们后面，你可以将大衣或包放在那儿。

**clockwise** ['klɔkwaiz] *a.* 顺时针方向的；*ad.* 顺时针方向地
【记】组合词：clock(时钟)+wise(方向) → 指针转动的方向 → 顺时针方向的
【例】You should turn the key *clockwise* to open the door. 你应该按顺时针方向转动钥匙来开门。

***clot** [klɔt] *n.* 凝块；*vt.* 使凝结成块
【记】和plot(*n.* 情节)一起记
【例】blood *clot* 血凝块

**clue** [klu:] *n.* 线索；提示
【记】发音记忆："刻录" → 一张刻录光盘给警方新的线索
【例】If you do not know a word, you can look to the picture in this book for a *clue* to its meaning. 在这本书里，如果你碰到不认识的单词，可以通过插图来推测它的意思。

**clumsy** ['klʌmzi] *a.* 笨拙的；不得体的
【记】词根记忆：c+lum (亮度)+sy → 没有亮光，不灵光 → 笨拙的
【例】These oversize *clumsy* cars would slow down traffic. 这些体形大而笨拙的汽车会减缓交通的速度。

***cluster** ['klʌstə] *n.* 串；束；群
【记】联想记忆：clu(看做clue线索)+ster → 由一条线索贯穿的 → 串，群
【例】Their villages were little more than *clusters* of thatched huts. 他们的村子比茅草屋群强不了多少。

**clutch** [klʌtʃ] *vi.* 企图抓；*vt.* 抓紧；*n.* 离合器；[常*pl.*] 控制
【记】和catch(*v.* 抓住)一起记忆

【例】The driver released the *clutch* to engage the gears and make his car go. 司机松开离合器, 让齿轮衔接, 这样汽车就开动起来了。

stadder

**\*coach** [kəutʃ] *n.* 教练; 指导; 长途汽车; *vt.* 训练; 辅导

【例】They play just as important a role as the *coach* in our team. 在我们队里, 他们扮演着和教练同等重要的角色。

**\*coarse** [kɔːs] *a.* 粗的; 粗糙的; '粗劣的

【记】联想记忆: coar(看做coal煤炭)+se → 煤炭是很粗糙的 → 粗糙的

【例】It's good for you to walk on the *coarse* sand with bare feet. 光脚在粗沙上走动对你有好处。

**code** [kəud] *n.* 密码; 代码; *vt.* 把…编码

【例】What is the postal *code* for Black Street? 布莱克街道的邮编是多少?

**coffer** ['kɔfə] *n.* 保险箱

【记】联想记忆: 把昂贵的咖啡(coffee)装进保险箱(coffer)

【例】The thief managed to open the *coffer*, but it turned out to be empty. 小偷设法打开了保险柜, 却发现里面空空如也。

**\*cohesion** [kəu'hiːʒən] *n.* 结合; 凝聚力

【记】co(共同)+hesion(吸引力) → 共同的吸引力将人们凝聚在一起

【例】The Women's Social and Political Union (WSPU) brought the suffragette movement the *cohesion* and focus it had previously lacked. 妇女社会政治工会为妇女参政运动带来了前所未有的凝聚力。

**coincide** [ˌkəuin'said] *vi.* 同时发生; 一致

【记】词根记忆: co(共同)+in+cide(切) → 切成一样的 → 一致

【例】My religious beliefs don't *coincide* with yours. 我的宗教信仰与你不同。

【派】coincidence(*n.* 同时发生的事情; 一致)

**collaboration** [kəˌlæbə'reiʃən] *n.* 合作; 勾结

【记】词根记忆: col(共同)+labor(工作)+ation(表状态) → 合作

【例】Museum staff carried out the anthropological projects in *collaboration* with a wide variety of national governments. 博物馆的员工

与多国政府合作开展这项人类学研究工程。

**\*collapse** [kə'læps] *v.* /*n.*崩溃；虚脱

【记】col+lapse(滑倒)→全部滑倒→崩溃

【例】The whole market *collapsed*, as a matter of fact, and coffee became cheaper than it had been for the previous 25 years. 事实上，市场全盘崩溃，咖啡的售价跌到25年来的最低。

**\*collate** [kə'leit] *v.*对照；核对

【记】词根记忆：col(共同)+late(放)→放到一起→核对

【例】Customers' comments are *collated* regularly to identify opportunities for improvement. 顾客的意见被逐一核对，以确保公司能在适当的时机进行改进。

**\*collection** [kə'lekʃən] *n.*收集，积聚；收藏(品)

【例】The textile *collection* of the Museum is the largest in the world. 这家博物馆收藏的纺织品是全世界最多的。

**\*colony** ['kɔləni] *n.*殖民地；(动植物的)群体

【记】联想记忆：col(共同)+on(在…上)+y(表场所)→他们合作将那里变为自己的殖民地

【例】The Olympics brought together states in Greece and their *colonies*. 奥林匹克让希腊的各城邦和其殖民地的人齐聚一堂。

**\*colour-blind** *a.*色盲的

【例】People who are *colour-blind* may be not able to see a particular colour. 色盲无法看见某些特定的颜色。

**column** ['kɔləm] *n.*柱；专栏(文章)

【例】My friend has his own *column* in the magazine. 我朋友在该杂志上有自己的专栏。

**\*comb** [kəum] *n.*梳子；蜂巢

【记】注意b不发音

【例】These temporary hive extensions contain frames of empty *comb* for the bees to fill with honey. 临时扩充的蜂箱里有用来让蜜蜂贮存蜂蜜的空蜂巢。

**\*combine** [kəm'bain] *v.*联合，结合

【记】词根记忆：com(共同)+bi(两个)+ne→使两个在一起→结合

【例】The next step was to *combine* the holder with a small hand camera. 下一步是将支架和一台便携式相机连接起来。

【派】combination(*n.* 结合)

**\*combustion** [kəmˈbʌstʃən] *n.* 燃烧；燃烧过程
【记】来自combust(*v.* 消耗，燃烧)
【例】*Combustion* and gasification techniques are now at pilot and demonstration stages. 燃烧技术和气化技术现在处于示范和验证阶段。
【派】combustibility(*n.* 燃烧性，可燃性)

**\*comedy** [ˈkɔmidi] *n.* 喜剧；喜剧性(事件)
【记】联想记忆：大家一起来(come)看喜剧(comedy)
【例】I really like to watch some of the old *comedy* shows. 我真想看一些以前的喜剧表演来放松一下。

**comet** [ˈkɔmit] *n.* 彗星
【记】联想记忆：come(来)+t → 很多年才来一次 → 彗星
【例】The newly-discovered object was considered a *comet*. 人们认为这一新发现的物体是彗星。

**\*commence** [kəˈmens] *v.* 开始
【记】来自同形法语词
【例】Most courses *commence* at 9 a.m. and run untill 3 p.m. 大部分课程上午9点开始，下午3点结束。

**commencement** [kəˈmensmənt] *n.* 开始；毕业典礼
【例】The high school seniors engaged in high jinks after *commencement*. 毕业典礼后，高中毕业生狂欢一场。

**\*comment** [ˈkɔment] *n.* 评论；意见；*v.* 评论
【记】词根记忆：com(共同)+ment(思考，神智) → 一起思考 → 评论
【例】Customer's *comments*, both positive and negative, are recorded by staff and are collated regularly to identify opportunities for improvement of products. 员工记录来自顾客的正反两方面意见，(公司)定期采集这些意见，以确定是否可能提高产品的质量。
【派】commentator(*n.* 评论员；讲解员)

**\*commercial** [kəˈməːʃəl] *a.* 商业的；商品化的
【记】来自commerce(商业)+ial(…的) → 商业的
【例】The research findings report *commercial* rather than political trends. 这些研究结果呈现了商业趋势而非政治趋势。

**commission** [kəˈmiʃən] *n.* 佣金；委托；*vt.* 授权，委托
【记】词根记忆：com(加强)+miss(送)+ion → 送交给某人 → 委任，委托

【例】He now has a new *commission* to design a glass sculpture for the headquarters of a pizza company. 他现在有新的委托事务, 为一家比萨公司的总部大楼设计一件玻璃雕塑。

**commitment** [kəˈmitmənt] *n.* 委托; 许诺; 承担义务

【记】词根记忆: com(共同)+mit(送出) → 一起送出 → 委托

【例】This *commitment* has been clearly defined in the act. 这项法案中明确定义了这一义务的内容。

**\*commodity** [kəˈmɔditi] *n.* 商品, 货物

【记】词根记忆: com(共同)+mod(样式)+ity → 市场上的商品种类繁多

【例】Nowadays, the airlines are treating their seats like a *commodity*. 现在, 航空公司把客机的席位看做是一种商品(进行出售)。

**commonwealth** [ˈkɔmənwelθ] *n.*[the C-] 英联邦; 团体

【记】联合记忆: common (共同的)+wealth (财富) → 共创财富 → 团体

【例】George was a scientist at the *Commonwealth* Scientific and Industrial Research Organisation at that time. 那时乔治是(澳大利亚)联邦科学与工业研究机构的一名科学家。

**community** [kəˈmjuːniti] *n.* 社会; 社区; 团体

【记】联想记忆: com+muni(服务)+ity → 为大家服务 → 社区, 团体

【例】Detailed surveys of social and economic trends in the European *Community* show that Europe's population is falling and getting older. 欧共体开展的关于社会经济趋势的详细调查显示, 欧洲人口在减少且开始呈现老龄化。

**companion** [kəmˈpænjən] *n.* 共事者; 同伴

【记】联想记忆: compani (看做company陪伴)+on → 同伴

【例】Tom was my only Chinese *companion* during my stay in Switzerland. 汤姆是我在瑞士期间惟一的一位中国伙伴。

companion

**\*comparatively** [kəmˈpærətivli] *ad.* 相当地; 比较地

【例】Sports Studies as a discipline is still *comparatively* new. 体育研究作为一门学科还是相当新的。

**\*compare** [kəmˈpeə] *vt.* 比较; 对比

【记】联想记忆：com(一起)+pare(看做pair对) → 把这对放在一起看 → 比较

【例】How do the expectations of today's school leavers different *compare* with those of the previous generation? 与上一届相比，现在毕业生的期望有何不同？

【派】comparable(*a.* 可比较的)；comparison(*n.* 比较，对比)

**compatible** [kəmˈpætəbl] *a.* 兼容的；合得来的

【记】联想记忆：com+pat(=path感情)+ible → 有共同感情的 → 合得来的

【例】Accuracy is not always *compatible* with haste. 忙中难免出错。

***compatriot** [kəmˈpætriət] *n.* 同胞；同国人

【记】In France, Bob bumped into a *compatriot* from Denver. 鲍勃在法国偶遇了来自丹佛的同胞。

***compel** [kəmˈpel] *v.* 强迫

【记】词根记忆：com+pel(驱使) → 驱使去做 → 强迫

【例】The boss *compels* workers to spend more time on the job. 老板强迫工人花更多的时间在工作上。

***compendium** [kəmˈpendiəm] *n.* 简要，概略

【记】词根记忆：com+pend(挂)+ium → 挂在一起 → 概略

【例】The human genome is the *compendium* of all these inherited genetic instructions. 人类基因组是所有遗传基因说明的一个缩影。

**compensate** [ˈkɔmpenseit] *v.* 补偿；抵消

【记】词根记忆：com(全部)+pens(花费)+ate(做) → 支付所有花费 → 补偿

【例】Nothing can *compensate* for the loss of one's health. 一个人失去了健康是什么都弥补不了的。

**compensation** [ˌkɔmpenˈseiʃən] *n.* 补偿；赔偿

【例】The company was paid a sum of money by an insurance agent as *compensation* for its loss in a fire. 那家公司从保险公司那里得到一笔火灾损失赔偿。

***compete** [kəmˈpiːt] *vi.* 竞争；比赛

【记】词根记忆：com(共同)+pet(追求，寻求)+e → 共同追求(一个目标) → 竞争

【例】A series of tests and interviews eventually left 280 applicants *competing* for the 120 advertised positions. 经过一系列的测试和面

试之后，最终留下280名申请者来竞争招聘广告上的120个职位。

【派】competitive(*a.* 竞争的); competitor(*n.* 竞争者，对手)

**competent** ['kɔmpitənt] *a.* 有能力的; 能胜任的

【记】来自compete(竞争)+ent(···的) → 能在竞争中取胜的 → 有能力的

【例】This new manager was really *competent.* 新任经理的确很能干。

*competition [ˌkɔmpi'tiʃən] *n.* 竞争，比赛

【例】The workers opened small businesses in direct *competition* with their former employer. 工人们开办了小型公司直接和他们以前的雇主竞争。

**compile** [kəm'pail] *vt.* 汇编; 编纂

【记】词根记忆: com(共同)+pile(堆) → 堆在一起 → 汇编; 编纂

【例】The daily paper is *compiled* at the editorial headquarters in the heart of the city. 日报是在位于市中心的编辑总部编写成的。

*complain [kəm'plein] *v.* 抱怨; 投诉

【记】联想记忆: com+plain（平常的）→ 不要抱怨生活的平淡

【例】John *complains* that the resource centre has limited opening hours. 约翰抱怨说信息中心的开放时间有限。

complain

*complaint [kəm'pleint] *n.* 抱怨; 控告; 不适

【例】My friend told me that he had gotten a kidney *complaint.* 我朋友对我说他肾不舒服。

*complete [kəm'pli:t] *a.* 彻底的; 完成的; 绝对的 *vt.* 完成; 结束

【记】词根记忆: com(加强)+plet(满，填满)+e → 完成; 结束

【例】Some people believe that children's leisure activities must be educational, otherwise they are a *complete* waste of time. 有些人认为孩子们的休闲活动必须具有教育意义，否则那完全就是浪费时间。

【派】completion(*n.* 完成; 实现); completely(*ad.* 十分地; 完全)

# Word List 8

词根词缀预习表

| | | | |
|---|---|---|---|
| **ced** | 走 concede (*v.* 让步) | **centr** | 中心 concentrate (*v.* 聚集) |
| **cern** | 搞清 concern (*n.* 关心) | **clud** | 关闭 conclude (*vt.* 作结论) |
| **dense** | 变浓厚 condense (*v.* (使)压缩) | **duct** | 引导 conduct (*n.* 举止; 指导) |
| **fid** | 相信 confidence (*n.* 信任) | **fin** | 范围 confine (*v.* 限制) |
| **plex** | 重叠 complex (*a.* 复杂的) | **pos** | 放 compose (*vt.* 组成) |
| **press** | 压 compress (*vt.* 压紧) | **pris** | 抓 comprise (*vt.* 包含) |
| **puls** | 驱动, 推 compulsory (*a.* 义务的) | | |

*complex [ˈkɔmpleks] *a.* 复杂的; *n.* 综合体
【记】词根记忆: com+plex (重叠, 交叉) → 重叠交叉的 → 复杂的
【例】The new sports *complex* has everything needed for many different activities. 新建的综合体育馆能为多种活动提供所需的设施。

*complicated [ˈkɔmplikeitid] *a.* 复杂的, 难懂的
【记】词根记忆: com (共同)+plic (重叠)+ated → 重叠在一起的 → 复杂的
【例】The other hat we made was more *complicated*. 我们制作的另外一顶帽子更加复杂。

*compliment [ˈkɔmplimənt] *n.* 赞美; [*pl.*] 问候, 祝贺
【记】compli (看做complish成功)+ment → 成功后会收到许多赞美
【例】Thank you for your *compliments*. 谢谢你的称赞。

comply [kəmˈplai] *vi.* 遵从; 服从
【记】词根记忆: com+ply (重) → 观点重合 → 服从
【例】The patient was unwilling to *comply* with the physician's orders. 这位病人不愿意遵从医生的嘱咐。

\*component [kəmˈpəunənt] *n.* 成分；零部件；*a.* 构成的

【记】词根记忆：com(共同)+pon(放)+ent → 放到一起(的东西) → 成分

【例】It is often easier to check individual *components* before assembly takes place in many manufacturing processes. 许多生产工序中，在零件被组装到一起之前先检查单个零件通常更容易。

compose [kəmˈpəuz] *v.* 组成，构成；创作(乐曲等)

【记】词根记忆：com (共同)+pos (放)+e → 放到一起 → 组成

【例】All of the subjects which you undertake in the first year are *composed* of lectures and tutorials. 第一年你所要学习的科目由讲座和辅导课构成。

compose

\*compound [ˈkɔmpaund] *n.* 化合物；*a.* 复合的，综合的

[kəmˈpaund] *vt.* 使恶化；使合成

【记】词根记忆：com+pound(放置) → 放到一起使合成 → 化合物

【例】Government policies have frequently *compounded* the environmental damage that farming can cause. 政府推行的政策往往会恶化农业对环境造成的破坏。

\*comprehension [ˌkɔmpriˈhenʃən] *n.* 理解；理解力

【记】来自comprehend(*vt.* 理解)，com+prehend(抓住) → 抓住要领 → 理解

【例】The teacher's task of improving *comprehension* is made harder by influences outside the classroom. 老师提高学生理解力的工作会因为课堂外的影响而变得更加困难。

\*comprehensive [ˌkɔmpriˈhensiv] *a.* 全面的；综合的

【记】联想记忆：com+prehen(看做prehend抓住)+sive → 全部抓住 → 全面的；综合的

【例】His account of the meeting was most *comprehensive*. 他对会议的叙述面面俱到。

compress [kəmˈpres] *vt.* 压紧；压缩

【记】词根记忆：com(加强)+press(压) → 使劲压 → 压紧，压缩

【例】Puffs of *compressed* air shape the glass. 吹出的压缩空气让玻璃

成型。

**comprise** [kəmˈpraiz] *vt.* 包含；由…组成

【记】联想记忆：com(共同)+prise(奖赏) → 奖赏包含大家的努力 → 包含

【例】The hotel *comprises* 82 one-bedroom apartments and 12 suites. 这家酒店有82间单人床位的公寓和12间套房。

**compromise** [ˈkɔmprəmaiz] *n.* 妥协；折中办法

【记】联想记忆：com+promise(保证) → 相互保证 → 妥协

【例】This means that the choice you make will probably be determined by the amount of money you want to pay, your own personal needs, what is actually available or a *compromise* of all three things. 这意味着你所作的选择可能会取决于你想花多少钱、你的个人需要和你实际能买到的(商品)，或者你也可以将三者折中一下。

**\*compulsively** [kəmˈpʌlsivli] *ad.* 强制地；禁不住地

【例】If you do *compulsively* grind your teeth in your sleep, ask your dentist about a soft mouthguard. 如果你睡觉时禁不住要磨牙，可以向牙医要一个质地柔软的护牙套。

**compulsory** [kəmˈpʌlsəri] *a.* 义务的；必须做的

【记】词根记忆：com+puls(驱动，推)+ory → 不断推的 → 必须做的

【例】These counselling sessions are *compulsory* for all students. 所有的学生都必须参加这些咨询会议。

**conceal** [kənˈsiːl] *v.* 隐藏；隐瞒

【记】联想记忆：con+ceal(看做seal密封) → 密封起来 → 隐藏，隐瞒

【例】Men were very aware that thieves might be *concealed* behind the car. 人对窃贼可能藏在车后很警觉。

**concede** [kənˈsiːd] *v.* (不情愿地)承认；让步

【记】词根记忆：con+cede(割让) → 让出去 → 让步

【例】The defeated side had to *concede* some of their territory to the enemy. 战败的一方不得不把部分领土割让给敌人。

**conceive** [kənˈsiːv] *vt.* (构)想出；怀(胎)；*vi.* (of)设想；怀孕

【记】词根记忆：con+ceive(抓，握住) → 怀有一种想法 → 想出

【例】These scientific advances can offer a new way to test whether a *conceived* baby is healthy or not. 这些科学上的进步为检测孕育中的婴儿是否健康提供了一种新方法。

**\*concentrate** [ˈkɔnsəntreit] *v.* 全神贯注；聚集

【记】词根记忆：con(加强)+centr(中心)+ate(做) → 精神放在一个中心 → 聚集

【例】The Ancient Greeks used lenses or concave mirrors to *concentrate* the sun's rays. 古希腊人利用透镜或凹面镜来聚集太阳光。

【派】concentration(*n.* 集中，聚集)

**concentration** [ˌkɔnsən'treiʃən] *n.* 专注；集中，集合

【例】This *concentration* of vehicles makes air quality in urban areas unpleasant and sometimes dangerous to breathe. 交通车辆的集中造成城市地区空气质量的下降，有时甚至不宜呼吸。

***concept** ['kɔnsept] *n.* 概念；观念；设想

【例】The *concept* of health holds different meanings for different people and groups. 健康观念因人和群体的不同而不同。

**conception** [kən'sepʃən] *n.* 观念；概念

【例】This book is designed to help Ph.D. students by explaining different *conceptions* of the research process. 本书旨在通过解释研究过程中出现的不同概念来帮助博士生学习。

【派】misconception(*n.* 误解)

***concern** [kən'səːn] *n.* 关心；关注；*vt.* 涉及；使关心

【记】词根记忆：con(加强)+cern(搞清) → 一定要搞清楚 → 关心

【例】What most *concerns* me is I'm still not doing very well on my homework. 最让我担心的是我现在作业做得不是很好。

**concert** ['kɔnsət] *n.* 音乐会，演奏会

【例】All their musical instruments were lost and they couldn't play at their *concert*. 他们所有的乐器都不见了，所以无法在演奏会上表演了。

**concession** [kən'seʃən] *n.* 让步；特许权；承认

【记】联想记忆：con(共同)+cess(行走，前进)+ion → 要想大家共同进步必须都做出让步

【例】You will get what is called a "student account" which is a current account with special *concessions* for students. 你将获得一个称为"学生账户"的活期账户，这是专为学生开设的。

***conclude** [kən'kluːd] *v.* 推断出；作结论

【记】词根记忆：con(共同)+clud(关闭)+e → 全部关闭 → 结束

【例】They *concluded* that the children were incapable of deductive reasoning. 他们得出结论：这些儿童不会推理。

**\*conclusion** [kənˈkluːʒən] n. 结论

【例】At the clinic we have come to the *conclusion* that the major cause of back pain is not with the design of chairs, but in the way we sit in them. 临床试验得出的结论是，背痛不是由椅子设计的原因引起的，而是由我们的坐姿引起的。

**\*concrete** [ˈkɔnkriːt] a. 实在的，具体的；n. 混凝土

【记】词根记忆：con+crete(产生)→产生→具体存在的事物

【例】reinforced *concrete* 钢筋混凝土

**\*condense** [kənˈdens] v. (使)压缩，精简

【记】词根记忆：con+dense(密集的)→变得密集的→(使)压缩

【例】This article has been adapted and *condensed* from the article by William and Slater. 这篇文章改编自威廉姆和史雷特的文章，并进行了精简。

**\*condition** [kənˈdiʃən] n. 条件；状况；环境

【例】The research ignored the social and environmental *conditions* affecting health. 这一研究忽略了社会状况和自然环境对人类健康的影响。

**\*conduct** [ˈkɔndʌkt] n. 举止；指导；管理

[kənˈdʌkt] vt. 指导；管理，实施

【记】词根记忆：con(加强)+duct(引导)→指导；管理

【例】Some experiments are *conducted* by this professor and others are not. 有些实验是这位教授指导的，有些不是。

**conference** [ˈkɔnfərəns] n. (正式)会议

【例】I'm going to a *conference* in London. 我要去伦敦参加一个会议。

**confidence** [ˈkɔnfidəns] n. 信任；信心

【例】The message is that you have little *confidence*. (反馈出的)信息就是你有点不自信。

**confine** [kənˈfain] v. 限制，仅限于；n.[pl.] 界限

【记】词根记忆：con(加强)+fine(限制)→限制

【例】It's important not to *confine* yourself to reading on your subject. 不要仅限于阅读课内读物，这一点很重要。

**\*confirm** [kənˈfəːm] vt. 证实，肯定；批准

【记】词根记忆：con(加强)+firm(坚固的)→使…坚固的→证实，肯定

【例】If a prediction based on a hypothesis is fulfilled, then the hypothesis is *confirmed*. 如果基于某一假设的预测得到实践的检验并且

成立，那么该假设就被证实是正确的。

【派】confirmation(*n.* 证实；批准)

**\*conflict** ['kɔnflikt]/[kən'flikt] *n.* /*vi.* 冲突

【记】词根记忆：con(共同)+flict(打击) → 互相打 → 冲突

【例】Friction management means handling *conflicts* in a positive and constructive manner. 解决摩擦就是要用一种积极的有建设性的方式来处理冲突。

**conform** [kən'fɔːm] *vi.* 遵守；相符

【记】词根记忆：con(共同)+form(形状) → 有共同的形状 → 相符

【例】All students must *conform* to the school rules. 所有的学生都必须遵守校规。

**\*confront** [kən'frʌnt] *vt.* 遭遇；面对，正视

【记】词根记忆：con+front(面，前面) → 面对面 → 遭遇；面对

【例】Growth and environmentalism can actually go hand in hand, if politicians have the courage to *confront* the vested interest that subsidies create. 如果政客们有勇气面对财政援助所产生的既得利益，那么经济增长和环境保护实际上可以共同发展。

**confusion** [kən'fjuːʒən] *n.* 困惑；混淆；骚乱

【例】This medicine may cause hair loss, depression or *confusion*, and yellowing of skin or eyes. 服用该药可能导致脱发、精神抑郁或神志不清，还可能致使肤色或眼球发黄。

**\*congested** [kən'dʒestid] *a.* 拥挤不堪的；充塞的

【记】来自congest(使充满，使拥塞)+ed → 充塞的

【例】Can the world avoid being locked into *congested* and polluting means of transport? 世界能否避免受到拥挤、污染的交通方式的困扰？

【派】congestion(*n.* 拥挤，拥堵)

**congratulate** [kən'grætjuleit] *vt.* 祝贺

【记】词根记忆：con(共同)+grat(喜好)+ulate → 同喜同喜 → 祝贺

【例】I wanted to *congratulate* you all for getting to this talk on time. 大家能按时参加这次座谈会，我向你们表示祝贺。

**conjunction** [kən'dʒʌŋkʃən] *n.* 连接；连词

【记】词根记忆：con(加强)+junct(连接，联合)+ion → 连接

【例】Seat belts are more effective when used in *conjunction* with air bags. 安全带和安全气囊一起使用，效果更好。

**\*connect** [kə'nekt] *v.* 连接；关联；联系

【记】词根记忆：con+nect(连接) → 连接

【例】What special food and activities are *connected* with this festival? 与这个节日相关的特别食物和活动有什么？

**connection** [kə'nekʃən] *n.* 连接；关系

【例】A link between weather and mood is made believable by the evidence for a *connection* between behaviour and the length of the daylight hours. 由于人的行为与昼长有关系，据此我们可以相信气候和情绪之间也有联系。

**conscious** ['kɔnʃəs] *a.* 自觉的；意识到的；神志清醒的

【记】词根记忆：con+sci(知道)+ous → 知道的 → 意识到的

【例】Deep inside he was *conscious* that music was not his destiny. 内心深处，他知道音乐并不是自己的归宿。

**\*consequence** ['kɔnsikwəns] *n.* 结果；影响；重要意义

【记】词根记忆：con+sequ(跟随)+ence → 跟随其后 → 结果

【例】The *consequences* of the Human Genome Project go far beyond a narrow focus on disease. 人类基因工程的重要意义远远不止于治愈疾病。

**consequent** ['kɔnsikwənt] *a.* 作为结果的；随之发生的

【记】词根记忆：con+sequ(跟随)+ent(…的) → 随之发生的

【例】There is always confusion *consequent* to an earthquake. 地震过后总是会发生混乱。

【派】consequential(*a.* 结果的)；consequently(*ad.* 因此，因而)

**\*consequently** ['kɔnsikwəntli] *ad.* 因此，因而

【例】Mr. Foster has never been to China. *Consequently* he knows very little about it. 福斯特先生从未去过中国，所以对中国了解得很少。

**\*conservation** [ˌkɔnsə'veiʃən] *n.* 保存；保护

【记】联想记忆：con(加强)+serv(e)(服务)+ation → 一再为其服务 → 保护

【例】We just set up a new wildlife *conservation* programme here. 我们刚刚在这里启动了一个新的野生动物保护项目。

**conservative** [kən'sɜːvətiv] *a.* 保守的；传统的；*n.* 保守的人

【例】The obstacle to our development

conservative

75

has been *conservative* local authorities. 保守的地方当局一直是我们发展的障碍。

**conserve** [kən'səːv] *vt.* 保护；保存，储存

【记】词根记忆：con+serv(保持)+e → 保持住 → 保存

【例】People living in the desert have a special way to *conserve* water. 生活在沙漠里的人采用一种特别的方法来储存水。

【派】conservative(*a.* 保守的)

**considerable** [kən'sidərəbl] *a.* 相当大(或多)的；重要的

【记】来自consider(考虑)+able(能…的) → 能纳入考虑范围的 → 重要的

【例】The heavy snow blocks the highway, so we have to take *considerable* detours. 大雪使得高速路封锁，我们不得不绕道而行，为此走了很多路。

**\*consideration** [kən,sidə'reiʃən] *n.* 考虑；思考

【例】Obviously, the noise factor will have to be taken into *consideration* in the layout of the houses. 在做住宅规划时显然要考虑到噪音的因素。

**\*consist** [kən'sist] *vi.* 由…组成；一致

【记】词根记忆：con(共同)+sist(站) → 站在一起 → 一致

【例】Each hour *consists* of 50 minutes' tuition and a 10-minute break. 每小时的内容安排是50分钟的讲解和10分钟的休息。

【派】consistency(*n.* 一致性)；consistent(*a.* 一致的；相符的)；consistently(*ad.* 始终如一地)

**\*consolation** [,kɔnsə'leiʃən] *n.* 安慰；慰问

【例】The results of this research may be *consolation* to left-handers. 这项研究的结果可能会给左撇子带来一些安慰。

**\*consolidation** [kən,sɔli'deiʃən] *n.* 合并，巩固

【例】The global airline industry was heading towards more *consolidation*. 全球航空业的合并之风日盛。

**\*consortium** [kən'sɔːtjəm] *n.* 集团；财团

【记】联想记忆：consort(陪伴，结交)+ium → 相互结交组成社团，协会 → 集团，财团

【例】The *consortium* that won the contract for the island opted for an aggressive approach. 承包这座岛屿的财团采取了一种野蛮的开发方式。

**constantly** [ˈkɒnstəntli] *ad.* 经常；不断地

【例】Atlas's teaching methodology is *constantly* revised as more is discovered about the process of learning a new language. 随着新语言学习过程中更多的发现，亚特兰斯的教学法不断得以改进。

**constitute** [ˈkɒnstitjuːt] *vt.* 组成；构成；设立；任命

【记】词根记忆：con(加强)+stitute(建立，放)→组成，构成

【例】The lid *constitutes* twenty-five percent of the can's total weight. 盖子占罐子总重的25%。

**\*constitution** [ˌkɒnstiˈtjuːʃən] *n.* 宪法；章程；组成；设立

【例】Many people are concerned that such an emphasis on humanity's genetic *constitution* may distort our sense of values. 许多人担心这种对人类基因组成的重视可能会歪曲我们的价值观。

**constrain** [kənˈstrein] *vt.* 迫使；约束

【记】词根记忆：con(加强)+strain(拉紧)→约束

【例】The evidence was so compelling that he felt *constrained* to accept it. 证据是那样的令人折服，他觉得不得不接受。

**\*construct** [kənˈstrʌkt] *vt.* 建造；构思

【记】词根记忆：con(加强)+struct(建立)→建造

【例】This anticipation is *constructed* through films, TV and literature. 这一预想通过电影、电视和文学得以构思成形。

【派】construction(*n.* 建筑，建造物)

**construction** [kənˈstrʌkʃən] *n.* 建造；建筑物；构造

【例】He spent years mastering the art of telescope *construction*. 他花了数年的时间才掌握望远镜制造术。

**consult** [kənˈsʌlt] *vt.* 请教；查阅；商议

【记】联想记忆：不顾侮辱(insult)，不耻请教(consult)

【例】You do not need to *consult* your doctor immediately if the tablets give you a side-effect. 如果药片对你产生副作用，你不必立即去请教医生。

【派】consultation(*n.* 请教；咨询)

**\*consultant** [kənˈsʌltənt] *n.* 顾问；专科医生

【记】来自consult(请教，查阅)+ant(人)→供咨询的人→顾问

【例】Marketing *consultants* have been gathering information about customers' shopping habits. 市场顾问一直在收集有关消费者购物习惯的资料。

**consumer** [kən'sjuːmə] *n.* 消费者；用户

【例】Many *consumers* feel that Government and business have taken on the environmental agenda. 许多消费者认为政府和商家已经将环保提到了日程上来。

【派】consumerism(*n.* 消费，消费主义)

**consumption** [kən'sʌmpʃən] *n.* 消耗(量)；消费(量)

【例】Fuel *consumption* and exhaust emissions depend on which cars are preferred and how they are driven. 耗油量和排气量取决于用户偏爱的车型及其驾驶方式。

**\*contact** ['kɔntækt] *n.* 接触；联系；*vt.* 与…取得联系

【记】词根记忆：con(共同)+tact(接触) → 接触，联系

【例】For further details, *contact* Mr. Smith, please. 欲知详情，请与史密斯先生联系。

**\*contain** [kən'tein] *v.* 包含

【记】词根记忆：con+tain(拿住) → 全部拿住 → 包含

【例】It is traditionally accepted that children's books should *contain* a few pictures. 传统意义上来说，人们普遍认为儿童读物中应该配有少量插图。

【派】container(*n.* 容器)

**contaminate** [kən'tæmineit] *vt.* 污染

【记】词根记忆：con+tamin(接触)+ate → 接触脏东西 → 污染

【例】Chemical fertilisers and pesticides may *contaminate* water supplies. 化肥和杀虫剂可能会污染供水。

**contemplate** ['kɔntempleit] *vt.* 思量；凝视；打算

【记】联想记忆：con+templ(看做temple庙)+ate(做) → 庙里的和尚常常思量；凝视

【例】In order to compete in the world market, we *contemplate* improving our present product. 为了参与国际市场的竞争，我们打算改进现有产品。

**contemporary** [kən'tempərəri] *a.* 当代的；同时代的；*n.* 同代人，当代人

【记】词根记忆：con(共同)+tempor(时间)+ary(人) → 同代人

【例】Some *contemporary* tribes still live among the earthworks of earlier cultures. 一些当代的部落仍处于早期陶器时代的文明之中。

# Word List 9

| | | | |
|---|---|---|---|
| **corp** | 躯体 corpus (*n.* 全集) | **cover** | 盖子 coverage (*n.* 覆盖范围) |
| **cre** | 产生 create (*vt.* 创造；产生) | **cred** | 相信 credible (*a.* 可信的) |
| **crim** | 罪 crime (*n.* 罪行) | **dict** | 说话 contradict (*vt.* 反驳) |
| **oper** | 工作 cooperate (*vi.* 合作) | **ordin** | 顺序 coordinate (*vt.* 协调) |
| **rod** | 咬 corrode (*v.* 腐蚀) | **tract** | 拉 contract (*v.* 缩小；签约) |
| **tribut** | 给予 contribute (*v.* 起作用) | **vert** | 转 convert (*v.* 改变) |
| **vinc** | 征服 convince (*v.* (使)确信) | | | |

**contempt** [kən'tempt] *n.* 轻视；蔑视

【记】词根记忆：con(共同)+tempt(尝试) → 小意思！大家都能试 → 轻视

【例】The officer's tone of voice towards the stowaway is loaded with *contempt*. 警官对偷渡者说话的语气充满了轻蔑。

**\*content** [kən'tent] *a.* 满意的；*n.*[*pl.*] 内容；满意；*vt.* 使满意

【记】词根记忆：con+tent(伸展) → 全身舒展 → 满意的

【例】The meeting leader concerns himself or herself with the *content* of the meeting. 会议的主办者本人很关心会议的内容。

**continent** ['kɔntinənt] *n.* 大陆

【例】Australia is a dry *continent*, second only to Antarctica in its lack of rainfall. 澳洲大陆很干燥，降水量之少仅次于南极洲，位居世界第二。

【派】continental(*a.* 大陆的；*n.* 欧洲人)

**\*contingency** [kən'tindʒənsi] *n.* 偶然，可能性；意外事件；紧急事件

【记】来自contingent(*a.* 可能发生的)

【例】The extra people can cover *contingencies*, such as when crises

79

take people away from the workplace. 编外人员可以弥补紧急事件所造成的职位空缺，如危急事件使得人们离开工作岗位的情况。

**continually** [kənˈtinjuəli] *ad.* 连续地，持续地

【例】The diver was *continually* fascinated by the beauty of the sea. 潜水者不断陶醉于大海的美丽。

**continuity** [ˌkɔntiˈnjuːəti] *n.* 连续(性)；持续(性)

【记】来自continue(*v.* 连续)

【例】This country took steps to enhance its *continuity* of government operations. 该国采取了措施来加强政府运作的连贯性。

**continuous** [kənˈtinjuəs] *a.* 连续不断的

【记】来自continue(*v.* 连续)

【例】There's a *continuous* video showing today about the voyages of Captain Cook. 今日将连续放映库克船长航海的录像。

【派】continuously(*ad.* 不断地，连续地)

**\*contract** [ˈkɔntrækt] *n.* 契约，合同

[kənˈtrækt] *v.* 缩小；签约

【记】词根记忆：con（共同）+tract（拉，拽）→ 合同将双方损益拉到一起

【例】Both sides should abide by the *contract*. 双方都应该遵守合同。

contract

**contradict** [ˌkɔntrəˈdikt] *vt.* 反驳；与…发生矛盾

【记】词根记忆：contra(反对)+dict(说话，断言)→ 说反对的话 → 反驳

【例】The statement *contradicts* the writer's views. 这一陈述与作者的观点不符。

**contrary** [ˈkɔntrəri] *a.* 相反的；*n.* 相反

【记】词根记忆：contra(相反)+ry → 相反；相反的

【例】*Contrary* to what you might imagine, the size of the cycle is not determined by the size of the wheels, but by the size of the frame. 可能与你想象的相反，自行车的大小不是由车轮的尺寸决定的，而是由车架的大小决定的。

**contrast** [ˈkɔntrɑːst] *n.* 对比；对照

[kənˈtrɑːst] *vt.* 对比；对照；*vi.* 形成对比

【记】词根记忆: contra（相反）+st（=stand站）→ 两个人背靠背地站在一起比身高 → 对比, 对照

【例】This white peak *contrasts* finely with the blue sky. 雪白的山峰同蔚蓝的天空交相辉映。

**contribute** [kən'tribjuːt] *v.* 起作用, 影响; 促成…的因素

【记】词根记忆: con（全部）+tribute（给予）→ 全部给予 → 影响

【例】Industrial emissions and automobile exhausts *contribute* to high pollution. 工业排放物和汽车尾气共同造成了高度污染。

【派】contribution(*n.* 作用, 影响); contributor(*n.* 促成因素)

*contrived [kən'traivd] *a.* 人为的

【记】词根记忆: contri（反）+ve(=vene走) → （和普通人）反着走 → 故意的 → 人为的

【例】The mass tourist travels in guided groups and finds pleasure in inauthentic *contrived* attractions. 大批游客跟团旅游, 他们在人造景观中找到了乐趣。

*controversial [ˌkɒntrə'vɜːʃəl] *a.* 争论的

【记】词根记忆: contro（相反）+vers（转）+ial → 反着转 → 争论的

【例】The appearance of individual buildings is often *controversial*. 私人建筑的外观常常会引起争议。

**convenience** [kən'viːnjəns] *n.* 方便; 便利设施

【记】词根记忆: con（共同）+ven（来）+i+ence → 共同行动维护便民设施 → 便利设施

【例】The newly-built apartment building provides gas, electricity and other modern *conveniences*. 这幢新盖的公寓大楼提供煤气、电以及其他一些现代化的便利设施。

【派】inconvenience(*n.* 麻烦, 不方便)

*convenient [kən'viːnjənt] *a.* 方便的

【记】发音记忆: "肯为你的" → 肯为你着想的 → 方便的

【例】Cars easily surpass trains or buses as a flexible and *convenient* mode of personal transport. 小汽车轻松地超过火车及公共汽车, 成为了一种灵活便捷的个人交通工具。

*conventional [kən'venʃənəl] *a.* 习惯的, 常规的; 传统的

【例】Most people prefer *conventional* housing now. 现在很多人偏爱传统式的住宅。

**conversion** [kən'vɜːʃən] *n.* 转化；兑换

【记】词根记忆：con+vers(转)+ion → 转化

【例】Clean coal is another avenue for improving fuel *conversion* efficiency. 洁净煤是提高燃烧效率的另一种途径。

**convert** [kən'vɜːt] *v.* 改变；转变；改装

【记】词根记忆：con(共同)+vert(转) → 一起转变 → 改装

【例】The original house was *converted* into a residential college. 原来的房子被改建成一所寄宿学校。

**\*convey** [kən'vei] *vt.* 表达，传递；运送

【记】词根记忆：con+vey(道路) → 在路上运输 → 传递；运送

【例】His poem *conveyed* a sense of sorrow. 他的诗表达了一种悲伤的情感。

**\*conviction** [kən'vikʃən] *n.* 判罪

【例】The information led to the *conviction* of those found guilty of treason. 这些资料足以给那些叛国者定罪。

**\*convince** [kən'vins] *v.* (使)确信；说服

【记】词根记忆：con(全部)+vince(征服，克服) → 彻底征服对方 → 说服

【例】Men try to *convince* employers that any shortcomings they have will not prevent them from doing a good job. 男人们设法让雇主相信，他们身上的任何缺点都不会妨碍他们干好工作。

**\*cookery** ['kukəri] *n.* 烹调法

【记】来自cook(*v.* 烹调)

【例】I took a month's *cookery* course at a local college last year. 去年，我在当地的一所专科学校学习了一个月的烹调。

**cooperate** [kəu'ɔpəreit] *vi.* 合作；协作

【记】词根记忆：co(共同)+oper(工作)+ate(做) → 一起工作 → 合作，协作

【例】It is meaningful for world nations to *cooperate* with each other. 对世界各国来说，相互合作的意义重大。

【派】cooperation(*n.* 合作，协作)；cooperative(*a.* 合作的)

**coordinate** [kəu'ɔːdinit] *vt.* 协调；调节；配合

【记】词根记忆：co(共同)+ordin(顺序)+ate(使…) → 使…顺序一

致 → 协调

【例】There are around 1,000 zoos capable of participating in *coordinated* conservation programmes. 大约有1,000家动物园能够加入到这些协作保护计划中来。

\*coordinator [kəuˈɔːdineitə] *n.* 协调者

【记】来自coordinate(*v.* 调整，整理)

【例】He worked in the government as an Economic Development *Coordinator*. 他在政府工作，是一名经济发展协调员。

\*cope [kəup] *vi.* (成功地)应付；(妥善地)处理

【例】Books are available to help employees *cope* with stress. 书籍有助于员工应付压力。

\*cord [kɔːd] *n.* 线；带

【记】本身为词根：心 → 线，带

【例】This process could be sped up by wrapping a *cord* around the drill and pulling on each end. 这个进程可以通过拉缠绕在钻头两端的线来加快速度。

cork [kɔːk] *n.* 软木塞；*vt.* 用软木塞塞住

【记】发音记忆："犒客" → 犒劳客人 → 打开酒(瓶上的软木塞)犒劳客人

【例】When a volcano erupts, the shattered summit is ejected like a *cork* from a shaken soda bottle. 火山喷发时，被炸碎的山峰喷射而出，就

cork

像是装有苏打水的瓶子经过摇晃，上面的软木塞被气顶飞一样。

\*corporate [ˈkɔːpərit] *a.* 团体的；法人的，公司的

【记】词根记忆：corpor(团体)+ate → 团体的

【例】From uniforms and workwear emerged *corporate* clothing. 在制服和劳动服的基础上出现了职业装。

【派】corporation(*n.* 公司；社团)

\*corps [kɔː] *n.* 部队；兵种

【记】词根记忆：corp(团体)+s → 团队 → 部队

【例】The leaders had built up a *corps* of rocketeers and used rockets successfully against the British in the late eighteenth century. 这些领导人组建了火箭部队，并在18世纪末成功地用火箭打败了英国人。

**\*corpus** [ˈkɔːpəs] *n.* 全集，全部资料

【记】词根记忆：corp(躯体)+us → 全身 → 全集

【例】We have an existing written *corpus* of language learning materials in the library. 我们图书馆里有现成的关于语言学习的全部资料。

**\*correspond** [ˌkɔriˈspɔnd] *vi.* 相一致，相符合

【记】词根记忆：cor(共同)+respond(作出反应) → 作出相同的反应 → 相一致，相符合

【例】This person's characteristics *correspond* with the witness' description. 这个人的特征与证人的描述相符。

【派】correspondence(*n.* 通信；符合)；corresponding(*a.* 相应的)

**corridor** [ˈkɔridɔː] *n.* 走廊

【例】You will notice that at the end of each *corridor* there is another door, but these are fire doors. 你会注意到在每一条走廊的尽头都有门，但是这些是防火门。

**\*corrode** [kəˈrəud] *v.* 腐蚀；侵蚀

【记】词根记忆：cor(全部)+rode(咬) → 全部咬掉 → 腐蚀

【例】Acid rain can *corrode* metal and stone work. 酸雨能腐蚀金属制品和石头。

**\*cosmopolitan** [ˌkɔzməˈpɔlitən] *a.* 世界性的，全球的

【记】词根记忆：cosmo(世界，宇宙)+poli(看做polis城市)+tan → 世界城 → 世界性的

【例】A port will make a city *cosmopolitan*. 港口的作用是它会让一个城市走向世界。

**\*cosset** [ˈkɔsit] *vt.* 宠爱，溺爱

【记】联想记忆：cos(看做cost花费)+set(固定) → 固定一笔花费来宠爱

【例】Tom is one who *cossets* his health. 汤姆是个悉心保养身体的人。

**costume** [ˈkɔstjuːm] *n.* 戏装；(特定场合穿的)成套服装

【记】联想记忆：cost(花费)+u(你)+me(我) → 你我都免不了花钱买服装

【例】Mom told me that she had a ballet *costume*. 妈妈告诉我她有一身芭蕾舞服。

**\*council** [ˈkaunsəl] *n.* 理事会，委员会

【记】Security Council 联合国安理会

【例】The *Council* may convoke a formal conference. 理事会可能会召开一次正式会议。

**counsel** ['kaunsəl] *n.* 律师，法律顾问；忠告

【记】联想记忆：coun（看做court法庭）+sel（看做sell卖）→ 在法庭上卖弄技巧的人 → 律师

【例】Today's Health *Counsel* is presented by Paula Clayburg. 今天的《健康忠告》由波拉·克雷博格讲解。

**\*counter** ['kauntə] *n.* 柜台；*ad.* 相反地

【记】来自count（*v.* 计算）

【例】The government's plans run *counter* to agreed European policy on this issue. 政府的计划违反了有关这个问题已经协商好的欧洲政策。

**\*counterpart** ['kauntəpɑːt] *n.* 与对方地位相当的人；配对物

【记】组合词：counter（相反地）+part（部分）→ 配对物

【例】Researchers say that when women apply for positions they tend to be better qualified than their male *counterparts*. 研究人员声称，女性在申请职位时往往比男性竞争者更具实力。

**\*county** ['kaunti] *n.* （英）郡，（美）县

【记】联想记忆：国家（country）里有很多县（county）

【例】Research being conducted in two *counties* of Southern California is reaching similar conclusions. 在南加州两个县开展的研究得出了相似的结论。

**coupon** ['kuːpɔn] *n.* 优惠券；票证

【记】联想记忆：co（共同）+upon（在…上）→ 商家联合在节假日打折的基础上还发放优惠券

【例】Please fill out the attached *coupon*. 请把附单填写好。

**\*courageous** [kə'reidʒəs] *a.* 勇敢的，有胆量的

【记】来自courage（勇气）+ous（…的）→ 有勇气的 → 勇敢的

【例】The message behind a half handshake is that "I'm not a strong or *courageous* person." 握手时只让对方握住自己的手指，其暗含的信息是：我不是强者或有胆量的人。

**cover** ['kʌvə] *v.* 覆盖；包含

【例】The study *covered* 500 employees in four large companies. 这次研究的对象涉及四家大公司的500名雇员。

**coverage** [ˈkʌvərɪdʒ] n. 新闻报道；覆盖范围

【记】来自cover(覆盖)+age(场所) → 覆盖范围

【例】We all watch for live *coverage* of the results of the bombing trial. 我们都等着看有关这起爆炸审判的现场新闻报道。

**crack** [kræk] v. (使)破裂；n. 裂缝

【例】Viscous lava, accompanied by burning clouds of ash and gas, welled out of the volcano from *cracks* in its flanks. 粘稠的岩浆夹杂着燃烧的火山灰和气团，从火山侧面的裂缝中喷涌而出。

**\*craft** [krɑːft] n. 工艺，手艺；船；航空器

【记】联想记忆：c+raft(筏) → 筏子再做得精致一点儿就成了船

【例】This region is a diverse agricultural area, rich in historic sites, arts and *crafts*. 该地区为多种农作物种植带，且历史遗址众多，艺术形式丰富，手工艺发达。

**\*crank** [kræŋk] n. 曲柄，曲轴；v. 用曲柄转动某物

【例】That gear is connected to a *crank* which changes the motion. 传动装置与一个能改变运动方式的曲柄连接在一起。

**crash** [kræʃ] n./v. 碰撞；坠落；a. 速成的

【记】象声词：破裂声 → 碰撞

【例】The two cars *crashed* into each other. 两辆汽车猛烈相撞。

**crater** [ˈkreitə] n. 火山口；坑

【例】After the volcano erupted, lava domes formed inside the new *crater*, and have periodically burst. 火山喷发后，新形成的火山口内部会形成熔岩穹丘，这些熔岩穹丘会周期性的爆发。

**\*crawl** [krɔːl] vi. 爬，爬行；缓慢地行进

【记】联想记忆：c+raw(生疏的)+l → 对地形生疏，开车就要缓慢地行进

【例】To prevent the queen from *crawling* up to the top and laying eggs, a screen can be inserted between the brood chamber and the supers. 为了防止蜂王爬到蜂房顶部产卵，需要在蜂箱和蜂房上层之间插入一个隔板。

**\*create** [kriːˈeit] vt. 创造；产生

【例】The economic recovery *created* more jobs. 经济复苏带来了更多的工作机会。

**\*creation** [kriːˈeiʃən] n. 创造；作品

【记】来自create(v. 创造)

【例】The very first fire-*creation* methods involved the use of friction. 最早的取火方法都离不开摩擦。

【派】recreation(*n.* 消遣)

*creative [kriːˈeitiv] *a.* 创造性的，创作的

【例】We give this system to save children the trouble of developing these *creative* skills. 我们提供这种系统来解决孩子们在开发创造能力过程中遇到的困难。

credible [ˈkredəbl] *a.* 可信的，可靠的

【记】词根记忆：cred(相信)+ible(可…的) → 可信的

【例】This witness presents *credible* information to convict the defendant. 这个证人提供了可靠的证据，证明被告有罪。

*credit [ˈkredit] *n.* 信任，信用；信贷；*v.* 记入贷方；把…归于

【记】词根记忆：cred(相信)+it → 信任

【例】Most historians *credit* the Chinese with the discovery of gun powder. 多数历史学家认为是中国人发明了"火药"。

【派】discredit(*v.* 不信任，怀疑)

*crescent [ˈkresnt] *n.* 新月形(物)；*a.* 新月形的

【记】联想记忆：cre(增长)+scent(香味) → 新月长到满月，月饼飘香 → 新月形

【例】The *crescent* of a new moon hung over the mulberry in the yard. 一弯新月高悬在院子里的桑树上。

crew [kruː] *n.* 全体船员；一队工作人员

【记】和crow(*n.* 乌鸦)一起记，天下乌鸦一般黑 → 全体船员

【例】The rescue *crew* is still looking for survivors. 救援队仍然在寻找生还者。

*cricket [ˈkrikit] *n.* 板球运动；蟋蟀

【记】联想记忆：花钱买票(ticket)去看板球(criket)比赛

【例】Baseball and *cricket* differ. 棒球和板球不同。

*crime [kraim] *n.* 罪行；犯罪

【记】词根记忆：crim(罪行)+e → 罪行

【例】Without the death penalty our lives are less secure and vident *crimes* increase. 如果没有死刑，我们的生命会更加缺乏安全感，暴力犯罪便会上升。

criminal [ˈkriminl] *n.* 罪犯；*a.* 犯罪的；刑事的

【例】The discontent may lead more youths into *criminal* behavior. 这

种不满情绪可能会导致更多的青少年走上犯罪道路。

**\*crisis** ['kraisis] *n.* 危机；关键阶段

【记】联想记忆：cri(看做cry哭)+sis(看做sos求救信号) → 哭喊着发求救信号 → 危机

【例】In the US, energy-efficient homes became popular after the oil *crisis* of 1973. 美国在经历了1973年的石油危机之后，节能型房屋就变得很受欢迎了。

**crisp** [krisp] *a.* 脆的；利落的；*n.* [*pl.*] 油炸土豆片

【记】发音记忆：发音像咬薯片的声音 → 脆的

【例】The answers from the soldiers are *crisp* and assured. 士兵们的回答干脆而肯定。

**critic** ['kritik] *n.* 批评家；爱挑剔的人

【记】词根记忆：crit(判断)+ic → 判断是非 → 批评家

【例】The coal industry has been targeted by *critics* as a significant contributor to the greenhouse effect. 煤炭业被评论家指责为造成温室效应的主要原因。

**criticize** ['kritisaiz] *vt.* 批评；评论

【例】Citizens have the right to *criticize* the government. 公民有权利批评政府。

**crockery** ['krɔkəri] *n.* 陶器；瓦器

【记】来自crock(坛子，瓦罐)+ery → 陶器，瓦器

【例】You'll find all sorts of things in the museums: old suitcases, ships' *crockery*, first class cabins decorated in the fashion of the day. 在博物馆里你会看到各式各样的东西：旧衣箱，船上的陶罐以及按当时流行风格装修的头等舱。

**\*crossword** ['krɔswəːd] *n.* 填字游戏

【例】They were good at *crosswords* and definitely knew a lot of words. 他们擅长做填字游戏，并掌握了大量的词汇。

**\*crowded** ['kraudid] *a.* 拥挤的；塞满的

【记】来自crowd(*v.* 拥挤；*n.* 人群)

【例】We live in an increasingly *crowded* and complicated world. 我们生活在一个日益拥挤和复杂的世界。

# Word List 10

*crown [kraun] *n.* 王冠；花冠；齿冠

【记】联想记忆：crow(乌鸦)+n → 给乌鸦戴王冠 → 王冠

【例】Here's a hat that looks like a *crown*. 这里还有顶帽子，看起来像王冠。

crucial [ˈkruːʃəl] *a.* 至关重要的；决定性的

【记】词根记忆：cruc(十字形，交叉)+ial(…的) → 十字路口 → 至关重要的

【例】The presence of human beings is *crucial* to the survival of the forest. 人类的存在对森林的存活至关重要。

crude [kruːd] *a.* 天然的；粗糙的；粗俗的

【记】词根记忆：c+rud(天然的，粗糙的)+e → 天然的；粗糙的

【例】The tribesmen still use bows, arrows and *crude* digging sticks. 该部落在生活中依然使用弓箭和粗糙的挖掘棍。

*cruel [ˈkruːəl] *a.* 残忍的，残暴的

【记】发音记忆："刻肉" → 残忍的，残暴的

【例】The anthropologist concluded that the tribesmen were unusually aggressive and *cruel*. 人类学家得出结论，这个部落的人无比凶残，

侵略成性。

**cruise** [kruːz] *v. /n.* 巡游；航行

【记】联想记忆：汤姆·克鲁斯(Tom Cruise)在巡游(cruise)

【例】The famous Crocodile *Cruise* leaves at 11 a.m. each day. 著名的"鳄鱼"号巡游艇每天上午11点出航。

**\*crush** [krʌʃ] *v.* 碾碎；压垮

【记】联想记忆：碰撞(crash)后被碾碎(crush)

【例】Be careful not to *crush* my glasses in the bag. 小心别把我包里的眼镜给压碎了。

**cube** [kjuːb] *n.* 立方形；立方

【例】The *cube* of 4 is 64. 4的立方是64。

cube

**cucumber** ['kjuːkʌmbə] *n.* 黄瓜

【例】Eating *cucumber* is good for your health. 吃黄瓜有益健康。

**cue** [kjuː] *n.* 暗示，提示

【记】联想记忆：线索(clue)有提示(cue)作用

【例】The actor got his *cue* from the director. 那位男演员从导演那里得到了一些提示。

**cultivate** ['kʌltiveit] *vt.* 种植；培养

【记】词根记忆：cult(培养，种植)+ivate(表动作) → 培养；种植

【例】This banana is the first type to be *cultivated* here. 这种香蕉是这里最早种植的植物品种。

**\*curative** ['kjuərətiv] *a.* 有疗效的；医疗的

【记】来自cura(= cure治愈，治疗)+tive → 有疗效的

【例】None of the single-gene disorders is a disease in the conventional sense, for which it would be possible to administer a *curative* drug. 从传统意义上讲，任何一种单排序紊乱基因都不是一种疾病，因此，也可能像普通疾病那样进行有效的药物治疗。

**curiosity** [ˌkjuəri'ɔsəti] *n.* 好奇；好奇心

【记】联想记忆：cur(关心)+iosity → "家事，国事，天下事，事事关心" → 好奇心

【例】The relentless *curiosity* of scientific researchers brought to light the forces of nature. 科研人员无尽的好奇心是自然力量发现的源泉。

**\*curious** ['kjuəriəs] *a.* 好奇的；奇怪的

【例】Further observation by astronomers revealed two *curious* facts.

宇航员经过进一步观察发现了两个奇怪的现象。

**curly** ['kə:li] *a.* 卷曲的；波浪式的

【记】来自curl(使卷曲)+y → 卷曲的

【例】The package was decorated with *curly* ribbon. 包裹被用卷丝带装饰了起来。

**currency** ['kʌrənsi] *n.* 货币；流行

【例】The paper *currency* of the United States is green and white. 美国的纸币是绿色和白色的。//Many good words just have no *currency* these days and are useless in conversation. 现今许多很好的词都不太流行，交谈中也用不到。

**\*current** ['kʌrənt] *n.* 水流，气流；*a.* 当前的；流动的

【例】I would like to open a *current* account. 我想开一个活期存款账户。

**currently** ['kʌrəntli] *ad.* 当前；通常地

【记】来自current(*a.* 当前的)

【例】Fingerprint scanners are *currently* the most widely deployed type of biometric application. 指纹扫描是目前生物测定技术中发展最为迅速的应用项目。

**curriculum** [kə'rikjuləm] *n.* 课程，(学校等的)全部课程

【例】The teacher expects that the *curriculum* will successfully attract students. 老师希望这门课程能成功地吸引学生们。

**curry** ['kʌri] *n.* 咖喱，咖喱饭菜

【例】Which kind of *curry* do you like, spicy, mild or peppery? 你喜欢什么样的咖喱，微辣的还是辣的？

**\*curtain** ['kə:tn] *n.* 窗帘，门帘

【例】The last thing on the list you should buy is the kitchen *curtains*. 清单上你要买的最后一件东西是厨房的窗帘。

**cylinder** ['silində] *n.* 圆柱体；气缸

【例】The earlist British rocket was encased in a stout, iron *cylinder*, terminating in a conical head. 英国人制造的最老式的火箭装在一个坚固的铁制圆柱体中，顶部成锥形。

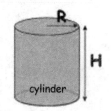

**dairy** ['deəri] *n.* 牛奶场；奶制品

【记】联想记忆：每天(daily)吃乳制品(dairy)强壮骨骼

【例】Try using low-lactose *dairy* foods, such as yogurt, instead of milk. 尝试用一些低乳的奶制品,如奶酪,来代替牛奶。

dairy

**\*damage** [ˈdæmidʒ] *n.*损害;[*pl.*]损害赔偿(金);*vt.*损害

【例】The smoke may be doing you quite serious long-term *damage*. 吸烟会给你带来长期严重的伤害。

**damp** [dæmp] *a.*潮湿的;*vt.*使潮湿

【记】联想记忆: dam(水坝)+p → 水坝上很潮湿

【例】The ground is very *damp* in the rainforest. 热带雨林的地面非常潮湿。

**darkroom** [ˈdɑːkrum] *n.*暗室

【例】Plate cameras were heavy, and required access to a *darkroom* for loading and processing the plates. 感光相机很重,还需要一间暗室更换和处理使用过的感光板。

**dash** [dæʃ] *n.*猛冲;*v.*(使)猛冲;匆忙完成

【记】联想记忆: d+ash(灰尘) → 猛冲时扬起灰尘

【例】I *dashed* off the letter. 我急急忙忙地把信写完了。

**\*data** [ˈdeitə] *n.*数据;资料

【记】联想记忆: 数据(data)与日(date)更新

【例】You have to spend a bit of time making the *data* a lot clearer. 你要花一点时间把这些数据整理得更清晰些。

**database** [ˈdeitəbeis] *n.*数据库

【记】组合词: data(数据)+base(基础) → 数据库

【例】The *database* can help lexicographers to search for a word and find out how frequently it is used. 该数据库能够帮助词典编纂人员搜索单词,了解其使用频率。

**dazzle** [ˈdæzl] *vt.*使眩目;*n.*耀眼的光

【记】联想记忆: 爵士乐(jazz)使人倾倒(dazzle)

【例】Despite a lot of razzle-*dazzle*, the home-town basketball team has been beaten by 20 points. 主场篮球队尽管有许多迷惑人的假动作,但仍以20分之差落败。

**\*deadline** [ˈdedlain] *n.*最后期限

【记】组合词：dead(死)+line(线) → 死期 → 最后期限

【例】If you can't meet a *deadline* for an essay，you should go and see your lecturers. 如果你不能按时交论文，就应该去找你的导师说明情况。

**dealer** ['di:lə] *n.* 商人，经销商

【记】来自deal(交易)+er → 交易的人 → 商人

【例】The collector bought antiques from a local *dealer*. 收藏家从一个当地商人那里买了些古董。

**dean** [di:n] *n.* (基督教的)教长；(大学的)院长

【记】发音记忆："盯" → 院长狠狠地盯着每个学生

【例】At the top of the faculty is a *dean*. 院长是系里的一把手。

**debate** [di'beit] *n./vi.* 争论，辩论

【记】词根记忆：de(加强)+bat(打)+e → 反击 → 争论，辩论

【例】There's a *debate* in the meeting room about next year's budget. 会议室里(大家)就来年的预算产生了争论。

**debris** ['deibri:] *n.* 废墟，残骸；碎片

【记】发音记忆："堆玻璃" → 一堆碎玻璃 → 废墟

【例】As the sliding ice and snow melted，it touched off devastating torrents of mud and *debris*，which destroyed all life in their path. 下滑中的冰雪融化后会引发泥石流，破坏力极大，能毁坏途经的一切生物。

**\*decade** ['dekeid] *n.* 十年，十年期

【记】词根记忆：deca(十)+de → 十年，十年期

【例】In Tokyo builders are planning a massive underground city to be begun in the next *decade*. 在东京，建筑师们正计划在今后的10年里大规模兴建地下城。

**\*decapitate** [di'kæpiteit] *vt.* 斩首

【记】词根记忆：de(去掉)+capit(头)+ate → 把头去掉 → 杀头

【例】The fisherman *decapitated* the fish. 渔民把鱼头给剁了。

**\*decay** [di'kei] *v./n.* 腐烂，腐朽

【记】联想记忆：遭到诱骗(decoy)变坏(decay)了

【例】The wooden bridge was unsafe due to *decay*. 木桥不安全是因为腐烂了。

**deceive** [di'si:v] *v.* 欺骗，蒙蔽

【记】词根记忆：de(变坏)+ceive(拿，抓) → 用不好的手段拿 → 欺

骗，蒙蔽

【例】Mary *deceived* the interviewer about her past experience. 玛丽在提到自己的过去经历时对面试官撒了谎。

【派】deceptively(*ad.* 迷惑地；虚伪地)

**decent** [ˈdiːsənt] *a.* 大方的；合适的，像样的

【记】联想记忆：de(离开)+cent(分币) → 离开分币 → 不计较钱 → 大方的

【例】You can't get anything *decent* under \$15. 少于15美金不可能买到像样的东西。

**\*decibel** [ˈdesibel] *n.* 分贝

【记】deci(十分之一)+bel(贝尔) → 分贝

【例】The normal noise threshold for private housing is 55 *decibels*. 正常情况下私人住宅区的最高噪音是55分贝。

**decipher** [diˈsaifə] *v.* 破译，解释

【记】de(去掉)+cipher(密码) → 解开密码 → 破译

【例】The scientists use the techniques to *decipher* disorder-related genes. 科学家使用这些技术，成功解密了与遗传异常有关的基因。

**decisive** [diˈsaisiv] *a.* 决定性的；果断的

【记】来自decide(*v.* 决定)

【例】Automobiles and televisions have the most *decisive* influences on American habits. 汽车和电视对美国人的生活习惯产生了具有决定性的影响。

**declaration** [ˌdekləˈreiʃən] *n.* 宣布；宣言，声明(书)

【记】来自declare(*v.* 宣布)

【例】This *declaration* seemed to calm the discontented party members somewhat. 这项声明似乎让那些不满的党派成员多少平静了一些。

**declare** [diˈkleə] *v.* 正式宣布；声明；断言

【记】联想记忆：de(加强)+clare(清楚) → 说清楚 → 正式宣布；声明

【例】The government *declared* that the ballots cast were inconclusive. 政府宣布这次投票不具决定性。

**\*decline** [diˈklain] *n. /v.* 下降，减少；衰退

【记】词根记忆：de(向下)+cline(倾斜) → 向下倾斜 → 下降，衰退

【例】Technological advances helped bring about the *decline* of rural industries and an increase in urban populations. 科技进步导致了乡镇

企业的衰落和城市人口的增长。

\*decompose [ˌdiːkəmˈpəuz] v. 分解,(使)腐烂

【记】de(离开)+compose(组成)→ 把组合在一起的东西分开 → 分解

【例】Earthworms *decompose* the dung further to provide essential soil nutrients. 蚯蚓将粪进一步分解,给土壤提供了重要的养分。

decompression [ˌdiːkəmˈpreʃən] n. 减压;减压室

【记】来自decompress(v. 减压)

【例】A manifestation of *decompression* sickness that is caused by the formation of nitrogen bubbles in the blood and tissues after a rapid reduction in the surrounding pressure and is characterized by pain in the joints and abdomen. 减压病是因周围压力急剧减少,在血液和组织中形成氮气泡而引发的一种疾病,其症状表现为关节和腹部疼痛。

\*decorate [ˈdekəreit] vt. 装饰,装潢

【记】词根记忆: decor(装饰)+ate(做)→ 装饰,装潢

【例】We have moved in our new apartment, but we haven't *decorated* yet. 新公寓还没有装修,我们就搬进去了。

【派】decoration(n. 装饰,装潢)

\*decouple [diːˈkʌpl] v. 减弱,减少

【例】Increased production has been almost entirely *decoupled* from employment. 增加的产量几乎完全被就业问题抵消了。

\*decrease [diˈkriːs] v. /n. 减少

【记】词根记忆: de(变慢)+cre(生长)+ase → 减少

【例】Do you think the cinema has increased or *decreased* in popularity in recent years? 你认为近年来电影受欢迎的程度是提高了还是降低了?

\*decrepit [diˈkrepit] a. 破旧的;衰老的

【记】词根记忆: de+crepit(破裂声)→ 破裂掉 → 破旧的

【例】Our aim is to remove the heaviest-polluting, most *decrepit* vehicles from the roads. 我们的目标是清除公路上造成污染最严重和最破旧的车辆。

dedicate [ˈdedikeit] v. 献(身)

【记】联想记忆: de+dic(宣称)+ate → 宣称为祖国献身

【例】We have come to *dedicate* a portion of that field as a final resting place for those who gave their lives here. 我们已经贡献出一部分土

地，作为那些在这里献出了生命的人们的安息之地。

**deem** [di:m] *vt.* 认为

【记】和seem(*v.* 似乎)一起记

【例】The WHO *deems* that a city with more than ten million inhabitants has exceeded the healthy level. 世界卫生组织认为，人口在一千万以上的城市已经超过了健康标准的要求。

**\*defeat** [di'fi:t] *v.* 击败；挫败；*n.* 战败；击败

【记】联想记忆：战胜(defeat)敌人也是战绩(feat)

【例】Now both coaches know semifinal *defeat* could cost them their jobs. 现在双方的教练都很清楚，半决赛上的失败可能会让他们丢掉工作。

**defect** ['di:fekt] *n.* 缺点，不足之处；*v.* 叛变

【记】词根记忆：de(变坏)+fect(做) → 没做好 → 缺点

【例】Foetuses can be tested for genetic *defects* while in the womb. 婴儿还在子宫里的时候就可以通过检查看是否存在基因缺陷。

【派】defective(*a.* 有缺点的；不完全的)

**defendant** [di'fendənt] *n.* 被告

【记】来自defend（辩护）+ant → 需要辩护一方 → 被告

【例】The judge told the *defendant* to stand when the verdict was read. 法官要求被告在宣读判决结果的时候起立。

**deficiency** [di'fiʃənsi] *n.* 缺乏，不足

【记】词根记忆：de（向下）+fic（做）+iency → 做事走下坡路，说明缺乏能力 → 缺乏

【例】The short child of tall parents very likely had a hormone *deficiency* early in life. 高个父母的孩子个子矮，极有可能是由于早期分泌的荷尔蒙不足造成的。

**define** [di'fain] *v.* 下定义；限定

【记】词根记忆：de+fin(范围)+e → 划定范围 → 下定义；限定

【例】Health in the physical sense has been *defined* as the absence of disease or illness. 就身体而言，健康的意思是不受疾病的困扰。

*definite [ˈdefinit] a. 明确的，肯定的

【记】词根记忆：de+fin(范围)+ite → 划定范围的 → 明确的

【例】I have no *definite* plans for my future. 我对未来并没有明确的规划。

definition [ˌdefiˈniʃən] n. 定义，释义；清晰(度)

【例】The *definition* of any individual's role in any situation will be a combination of the role expectations. 任何情况下任何个人角色的定义都会是对角色期待的综合。

degrade [diˈgreid] v. (使)降级；(使)堕落

【记】联想记忆：de(向下)+grade(级别) → 降低级别 → 降级

【例】You should not *degrade* yourself by telling such a lie. 你不该说这样的谎话降低自己的人格。

delegate [ˈdeligət] n. 代表；vt. 委派…为代表

【例】Negotiation progressed fairly with confidence felt among *delegates*. 谈判进行得很顺利，代表们也都充满信心。

deliberate [diˈlibərət] a. 故意的；深思熟虑的

【记】词根记忆：de+liber(自由的)+ate → 做事不随便的 → 深思熟虑的

【例】Wilson has a slow, *deliberate* way of acting. 威尔逊行动起来缓慢而谨慎。

delicate [ˈdelikət] a. 纤细的；精巧的；微妙的

【例】Cowhide can be treated to produce about half a square metre of very *delicate* leather. 牛皮可以被加工成大约0.5平米非常精致的皮革。

*delinquency [diˈliŋkwənsi] n. 失职；行为不良

【记】来自delinquent(n. 失职者)

【例】Young people now experience many problems, such as juvenile *delinquency*. 现在的年轻人面临很多问题，比如少年犯罪。

delivery [diˈlivəri] n. 投递，交付；分娩

【例】The invention of the motor vehicle brought personal mobility to the masses and made rapid freight *delivery* possible over a much wider area. 机动车的发明带来了人员的大规模流动，同时使得相当大区域内的快速货运成为可能。

delta [ˈdeltə] n. 三角洲

97

【记】Delta Force三角洲，著名PC射击游戏

【例】River *deltas* are difficult places for map makers. 河流三角洲地带是让绘图者感到头疼的地方。

\*demand [di'mɑːnd] *n.* 要求；需求（量）；*v.* 要求；需要；询问

【记】词根记忆：de(加强)+mand(命令) → 一再命令 → 要求

【例】Tall buildings were constructed to help meet the *demand* for more economical use of land. 高层建筑的建造是为了满足节约用地的需求。

\*democratic [ˌdemə'krætik] *a.* 民主的，有民主精神的

【例】The school held a *democratic* election for student-council officers. 学校进行了一次民主选举来挑选学生会成员。

demographic [ˌdemə'græfik] *a.* 人口统计学的；人口的

【记】来自demography(*n.* 人口统计；人口学)

【例】Early attempts to predict population viability were based on *demographic* uncertainty. 对人口生存能力的早期预测以人口的不确定性为基础。

# Word List 11

词根词缀预习表

| | | | | |
|---|---|---|---|---|
| **monstr** | 显示 demonstrate（*vt.* 说明） | **not** | 知道 denote（*v.* 指示） |
| **part** | 分开 depart（*v.* 离开） | **pict** | 描写 depict（*vt.* 描绘） |
| **plet** | 满 deplete（*v.* 倒空） | **ploy** | 用 deploy（*v.* 使用） |
| **struct** | 建立 destruction（*n.* 破坏） | **tach** | 钉 detach（*v.* 分开） |
| **tail** | 切，割 detail（*n.* 细节） | **tect** | 盖子 detect（*vt.* 察觉） |
| **tour** | 转 detour（*v.* 绕道） | **-able** | （形容词后缀）desirable（*a.* 值得拥用的） |

**\*demolish** ［di'mɔliʃ］*v.* 破坏，拆除

【记】词根记忆：demo(人民)+lish → 人民会破坏一切，也会创造一切 → 破坏

【例】Many of these buildings were poorly designed and constructed and have since been *demolished*. 许多设计和建造粗糙的建筑物都被拆除了。

**\*demonstrate** ［'demənstreit］*vt.* 说明，论证；表露

【记】词根记忆：de(加强)+monstr(表示)+ate(做) → 加强表示 → 论证，说明

【例】Crick and Watson *demonstrated* the structure of the DNA molecule in their academic papers. 克里克和沃森在他们的学术论文中论证了DNA的分子结构。

【派】demonstration(*n.* 示范，表演)

**\*denote** ［di'nəut］*v.* 表示，指示

【记】词根记忆：de+note(意义) → 给予意义 → 表示

【例】The uniforms *denoted* a hierarchy. 制服体现了一种等级关系。

**dense** ［dens］*a.* 密集的；浓厚的

【记】和sense(*n.* 感觉)一起记

【例】The airport was closed because of the *dense* fog. 机场因为浓雾而关闭了。

**density** ['densəti] *n.* 密集；密度

【例】The house has some high-*density* insulation materials in the roof. 房子的屋顶采用了高密度的绝缘材料。

**\*depart** [di'pɑːt] *v.* 离开，起程

【记】词根记忆：de(去掉，离开)+part(离开)→离开，起程

【例】Tom *departs* at sundown to fishing. 汤姆黄昏时分出发捕鱼。

**depict** [di'pikt] *vt.* 描绘；描述

【记】词根记忆：de(加强)+pict(描写，画)→描绘，描述

【例】The photographs *depicted* vivid scenes of a campo's life. 这些照片描绘出栩栩如生的草原生活。

**\*deplete** [di'pliːt] *v.* 倒空；(使)枯竭；消耗

【记】词根记忆：de+plete(满)→不满→倒空，(使)枯竭

【例】When local resources became *depleted*, the tribe moved on. 当地资源濒临枯竭时，部落又会迁往另外一个地方。

【派】depletion(*n.* 消耗，枯竭)

**\*deploy** [di'plɔi] *v.* 部署；使用，运用

【记】联想记忆：de(加强)+ploy(策略)→运用策略→使用

【例】Resources must be *deployed* to bring about vigorous development in agriculture. 必须充分利用资源，以大力发展农业。

**deposit** [di'pɔzit] *vt.* 存放；储蓄；*n.* 押金；存款

【记】词根记忆：de+posit（放）→把财物妥善保管→将钱存入银行→储蓄

【例】Overseas students must pay a *deposit* when they apply for a course at the college. 外国学生如果申请这所大学的课程，需要付一定的押金。

deposit

**\*depress** [di'pres] *v.* (使)沮丧；(使)不景气

【记】联想记忆：de(向下)+press(挤压)→向下压→(使)沮丧

【例】The recession has *depressed* the housing market. 经济衰退导致住房市场不景气。

d

【派】depression(*n.* 消沉，萧条)

**deprive** [di'praiv] *vt.* 剥夺；使丧失

【记】词根记忆：de(去掉)+priv(使丧失)+e → 使丧失

【例】The accident *deprived* him of his feet. 这场意外事故使他失去了双脚。

**deputy** ['depjuti] *n.* 代理人；代表

【记】联想记忆：de+puty(看做duty责任) → 代理人应负责 → 代表

【例】If you have any questions, you may ask my *deputy*. 如果有任何问题，可以咨询我的代理人。

**\*derive** [di'raiv] *v.* 取得；起源

【记】联想记忆：de+rive(r) → 黄河是中华文明的发源地 → 起源

【例】France *derives* three quarters of its electricity from nuclear power. 法国四分之三的电力来自核能。

**\*desert** ['dezət] *n.* 沙漠；荒地 *a.* 沙漠的；荒凉的

[di'zə:t] *v.* 舍弃；

【记】词根记忆：de(分开)+sert(加入) → 不再加入 → 离开 → 舍弃

【例】The new estates around the city often proved to be windswept *deserts* because they lacked essential social facilities and services. 城市周边新建的楼群因缺少基本的社区服务和设施，常常无人问津，只有冷风飕飕吹过。

**\*deserve** [di'zə:v] *v.* 应得；值得

【记】de+serve(服务) → 充分享受服务 → 应得；值得

【例】These poor people *deserve* our help. 这些可怜的人值得我们帮助。

**design** [di'zain] *n.* 设计；图案；*v.* 设计；构思

【记】联想记忆：de+sign(标记) → 做标记 → 设计

【例】Architecture is the art and science of *designing* buildings and structures. 建筑学是一门设计建筑物及其结构的艺术科学。

【派】designer(*n.* 设计师)

**desirable** [di'zaiərəbl] *a.* 值得拥有的；合意的

【记】来自desire(*v.* 渴望)

【例】Selecting the right person for the job involves more than identifying the essential or *desirable* range of skills. 为一份工作选择合适的人选，不能仅仅判断他是否拥有胜任这份工作的基本技术和相应专长。

**\*desire** [di'zaiə] *n. /vt.* 想望，期望；要求

【记】*A Street Car Named Desire*《欲望号街车》

【例】Many old folks *desire* to learn English in China. 在中国，很多老年人都想学英语。

【派】desirable(*a.* 理想的)

**\*desperate** ['despərət] *a.* 拼命的，极度渴望的

【记】词根记忆：de(去掉)+sper(希望)+ate → 去掉希望 → 拼命的

【例】Tom was *desperate* to find friends with common interests. 汤姆非常想结交一些志趣相投的朋友。

**\*despite** [di'spait] *prep.* 不管；尽管

【例】Los Angeles suffers from chronic highway blockages, *despite* efforts to encourage people to use public transport. 尽管当局鼓励人们使用公共交通工具，洛杉矶仍然长期存在公路拥堵现象。

**destination** [ˌdesti'neiʃən] *n.* 目的地，终点；目标

【记】联想记忆：destin(看做destine预定)+ation → 预定的地方 → 目的地

【例】The tourists rest there and then go to various destinations. 游客们在那里稍事休息，然后去往不同的目的地。

**destiny** ['destini] *n.* 命运，定数

【记】参考：音乐组合Destiny's Child "真命天子"

【例】Mark was conscious that music was not his *destiny*. 马克意识到音乐并不是他的归宿。

【派】destined(*a.* 命中注定的)

**\*destruction** [di'strʌkʃən] *n.* 破坏，毁灭

【记】词根记忆：de(变坏)+struct(建立)+ion → 使建立好的东西变坏 → 毁坏

【例】The importation of cheap goods has often contributed to the *destruction* of local skills and indigenous markets. 进口廉价商品常常会给当地的手工业和本土市场带来毁灭性的打击。

**\*destructive** [di'strʌktiv] *a.* 破坏(性)的

【记】词根记忆：de(去掉)+struct(建筑)+ive(…的) → 破坏的

【例】The lungs of children who grow up in polluted air offer further evidence of its *destructive* power. 那些呼吸着污浊空气长大的孩子们的肺部状况进一步证明，污浊空气是有害的。

**detach** [di'tætʃ] *v.* 分开，分离

【记】词根记忆：de(去掉)+tach(接触) → 去掉接触 → 分离

【例】The mechanic *detached* the oil filter. 机工分拆开滤油器。

**detail** ['di:teil] *n.* 细节，详情；*v.* 详述

【记】联想记忆：de(去掉)+tail(尾巴) → 去掉尾巴 → 细枝末节的改动 → 细节

【例】I'll put up a notice with *details* of the restaurant and the menu. 我会张贴一份有关饭店和菜单内容的详细通知。

**\*detect** [di'tekt] *vt.* 察觉；侦查，探测

【记】词根记忆：de(去掉)+tect(遮盖) → 去除遮盖 → 察觉

【例】The robots can *detect* unauthorised personnel and alert security staff immediately. 机器人能够发现未经允许擅自入内的人员，并能马上向安保人员报警。

【派】undetected(*a.* 未被发现的)

**detective** [di'tektiv] *n.* 侦探；*a.* 侦探的

【例】The *detective* tailed the man. 侦探盯上了那名男子。

**\*deter** [di'tə:] *v.* 威慑，吓住，(使)断念

【记】词根记忆：de+ter(= terr吓唬) → 威慑，吓住

【例】They would be *deterred* from buying a product if it had been tested on animals. 他们不会买在动物身上做过试验的产品。

**\*deteriorate** [di'tiəriəreit] *v.* 变坏；恶化

【记】来自deterior(拉丁文：糟糕的)+ate → 变槽糕 → 变坏

【例】Air quality in many of the world's major cities has *deteriorated*. 世界上很多大城市的空气质量越来越糟糕。

**\*determine** [di'tə:min] *v.* 确定；决定；(使)下决心

【记】词根记忆：de+term(边界)+ine → 决定各自的边界

【例】Before enrollment, students must take a test to *determine* the level of class they enter. 入学前，学生必须参加入学考试来决定他们进入何种等级的班级。

**detour** ['di:ˌtuə] *n.* 弯路，便道；*v.* 迂回，绕道

【记】词根记忆：de+tour(旅行，走) → 绕着走 → 绕道

【例】You can take a *detour* to get there and avoid Black Street. 你可以绕道去那里，不走莱克大街。

**\*detract** [di'trækt] *v.* 去掉，减损

【记】词根记忆：de(向下)+tract(拉) → 向下拉 → 去掉，减损

【例】These buildings were stripped of unnecessary decoration that would *detract* from their primary purpose. 这些大楼已经去掉了会削弱它们主要功能的多余装饰。

\*detrimental [ˌdetriˈmentəl] *a.* 损害的，有害的

【记】来自 detriment(损害，伤害)+al → 损害的

【例】Smoking cigarettes is *detrimental* to your health. 吸烟有害健康。

\*devastating [ˈdevəsteitiŋ] *a.* 毁灭性的；强有力的

【例】The *devastating* earthquake caused great damage to the city. 那场毁灭性的地震给这个城市造成了巨大损失。

\*develop [diˈveləp] *v.* 发展；生长，形成

【例】When a country *develops* its technology, the traditional skills and ways of life die out. 一个国家在发展科技的同时，会造成传统手工艺和原有生活方式的消亡。

【派】development(*n.* 发展)；undeveloped(*a.* 欠发达的)；developing (*a.* 发展中的)

\*deviance [ˈdiːviəns] *n.* 偏常者的行为(或特征)

【记】词根记忆：de(偏离)+vi(路)+ant → 偏离道路 → 偏常

【例】The investigation of *deviance* can reveal interesting and significant aspects of 'normal' societies. 对偏常者行为的研究会揭露出"正常"社会中一些有趣且重要的情况。

【派】deviant(*a.* 越出常规的)

\*device [diˈvais] *n.* 器械，装置；手段

【记】词根记忆：de+vice(代替) → 代替人力的(东西) → 装置

【例】A wide range of pollution control *devices* is in place at most modern mines. 大多数的现代化矿井都配备了大量的污染控制设备。

\*devise [diˈvaiz] *vt.* 设计，发明

【记】联想记忆：发明(devise)设备(device)

【例】Ford *devised* the first moving auto assembly line. 福特发明了第一条移动的汽车装配线。

\*devote [diˈvəut] *vt.* 将…奉献给；把…专用(于)

【记】词根记忆：de+vote(发誓) → 拼命发誓 → 将…奉献给

【例】The local newspapers were mainly *devoted* to regional news and gossip. 当地报纸主要报道地方新闻和小道消息。

diagnose [ˈdaiəgnəuz] *vt.* 诊断；判断

【记】词根记忆：dia(穿过)+gnos(知道)+e → 古时通过望、闻、问、

切来了解病情 → 诊断；判断

diagnose

【例】Lupus can be difficult to *diagnose* because symptoms vary from person to person. 狼疮很难诊断，因为其症状因人而异。

**diagram** ['daiəgræm] *n.* 图解，图表

【记】词根记忆：dia（穿过）+gram（写，图）→ 画带有交叉点的图 → 图解，图表

【例】He tossed the *diagram of* the bridge to Brain. 他把桥的结构图扔给了布莱恩。

**dialect** ['daiəlekt] *n.* 方言，土语

【记】词根记忆：dia(相对)+lect(讲) → 讲方言相对于讲普通话更亲切

【例】The tourists were confused by the unfamiliar *dialects* in this area. 游客被该地区奇特的方言弄得满头雾水。

**diameter** [dai'æmitə] *n.* 直径

【记】词根记忆：dia(相对)+meter(测量) → 量到对面的线 → 直径

【例】The *diameter* of the pipe is three inches. 这根管子的直径为三英寸。

**dictation** [dik'teiʃən] *n.* 听写

【例】If you plan to take examinations, there are *dictation* and listening comprehension cassettes for you to practise with. 如果你打算参加考试，这里有听写和听力理解的录音带可供你练习。

**differ** ['difə] *vi.* 不同

【例】If his occupation of the role is unclear, or if it *differs* from that of the others in the role set, there will be a degree of role ambiguity. 如果他职位角色不明确，或者与做同一职业的其他人不同，就会产生一定程度的职位模糊。

**digest** [di'dʒest] *n.* 消化；领会

[dai'dʒest] *vt.* 文摘

【记】词根记忆：di(分开)+gest(运) → 分开运送 → 消化，领悟

【例】Chemists were searching for a fat that could be *digested* more easily by infants. 药剂师们正在寻找一种能让婴儿更易吸收的脂肪。

**digital** ['didʒitəl] *a.* 数字的；计数的

【记】数码相机广告语"Olympus，my digital story" → 奥林巴斯，我的数码故事 → 数字的

【例】In some respects, *digital* automation tends to diminish our quality of life. 从某些方面来看，数字自动化会降低我们的生活质量。

**dimension** [di'menʃən] *n.* 尺寸；方面；[*pl.*] 面积

【记】词根记忆：di+mens(测量)+ion → 测量 → 尺寸

【例】Good health is a major resource for social, economic and personal development and an important *dimension* of quality of life. 健康是社会、经济和个人发展的重要源泉，同时也是体现生活质量的重要方面。

【派】dimensional(*a.* 空间的)

***diminish** [di'miniʃ] *v.* 减少；降低

【记】词根记忆：di+mini(小)+sh → 减少

【例】Our farmland was losing topsoil at a rate likely to *diminish* the soil's productivity. 我们农田的地表土正在流失，照这样下去，很可能会降低土壤的生产力。

***dioxide** [dai'ɔksaid] *n.* 二氧化物

【记】词根记忆：di(二)+oxide(氧化物) → 二氧化物

【例】At present, the U.K. produces as much sulphur *dioxide* as France, Germany and Sweden. 目前，英国所产生的二氧化硫与法国、德国和瑞典三国生产的一样多。

**diploma** [di'pləumə] *n.* 毕业文凭(或证书)；资格证书

【记】联想记忆：做外交官(diplomat)需要资格证书(diploma)

【例】Tim got a *diploma* at a private college. 提姆拿到了一所私立学院的毕业证。

**direction** [di'rekʃən] *n.* 方向；[*pl.*] 用法说明；指导

【例】Shall we ask somebody for *directions* again? 我们还要找人问一下路吗？

**directory** [di'rektəri] *n.* 人名地址录；(电话)号码簿

【记】联想记忆：direct(指引)+ory(物) → 指引人们查询的东西 → 人名地址簿

【例】For our addresses, just check in your local telephone *directory*. 你可以在当地的电话簿中找到我们的地址。

**disadvantage** [ˌdisəd'vɑːntidʒ] *n.* 缺点，不利

【记】dis(不)+advantage(优点) → 缺点

【例】What are the advantages and *disadvantages* of making films of real-life events? 根据真实事件拍摄的电影, 其优势和劣势分别是什么呢?

*disagree [ˌdisəˈgriː] v. 不同意; 不一致

【记】dis(不)+agree(一致, 同意)→ 不同意

【例】They *disagreed* about love. 他们对爱情持有不同的看法。

【派】disagreement(n. 争执, 不和)

*disappointing [ˌdisəˈpɔintiŋ] a. 令人失望的

【记】来自disappoint(v. 失望)

【例】The students find the exhibition *disappointing*. 学生们觉得这个展览令人失望。

【派】disappointment(n. 失望)

*disapprove [ˌdisəˈpruːv] v. 不赞成, 反对

【记】dis(不)+approve(赞成)→ 不赞成

【例】They *disapprove* of paying farmers for not cultivating the land. 由于农民没有耕种土地, 他们不同意付钱。

*discard [disˈkɑːd] vt. 丢弃, 遗弃

【记】词根记忆: dis(不)+card(心脏)→ 婴儿因先天心脏机能不足被遗弃

【例】10% of the data was *discarded* as unreliable. 10%的数据因不可靠而被废弃。

*discipline [ˈdisiplin] n. 纪律; 训练; 学科

【记】联想记忆: dis(不)+cip(拿)+line(线)→ 不站成一条线就要受惩罚 → 必须遵守纪律

【例】Sports Studies as a *discipline* is still comparatively new. 体育研究仍是一个相对较新的学科。

disclose [disˈkləuz] vt. 揭露; 透露

【记】dis(不)+close(关闭)→ 不关闭 → 揭露

【例】She didn't *disclose* those details on tax bills. 她没有透露那些有关税收法案的细节。

*discount [ˈdiskaunt] n. 折扣; vt. 把…打折扣; 不(全)信

【记】词根记忆: dis (分离)+count (计算)→ 不计算在内的部分 → 折扣

【例】For those of you who are up and

discount

about early in the morning, we are introducing a 50 per cent "morning *discount*" this year. 今年，我们将为你们这些早起的人推出五折的"早间折扣"。

**discourage** [dis'kʌridʒ] *vt.* 使泄气，使灰心；阻止

【记】dis(消失掉)+courage(精神) → 使精神消失掉 → 使泄气

【例】Tom was *discouraged* from using the new car because of its bad equipment. 新车的配置很差，让汤姆很泄气，不愿驾驶它。

**\*discover** [dis'kʌvə] *vt.* 发现，找到；发觉

【例】Scientists are working to *discover* the links between the weather and peoples' moods and performance. 科学家希望通过研究来发现天气和人的情绪、行为之间的联系。

【派】discovery(*n.* 发现)

**discovery** [dis'kʌvəri] *n.* 发现

【例】Herschel's *discovery* was the most important find of the last three hundred years. 赫歇尔的发现是过去三百年中最重要的发现。

**\*discredit** [dis'kredit] *v.* 怀疑；丧失信誉，(使)丢脸

【记】dis(不)+credit(信任) → 怀疑

【例】The ugly gossip would *discredit* us all. 恶毒的流言蜚语会使我们所有人丧失信誉。

**discretion** [dis'kreʃən] *n.* 判断力；谨慎，审慎

【记】来自discreet(*a.* 小心的，谨慎的)

【例】The services that the bank will offer you will depend on your individual circumstances and on the *discretion* of the bank manager involved. 银行提供给你的服务将取决于你的个人情况和相关银行经理的判断力。

**discriminate** [dis'krimineit] *v.* 区别；歧视

【记】词根记忆: dis（分开)+crim（罪行)+inate → 把人当罪犯 → 歧视

【例】We must learn to *discriminate* right from wrong. 我们必须学会明辨是非。

# Word List 12

词根词缀预习表

| | | | |
|---|---|---|---|
| **dis-** | 不 disharmony（n. 不一致） | **div** | 神 divine（a. 神的） |
| **dom** | 家 domestic（a. 家庭的） | **don** | 给予 donation（n. 捐款） |
| **dorm** | 睡 dormant（a. 休眠的） | **dur** | 持久 durable（a. 耐久的） |
| **miss** | 送 dismiss（v. 解雇） | **place** | 位置 displace（vt. 取代） |
| **put** | 思考 dispute（n./v. 争论） | **rupt** | 断 disrupt（vt. 使中断） |
| **solv** | 松开 dissolve（v. 溶解） | **stinct** | 刺 distinct（a. 清楚的） |
| **tort** | 扭曲 distort（vt. 扭曲） | **turb** | 搅乱 disturb（v. 扰乱） |
| **vid** | 分开 divide（v. 分开） | | |

**\*disfigure** [dis'figə] v. 毁容

【记】dis（消失掉）+figure（形体）→ 去掉形体 → 毁容

【例】Buildings here *disfigured* such a beautiful landscape. 建筑破坏了这里如此美丽的风景。

**disharmony** [ˌdis'hɑːməni] n. 不一致；不和谐

【记】词根记忆：dis（不）+harmon（一致）+y → 不一致；不和谐

【例】The *disharmony* of a person-environment mismatch is likely to result in low job satisfaction. 不和谐的工作环境可能会使员工对自己的工作感到不满。

**\*disillusionment** [ˌdisi'luːʒənmənt] n. 幻灭，觉醒

【记】以上两词均来自disillusion（v.（使）醒悟）

【例】*Disillusionment* at the failure of many poor imitations of Modernist architecture led to interest in various styles and ideas from the past and present. 这种对现代主义建筑风格模仿的失败引起了建筑师们的觉醒，继而激发了他们对过去和现在多重风格和理念的兴趣。

**disintegrate** [dis'intigreit] v. (使)碎裂, (使)瓦解

【记】dis(不)+integrate(一体化, 完整) → (使)瓦解

【例】The plane flew into a mountain and *disintegrated* on impact. 飞机冲向一座山, 撞得粉碎。

**\*dismantle** [dis'mæntl] vt. 拆除; 废除

【记】dis(去掉)+mantle(覆盖) → 拆除

【例】Most have been forced to *dismantle* their individualistic homes and return to more conventional lifestyles. 大多数人被迫拆除了他们个性化的房子, 恢复成更加传统的生活方式。

dismantle

**\*dismiss** [dis'mis] v. 解雇, 解散

【记】词根记忆: dis(分开)+miss(送, 放出) → 解散, 解雇

【例】As sales declined, the manager had to *dismiss* several workers. 随着销售额的下跌, 经理不得不解雇了一些员工。

**\*disorder** [dis'ɔːdə] n. 混乱; 失调; vt. 扰乱, 使失调

【记】dis(不)+order(顺序) → 没有顺序 → 混乱

【例】The couple knew through the examination that they would have a baby free from the *disorder*. 通过检查, 这对夫妇知道自己会生一个健康的宝宝。

【派】disorderly(a. 混乱的, 无秩序的)

**\*dispenser** [dis'pensə] n. 自动售货机

【记】来自dispense(vt. 分发, 分配), dis(分开)+pens(花费)+e → 分开花 → 分发, 分配

【例】Japan's largest maker of cash *dispensers* is developing new machines that incorporate iris scanners. 日本最大的提款机制造商正在开发配有虹膜扫描仪的新机器。

**displace** [dis'pleis] vt. 取代; 使离开原位

【记】联想记忆: dis(分离)+place(位置) → 使从位置上离开 → 取代

【例】Each year rain and flooding *displace* millions of people and result in thousands of deaths. 每年的大雨和洪水不仅会使数百万人背井离乡, 还会导致数千人丧生。

**\*display** [dis'plei] n. /vt. 陈列, 显示

【记】dis(分开)+play(播放, 表演) → 分列展示 → 陈列

【例】The windows *display* postcards and greeting cards designed by women artists for Christmas. 橱窗陈列着女艺术家为圣诞节设计的明信片和贺卡。

\*dispute [dis'pju:t] *n. /v.* 争论；争吵

【记】联想记忆：dis(不)+put(思考)+e → 思考方式不同而产生争论

【例】When participants get into *disputes* with each other, it's time for the facilitator to take on the role of 'friction manager'. 当与会者发生争执时，会议推进者就要担当起消除"摩擦"的角色。

disqualify [dis'kwɔlifai] *vt.* 使丧失资格

【例】Will this *disqualify* me from getting a student loan? 这会不会让我失去获得学生贷款的资格？

disregard [ˌdisri'gɑ:d] *vt.* 漠视；*n.* 漠视

【记】dis(不)+regard(关心) → 不关心 → 漠视

【例】In his dissertations on tourism, Boorstin said that the mass tourist found pleasure in inauthentic contrived attractions, *disregarding* the real world outside. 在布鲁斯汀关于旅游业的论文中，写道：众多游客都在人造景观中找寻乐趣，而忽视了外面的真实世界。

disrupt [dis'rʌpt] *vt.* 使中断；扰乱

【记】词根记忆：dis(分开)+rupt(断) → 分开断 → 使中断

【例】Work of any company may be *disrupted* by absence of its employees. 任何一家公司的工作都可能因员工的旷工而中断。

【派】disruption(*n.* 扰乱；中断)；disruptive(*a.* 中断的)

\*dissatisfied [ˌdis'sætisfaid] *a.* 不满意的，不满足的

【例】They were *dissatisfied* with the treatment of animals at the London Zoo. 他们对伦敦动物园对待动物的方式表示不满。

\*dissemination [diˌsemineiʃən] *n.* 散布，传播

【记】来自disseminate(*v.* 散布)，dis(分开)+semin(种子)+ate → 撒种子 → 散布

【例】Whether the activity is tourism, research, business, or data *dissemination*, the lack of a common language can severely impede progress. 不管是旅游、研究、贸易还是资料的传播，缺少一种共同

的语言都会严重阻碍这些活动的发展。

**dissertation** [ˌdisəˈteiʃən] *n.* 专题论文
【记】来自 dissert(*v.* 论述，写论文)，dis+sert(插入) → (插入)观点 → 论述
【例】What I'd like to do in this session is to give you the opportunity to ask questions on writing the *dissertation*. 在这一学期，我想做的就是给你们机会问有关写专题论文的问题。

**dissolve** [diˈzɔlv] *v.* 溶解；解散；结束
【记】联想记忆：dis(分开)+solve(解决) → 分开解决 → 溶解；解散
【例】None of the forms of carbon *dissolves* in ordinary solvents, although melted iron does *dissolve* carbon to a certain extent. 任何状态的碳都不溶于普通溶剂，但能在一定程度上溶于铁水。

**distance** [ˈdistəns] *n.* 距离；远方；一长段时间
【记】来自 distant(*a.* 在远处的)
【例】Underground water can flow very large *distances* and can be kept in underground reservoirs for a very long time. 地下水可以流经很长的距离，并能在地下水库中储藏相当长时间。

**distill** [disˈtil] *v.* (使)蒸馏，提取
【例】The vacuum distillation unit *distills* off heavy and light gas oils. 真空蒸馏装置精炼出重柴油和轻柴油。

**distinct** [disˈtiŋkt] *a.* 与其他不同的；清楚的，明确的
【记】词根记忆：di+stinct(刺) → 刺眼的 → 与其它不同的 → 清楚的
【例】Why do humans, alone among all animal species, display a *distinct* left or right-handedness? 为什么唯独人类和其他动物不一样，会出现独特的左手偏好或右手偏好呢？
【派】distinctive(*a.* 独特的)；distinction(*n.* 差别，不同)

**\*distinctive** [disˈtiŋktiv] *a.* 出众的；有特色的
【记】来自 distinct(明显的)+ive → 显眼的 → 出众的；有特色的
【例】If you require any further information regarding the convention, you can talk to one of the many convention helpers wearing a *distinctive* blue and gold jackets. 如果你想获得更多关于本次会议的信息，可以询问大会工作人员，他们穿着显眼的金蓝相间的夹克。

**distinguish** [disˈtiŋgwiʃ] *vt.* 区别，辨别
【记】词根记忆：di(分开)+sting(刺)+uish → 将刺挑出来 → 区别，

辨别

【例】A port must be *distinguished* from a harbour. Harbour is a physical concept, port is an economic concept. 必须分清港口和海港的区别，海港是一个物理概念；港口是一个经济概念。

**distort** [dis'tɔːt] *vt.* 扭曲；*vi.* 变形

【记】词根记忆：dis(分开)+tort(卷缠)→扭曲

【例】Many people are concerned that an excessive emphasis on humanity's genetic constitution may *distort* our sense of values. 许多人担心过分强调人类基因构成可能会扭曲人类的价值观。

**distract** [dis'trækt] *vt.* 转移(注意力)；使分心

【记】词根记忆：dis(分开)+tract(拉)→(精神)被拉开→使分心

【例】Researchers claim that when children come to a word they already know, the pictures are unnecessary and *distracting*. 研究人员称，当孩子们碰到认识的单词，配有的相关图画就是多余的，还会使他们分心。

【派】distraction(*n.* 分心；娱乐)

**distribute** [di'stribjuːt] *vt.* 分发，分送；分布

【记】词根记忆：dis(分开)+tribute(赠予)→分开赠予→分发，分送

【例】The port function of the city draws to it raw materials and *distributes* them in many other forms. 港口城市的功能主要在于将其原材料集中，然后通过其他形式把它们分送出去。

【派】distribution(*n.* 分配，分布)

**\*distribution** [ˌdistri'bjuːʃən] *n.* 分配；分布

【例】A society can achieve a fair *distribution* of resources only under conditions of economic growth. 只有在经济增长的前提下，社会才可能对资源进行公平分配。

**district** ['distrikt] *n.* 区

【例】If you go up to the banana—growing *districts*, you'll see all these banana trees with plastic bags on them. 如果你去香蕉种植区，就会看见所有的香蕉树上都罩着塑料袋。

**\*disturb** [di'stɜːb] *v.* 扰乱；打扰

【记】词根记忆：dis(分开)+turb(搅乱)→搅开了→扰乱；打乱

【例】One of the most concerning elements of acid rain is that it *disturbs* the natural balance of lakes and rivers. 在酸雨带来的破坏中，最令人担心的是它破坏了河流和湖泊的自然生态平衡。

**\*diversify** [dai'və:sifai] *v.* (使)多样化

【例】Farms have diversified in recent years. 近年来，农业种植开始多样化。

【派】diversification(*n.* 变化，多样化)

**\*diversity** [dai'və:səti] *n.* 多样，千变万化

【例】The study of primitive peoples has discovered a great *diversity* of customs, values, feelings, and thoughts. 对原始人类的研究让我们发现了其风俗习惯、价值观、情感以及思想上的多样性。

**divert** [dai'və:t] *vt.* 转移；使消遣

【记】词根记忆：di(离开)+vert(转)→转移

【例】Out of a country's health budget, a large proportion should be *diverted* from treatment to health education. 在一个国家的医疗预算中，大部分费用应该被转移到健康教育上。

【派】diversion(*n.* 转移；消遣)

**\*divide** [di'vaid] *v.* 分开；划分；*n.* 分开；分水岭

【例】All the students will be *divided* into groups of 12 to 15 students. 所有的学生将被分组，每组12到15人。// I *divided* the candies in even proportions among the children. 我把糖果平均分给了孩子们。

**dividend** ['dividend] *n.* 被除数；红利；股息

【例】We pay a *dividend* of 15 percent. 我们所付的股息为15%。

**\*divine** [di'vain] *a.* 神的；神授的，天赐的

【例】To early man, fire was a *divine* gift delivered in the form of lightning, forest fire or burning lava. 对早期的人类来说，火是伴随着闪电、森林大火或是燃烧的岩浆而来的神赐之物。

**division** [di'viʒən] *n.* 分开，分配；部门；分歧

【记】词根记忆：di+vis(看)+ion → 能让人看明白的分配方案

【例】The study covered 500 clerical employees in four parallel *divisions*. 这一研究包括4家同类公司的500名文员。//I wanted to heal the *division* between Tom and his wife, but I didn't know how. 我想要弥合汤姆夫妇的裂痕，但不知该怎样去做。

【派】divisional(*a.* 分开的)

**dizzy** ['dizi] *a.* 头晕目眩的

【记】联想记忆：di(二)+zz(打鼾声)+y → 室友打鼾，让人失眠 → 头晕的

【例】He is *dizzy* and confused and does not want to be here. 他感到眩晕迷惑，不想待在这儿。

dizzy

**dock** [ 'dɔk ] *n.* 码头；*v.* (使)靠码头

【例】There are a number of historic ships *docked* in the harbour. 港口停泊着很多具有历史价值的船只。

*document* [ 'dɔkjumənt ] *n.* 公文；档案；*v.* 用文件等证明；记载

【例】In the English-speaking scientific world, surveys of books and *documents* consulted in libraries and other information agencies have shown that very little foreign-language material is ever consulted. 在以讲英语为主的科学界里，调查显示，科学家们几乎不参考图书馆及其它信息机构中用非英语编写的书籍和文献。

**dolphin** [ 'dɔlfin ] *n.* 海豚

【例】Driftnets are killing tens of thousands of *dolphins* in the Mediterranean. 地中海里数以万计的海豚因漂网而死。

**dome** [ dəum ] *n.* 圆屋顶；穹顶

【记】和home一起记

【例】The bottom of the can is shaped like a *dome* to resist the internal pressure. 易拉罐的底部呈内凹的圆顶形，这是为了承受来自罐内的压力。

**domestic** [ də 'mestik ] *a.* 本国的；家庭的；驯养的

【记】词根记忆：dom(家)+estic(…的)→家庭的

【例】The evidence we have suggests that *domestic* trade was greater than external trade at all periods. 我们掌握的证据表明，无论在哪个时期，国内贸易都要比对外贸易发达。

【派】domesticate(*v.* 驯养，教化)

**dominant** [ 'dɔminənt ] *a.* 占优势的；统治的；居高临下的

【例】Of all the media, television is clearly *dominant*, with newspapers a close second. 在所有的媒体中，电视显然占统治地位，报纸紧随其后，位居第二。

**dominate** [ 'dɔmineit ] *v.* 支配，统治；耸立于

【记】词根记忆：domin(支配)+ate→支配，统治

【例】Cities cease to be port cities when other functions *dominate*. 当城市的其他功能占统治地位时，它就不再是港口城市了。

**donation** [dəuˈneiʃən] *n.* 捐款；捐赠

【记】词根记忆：don(给予)+ation → 给出去 → 捐款

【例】The work of the charity is furded by voluntary *donations*. 这家慈善机构工作所需资金是人们自愿捐赠的。

**dorm** [dɔːm] *n.* 宿舍

【例】There are eight students in each *dorm*. 每个宿舍住8个学生。

**dormant** [ˈdɔːmənt] *a.* 休眠的；静止的

【例】Mount St. Helens lay *dormant* for more than a century.

圣海伦火山休眠了一个多世纪。

*****dose** [dəus] *n.* 剂量，一剂

【记】联想记忆：玫瑰(rose)对于生气中的女孩是一剂(dose)良药

【例】Nick injected the dog with a strong *dose* of morphine. 尼克给狗注射了一剂强效吗啡。

*****downpour** [ˈdaunpɔː(r)] *n.* 暴雨

【记】联想记忆：down+pour(倒) → 从天上往下倒水 → 暴雨

【例】We were at home during the *downpour*. 下大雨时我们正呆在家里。

*****downsize** [ˈdaunsaiz] *v.* 缩小，紧缩

【例】Some firms are even *downsizing* as their profits climb. 一些公司甚至利润增长的同时也在裁员。

*****draft** [drɑːft] *n.* 草稿；*vt.* 起草

【例】You must think a great deal before you start writing your *draft*. 你在开始打草稿之前一定要考虑周详。

**drainage** [ˈdreinidʒ] *n.* 排水(系统)

【记】drain(排水)+age(表集合名词) → 排水(系统)

【例】*Drainage* within and off the mining site is carefully designed. 矿井内部及周围的排水系统都是经过精心设计的。

*****dramatic** [drəˈmætik] *a.* 引人注目的；戏剧的

【例】The changes in China's Pearl River delta are more *dramatic* than these natural fluctuations. 中国珠江三角洲的变化比这些自然界的变化更大。

【派】dramatically(*ad.* 引人注目地；戏剧性地)

**drawback** [ˈdrɔːbæk] *n.* 缺点；不利条件

【记】联想记忆：draw(拉)+back(向后) → 拖后腿 → 缺点；不利条件

【例】The only *drawback* to your plan is the expense. 你计划的惟一缺点就是费用问题。

drawback

**dreadful** ['dredful] *a.* 可怕的；令人不快的

【例】He became an orphan after the *dreadful* disaster. 那场可怕的灾难后他就成了孤儿。

***dredge** [dredʒ] *v.* 挖掘；疏浚；挖出

【记】发音记忆："掘机" → 挖掘

【例】Those harbours were expensively improved by enlarging, *dredging* and building breakwaters. 这些港口通过扩建、疏浚及建造防浪堤得以改良，但是花销巨大。

【派】dredger(*n.* 挖泥船)

**drill** [dril] *n. /v.* 钻；训练

【记】dr+ill(生病) → 生病了不能训练

【例】This small hole was *drilled* with an auger. 这个小洞是用钻孔机钻出来的。

**droplet** ['drɔplit] *n.* 小滴

【记】词根记忆：drop(水滴)+let(小) → 小水滴

【例】Study of atmospheric particles formed from the explosion showed that *droplets* of sulphuric acid, acting as a screen between the Sun and the Earth's surface, caused a distinct drop in temperature. 对爆炸后形成的大气颗粒的研究显示，硫酸微粒在太阳与地球表面之间形成了一层屏障，使气温明显降低。

***drought** [draut] *n.* 干旱，旱灾

【记】联想记忆：dr(看做dry干燥的)+ought(应该) → 干旱时应该很干燥

【例】The government has pledged two hundred and fifty million dollars to help the *drought*—stricken farmers. 政府保证发放2.5亿美元的救济金，以帮助遭受旱灾侵袭的农民。

***drum** [drʌm] *n.* 鼓，鼓状物

【记】发音记忆："壮" → 他很壮，腰象鼓似的

【例】There is a golden tiger sitting on the top of a large bronze *drum*. 在一个大青铜鼓上卧着一只金虎。

**dubious** ['djuːbiəs] *a.* 怀疑的；靠不住的

【记】词根记忆：du(两，双)+bious → 有二心 → 靠不住的

【例】The greatly respected American Association of Zoological Parks and Aquariums(AAZPA) has had extremely *dubious* members, too. 在备受人们尊敬的美国动物园水族馆协会中，也有一些身份极其可疑的成员。

dubious

\*due [djuː] a.预期的；应得的；正当的

【记】发音记忆："丢"→应有的东西丢了

【例】The greenhouse effect is a natural phenomenon involving the increase in global surface temperature *due* to the presence of greenhouse gases. 温室效应是一种自然现象，由于温室气体的出现而导致全球气温升高。

\*dull [dʌl] a.乏味的；阴沉的

【记】联想记忆：和充实的(full)相反的是乏味的(dull)

【例】We all think his tutorial topic is *dull*. 我们都认为他的辅导主题令人乏味。

\*dump [dʌmp] v.倾卸，倾倒；n.垃圾场

【记】发音记忆："当铺"→到当铺去倾销→倾卸，倾倒

【例】Dredgers suck up clay and mud and *dump* them in deeper waters. 挖泥船挖出粘土和泥，然后将其倒入更深的水域。

durable ['djuərəbl] a.耐久的，耐用的 n. [pl.]耐用品

【记】词根记忆：dur(持续)+able(可…的)→耐久的

【例】The table shows the consumer *durables* (telephone, refrigerator, etc.) owned in Britain from 1972 to 1983. 该表格显示了从1972年到1983年英国耐用消费品(如电话、电冰箱等)的拥有情况。

duration [djuə'reiʃən] n.持续的时间

【记】词根记忆：dur(持续)+ation→持续时间

【例】The school was used as a hospital for the *duration* of the war. 战争期间这所学校被用作医院。

dusk [dʌsk] n.薄暮，黄昏

【记】联想记忆：她趴在书桌(desk)上看着窗外的黄昏(dusk)

【例】You can catch a glimpse of some more of the rainforest's wildlife as it comes out at *dusk* to feed. 你会不经意地看到更多雨林中的野生动物在黄昏时分出来觅食。

\*dweller ['dwelə] *n.* 居住者，居民

【例】An underground *dweller* himself, Carpenter has never paid a heating bill, thanks to solar panels and natural insulation. 作为地下居住者，由于有太阳能板和天然的保温条件，卡朋特从未交过取暖费。

\*dynamic [dai'næmik] *a.* 动力的，活跃的

【记】词根记忆：dynam(力量)+ic → 力量的 → 动力的

【例】The market is so *dynamic* that the figures change almost every two weeks. 这个市场很活跃，数据几乎每两周就会改变。

\*dystrophy ['distrəfi] *n.* 营养障碍；营养不良

【记】联想记忆：dys(坏)+trophy(奖杯) → 没有得到奖杯，因为营养不良

【例】In 1986, American researchers identified the genetic defect underlying one type of muscular *dystrophy*. 1986年，美国研究人员确认因一种肌肉营养不良导致的遗传缺陷。

earthquake ['ə:θkweik] *n.* 地震

【记】组合词：earth(地球)+quake(震动) → 地震

【例】At the same moment in which the volcano erupted, an *earthquake* with an intensity of 5 on the Richter scale was recorded. 火山喷发的同时，被记录下的还有一次震级达到里氏5级的地震。

# Word List 13

词根词缀预习表

| | | | |
|---|---|---|---|
| **e-** | 出 eject（v. 逐出；喷射） | **eco-** | 生态 ecosystem（n. 生态系统） |
| **ed** | 吃 edible（a. 可食用的） | **em-** | 使…embark（v.(使)上船或飞机；(使)从事） |
| **en-** | 进入；使… encase（vt. 装入）；enlarge（vt. 扩大） | | |
| **equ** | 相等 equal（a. 相等的） | **lev** | 升 elevate（vt. 提升） |
| **lig** | 选择 eligible（a. 合适的） | **merg** | 浸没 emerge（v. 现出） |
| **min** | 突出 eminent（a. 杰出的） | **mot** | 动 emotion（n. 感情） |

**\*earthwork** [ˈəːθwəːk] n. 土方（工程）

【例】Some contemporary tribes still live among the *earthworks* of earlier cultures. 一些同时代的部落依然生活在早期文化风格的建筑里。

**\*earthworm** [ˈəːθwəːm] n. 蚯蚓；小人

【记】组合词：earth(地上)+worm(蚯蚓；小人物)→蚯蚓；小人

【例】The digested dung in these burrows is an excellent food supply for the *earthworms*. (蜣螂)消化过的粪球给蚯蚓提供了极好的食物来源。

**ecology** [iːˈkɔlədʒi] n. 生态学；均衡系统

【记】词根记忆：eco(生态)+logy(学科)→生态学

【例】If the beetles successfully adapt to their new environment, they'll soon become a part of the local *ecology*. 如果甲虫完全适应了新的环境，它们很快就会成为这个生态圈中的一部分。

**\*economic** [ˌiːkəˈnɔmik] a. 经济的；n.[-s] 经济学

【例】They encouraged farmers to use greater quantities of fertilizer than are needed to get the highest *economic* crop yield. 他们鼓励农民使用大大超过作物实际所需肥料的量，以获得到最经济的作物

产量。

**economical** [ˌiːkə'nɔmikəl] *a.* 节约的，经济的

【例】The government set some policies to help meet the demand for more *economical* use of land. 政府制定了一些政策，以满足更为经济地利用土地的需要。

【派】economically(*ad.* 节约地；经济上；经济学地)

**\*ecosystem** ['iːkəusistəm] *n.* 生态系统

【记】词根记忆：eco(生态)+system(系统)→生态系统

【例】One tool for assessing the impact of forestry on the *ecosystem* is population viability analysis (PVA). 种群生存力分析是评定森林地带对生态系统影响的一种方法。

**edible** ['edibl] *a.* 可食用的

【记】词根记忆：ed(吃)+ible(可···的)→可食用的

【例】The seeds of these plants are *edible*. 这些植物的种子是可以食用的。

【派】inedible(*a.* 不可食用的)

**\*effect** [i'fekt] *v.* 生效；引起；*n.* 影响；结果

【记】词根记忆：ef(出)+fect(做)→做出效果→生效

【例】The report suggests that the smoke experienced by many people in their daily lives is enough to produce substantial adverse *effects* on a person's heart and lungs. 报告指出，许多人在日常生活中吸入的烟气足以给心脏和肺带来极坏的影响。

【派】effective (*a.* 有效的；被实施的); effectively (*ad.* 有效地); effectiveness(*n.* 效力); ineffective(*a.* 无效的)

**efficiency** [i'fiʃənsi] *n.* 效率；功效，效能

【记】词根记忆：ef(出)+fic(做)+iency→做出东西又快又好→效率

【例】Clean coal is an avenue for improving fuel conversion *efficiency*. 提高煤的纯度是提高燃料转换效率的一个途径。

**\*efficient** [i'fiʃənt] *a.* 效率高的

【记】词根记忆：ef(出来)+fic(做)+ient(···的)→做就做出效率高的

【例】The financial analyst found *efficient* ways for the company to save money. 财务分析师找到了一个能够替公司省钱的高效方法。

【派】efficiently(*ad.* 有效率地；有效地)

**eject** [i'dʒekt] *v.* 逐出；喷射

【记】词根记忆：e(出来)+ject(扔)→被扔出来→逐出

【例】The quantity of dust *ejected* by Mount St. Helens amounted to a quarter of a cubic mile. 圣海伦火山喷出的粉尘多达四分之一立方英里。

【派】ejection(*n.* 喷出；喷出物)

**elaborate** [iˈlæbərət] *a.* 复杂的，精心制作的；*v.* 详述，详细制定

【记】联想记忆: e(出)+labor(劳动)+ate(使) → 辛苦劳动做出来的 → 精心制作的

【例】Archaeological traces of far more *elaborate* cultures have been dismissed in this region. 排除了该地区有更为复杂和高级文明存在的考古遗迹的可能。

**elastic** [iˈlæstik] *n.* 松紧带；*a.* 有弹性的；灵活的

【记】联想记忆: e(出)+last(延长)+ic(…的) → 可延长的 → 有弹性的

【例】The ropes are made of *elastic* fabrics. 绳子是由弹性纤维制成的。

**elbow** [ˈelbəu] *n.* 肘；(衣服的)肘部

【记】联想记忆: el+bow(弓) → 手臂在肘部呈弓形 → 肘部

【例】His forearms were black and blue from wrist *to elbow*. 他的小臂从手腕到肘部又青又紫。

**\*element** [ˈelimənt] *n.* 要素；元素；[*pl.*]基本原理

【记】联想记忆: e+lemen(看做lemon柠檬)+t → 柠檬是水果的一种 → 要素

【例】Impressed by the *element's* combustibility, several 17th century chemists used phosphorus to manufacture fire-lighting devices. 硫磺的燃烧性能给17世纪的化学家留下了深刻印象，他们开始使用硫磺来制造点火装置。

【派】elementary(*a.* 初步的；基本的)

**elevate** [ˈeliveit] *vt.* 提升…的职位；举起

【记】词根记忆: e(出)+lev(升)+ate(使…) → 举起

【例】Some birds *elevated* their nests in branches perhaps to avoid predators. 一些鸟类把巢建在高高的树枝上或许是为了躲避猎食者。//John has been *elevated* to manager. 约翰已被提升为经理。

**eligible** [ˈelidʒəbl] *a.* 符合条件的；合适的

【记】词根记忆: e+lig(=lect 选择)+ible → 能被选择出来的 → 符合条件的

【例】You are *eligible* for a student loan if you are a UK resident. 如果你是英国居民，就可以申请学生贷款。

**eliminate** [i'limineit] *vt.* 消灭，消除；淘汰

【记】词根记忆：e(出)+limin(看做limit界限)+ate(做)→划出界限之外→消除

【例】Job descriptions *eliminate* role ambiguity for managers. 职位描述消除了经理们对角色的模糊了解。

**\*elite** [ei'li:t] *n.* 精英；*a.* 卓越的

【记】词根记忆：e+lite(=lig选择)→选出来的都是精英

【例】This country's Internet *elite* have begun to emerge in recent years. 近年来，该国开始涌现出一批网络精英。

**\*embankment** [im'bæŋkmənt] *n.* 堤岸，路基

【记】词根记忆：em(使…)+bank(岸)+ment→堤岸

【例】It was the Tilburg architect Jo Hurkmans who hit on the idea of making use of noise *embankments* on main roads. 提耳堡的建筑师乔·荷克曼想到了在主干道上采用防噪音路基。

**embark** [im'bɑ:k] *v.* (使)上船或飞机；(使)从事

【例】Without hesitation Alexander *embarked* on his new career as a musician. 亚历山大毫不犹豫地从事起新的职业，成为一名音乐家。

**emboss** [im'bɔs] *vt.* 使…凸出；压花(纹)

【记】联想记忆：em(出)+boss(老板)→老板的肚子通常都很凸出→使…凸出

【例】All bed linen and towels are *embossed* with the name Smith so they are easily identifiable. 所有的亚麻床单和毛巾都被压印上了史密斯的名字，所以很容易辨认。

**embrace** [im'breis] *vt./n.* 拥抱；包括

【记】联想记忆：em(在…内)+brace(胳膊)→在胳膊里→拥抱

【例】The students tearfully *embraced* each other on their last day of school. 同学们在他们在校的最后一天流着泪相互拥抱。

embrace

**\*embryo** ['embriəu] *n.* 胚，胚胎；事物的萌芽期

【记】词根记忆：em+bryo(变大)→种子等变大→胚胎

【例】Two American researchers studied the brains of human *embryos* and discovered that the left-right asymmetry exists before birth. 两位美国研究人员在对人类的胚胎进行研究后发现，左右脑不对称的现象在出生前就存在。

\*emerge [iˈmɜːdʒ] v. 现出；显露，(事实等)暴露

【记】词根记忆：e(出)+merge(浸没) → 从浸没之中出来 → 显露

【例】A new style of architecture *emerged* to reflect more idealistic notions for the future. 一种新的建筑风格出现了，它反映了未来更为理想的建筑理念。

\*emergency [iˈmɜːdʒənsi] n. 紧急情况，突然事件

【记】联想记忆：emerg (看做emerge 出现)+ency → 紧急情况突然出现 → 紧急情况

【例】If it's an *emergency*, you can phone at any time. 如果是紧急情况，你可以随时打电话。

\*eminent [ˈeminənt] a. 杰出的，显赫的

【记】词根记忆：e(出)+min(突出)+ent → 杰出的，显赫的

【例】He was then the most *eminent* architect in England. 他是当时英国最著名的建筑师。

\*emission [iˈmiʃən] n. (光、热等的)散发；散发物

【记】词根记忆：e(出)+miss(放出)+ion → 放出 → (光、热等)的散发

【例】The new fuel can save energy and cut carbon dioxide *emissions*. 新型燃料可以节约能源，降低二氧化碳的排放量。

\*emit [iˈmit] vt. 散发，排放；发表

【记】词根记忆：e(出)+mit(放出) → 散发，排放

【例】Older trucks, buses and taxis *emit* excessive levels of smoke and fumes. 老式卡车、公车和出租车排放出过多的烟和废气。

\*emotion [iˈməʊʃən] n. 感情；情绪

【记】词根记忆：e+mot(动)+ion → 波动的东西 → 感情

【例】Doing sports can be a good way to release suppressed *emotion*. 做运动是一个释放压抑情绪的好方法。

emperor [ˈempərə(r)] n. 皇帝；君主

【例】The executive of a Republic cannot do what a king or an *emperor* does. 共和国的领导者不能像国王或君主那样行事。

**emphasis** ['emfəsis] *n.* 重要性；强调

【例】The president's statement gave *emphasis* to the crisis. 总统在声明中强调了这次危机。

【派】emphasis(*n.* 强调，重点)

**emphasize** ['emfəsaiz] *vt.* 强调，着重

【记】联想记忆：em+phas(看做phrase用短语表达)+ize → 用短语表达是为了强调

【例】This report *emphasizes* that cancer is not caused by a single element in cigarette smoke. 这一报告强调，癌症并不是由香烟烟雾中的某个单一成分导致的。

*empire ['empaiə] *n.* 帝国

【记】和emperor(*n.* 皇帝，君主)一起记

【例】Isaac's epic stories charted the future of the galactic *empire*. 艾萨克的史诗故事描绘出了那个超级帝国的未来。

*empirical [em'pirikəl] *a.* 经验主义的，经(实)验的

【例】Amazingly, there is virtually no *empirical* evidence to support the use of illustrations in teaching reading. 令人惊讶的是，事实上并没有实验性的证据可以证明图表在阅读教学中的作用。

*encase [in'keis] *vt.* 装入，包住

【记】en(进入)+case(容器) → 被装入容器中 → 装入，包住

【例】The resin oozed out of the tree and the spider or leaf became *encased* in it. 树脂从树里渗了出来，把蜘蛛或树叶包在了里面。

**enclose** [in'kləuz] *vt.* 围住；附上；把…装入信封

【记】联想记忆：en(进入)+close(关闭) → 关闭在里面 → 围住

【例】The farmer *enclosed* his land and kept cattle away from his crops. 农民在田地四周筑起围栏，以使牛群远离庄稼。

【派】enclosure(*n.* 围栏；围幕)

*encounter [in'kauntə] *n. /vt.* 遭遇，遇到

【记】联想记忆：en(使…)+counter(相反的) → 使从两个相反的方面来 → 遇到

【例】I *encountered* a lot of difficulty when I tried to take a rest. 我打算休息一下的时候遇到了些麻烦。//Our *encounter* at the train station caught me by surprise. 我们在车站的相遇让我很是惊讶。

**\*encourage** [inˈkʌridʒ] *vt.* 鼓励；促进，激发

【记】联想记忆：en(使…)+courage(精神)→使有精神→鼓励

【例】To *encourage* the bees to produce as much honey as possible, the beekeepers open the hives and stack extra boxes on top. 为了让蜜蜂尽可能多的产蜜，养蜂人打开蜂箱，在上面加放了一些盒子。

**\*endeavour** [inˈdevə] *vi. /n.* 努力，尽力；尝试

【记】end(尽头)+eav(看做eager热情)+our→用尽了我们的热情→努力

【例】I wished the result of my *endeavours* to be respectable. 我希望我努力的结果能得到尊重。

**\*endorse** [inˈdɔːs] *vt.* 支持，赞同

【例】The socio-ecological view of health was *endorsed* at the first International Conference of Health Promotion. 关于健康的社会生态学观点在第一届世界健康促进会上得到了认可。

**endure** [inˈdjuə] *v.* 忍受；持久，持续

【记】联想记忆：end (结束)+ure→坚持到结束→忍受，持久

【例】The pain was almost too great to endure. 这种疼痛几乎难以忍受。

endure

**enforce** [inˈfɔːs] *vt.* 实施，执行；强制，迫使

【记】联想记忆：en(使…)+force(强加)→把…强加给→强制，迫使

【例】Do they *enforce* that rule? 他们执行那条规则了吗？// The teacher did not like to *enforce* rigid rules on the children. 老师不喜欢将陈规旧条强加到孩子们身上。

【派】enforcement(*n.* 实施，执行)

**\*enfranchise** [inˈfræntʃaiz] *vt.* 给…公民权(或选举权)

【记】en(使…)+franchise(公民权)→使…有公民权→给…公民权

【例】The third Reform Act *enfranchised* the agricultural labourer. 第三版《改革法案》赋予了农业劳动者选举权。

【派】enfranchisement(*n.* 释放，解放)

**\*engage** [inˈgeidʒ] *v.* (使)从事；占用；(使)订婚

【例】In many countries, children *engage* in some kind of paid work. 在很多国家，儿童们从事某些付费工作。

**enhance** [in'hɑːns] *vt.* 提高，增强

【例】Organisations provide a range of opportunities for women to *enhance* their skills. 一些组织为妇女提供大量提高她们技能的机会。

**enlarge** [in'lɑːdʒ] *vt.* 扩大，放大

【记】词根记忆：en(使…)+large(大的) → 使…变大 → 扩大，放大

【例】The new headmaster *enlarged* his office and installed expensive carpet. 新校长扩大了他的办公室，并铺上了昂贵的地毯。

**enlighten** [in'laitən] *vt.* 启发；开导

【记】联想记忆：en(使…进入状态)+light(点亮)+en → 点亮 → 启发；开导

【例】Would you *enlighten* me on your plans for the future? 能否请你讲讲你未来的计划？

*****enormous** [i'nɔːməs] *a.* 巨大的，庞大的

【记】词根记忆：e(出)+norm(规范)+ous(…的) → 超出规范的 → 巨大的

【例】We grow an *enormous* number of bananas each year. 我们每年都种植大量的香蕉。

【派】enormously(*ad.* 巨大地，庞大地)

**enquiry** [in'kwaiəri] *n.* 询问；调查

【记】来自enquire(*v.* 询问)

【例】Before I continue, is there any *enquiry* inte what I've said? 在我继续讲之前，对我刚才所说的，还有什么想问的吗？

**enrich** [in'ritʃ] *vt.* 充实；使富裕

【记】词根记忆：en(使…)+rich(富有的) → 使富裕

【例】Ports can *enrich* the life of a city. 港口可以丰富它一所城市的生活。

*****enroll** [in'rəul] *vt.* 登记；使加入

【记】联想记忆：en(进入)+roll(名单) → 上了名单 → 登记

【例】Places are available here even for students *enrolled* in the minimum length course. 这里甚至为那些报名参加最短课时的学生提供上课的场所。

**enrolment** [in'rəulmənt] *n.* 登记；入学

【记】来自enroll(*v.* 登记；入学)

【例】When you apply for a student loan, most banks ask you to bring your passport and your letter or certificate of *enrolment*. 申请学生贷

127

款的时候，很多银行会要求你随身携带护照、入学介绍信或入学证明。

**ensue** [in'sju:] v. 继而发生；接着发生

【记】联想记忆：确定(ensure)的事情就会继而发生(ensue)

【例】If a forest fire cannot be extinguished, devastation is sure to *ensue*. 如果不能扑灭森林火灾，毁坏一定会随之发生。

**ensure** [in'ʃuə] vt. 保证，保护；赋予

【记】词根记忆：en(使…)+sure(确定的) → 使确定 → 保证，保护

【例】How can you *ensure* that your diet contains enough of the vitamins you need? 你怎样才能保证饮食中包含了自己所需的足够的维生素呢？

**\*entail** [in'teil] vt. 牵涉；需要

【记】联想记忆：en+tail(尾巴) → 被人抓住尾巴 → 牵涉

【例】The work *entailed* the processing of accounts and generating of invoices. 这份工作需要处理帐目和开具发票。

entail

**\*enterprise** ['entəpraiz] n. 公司；事业

【记】词根记忆：enter (进入)+pris (握取)+e → 能够最先进入市场，把握先机 → 公司

【例】The land can be considered part of the *enterprise's* assets. 这块土地可以归入该公司的资产。

**\*entertain** [,entə'tein] v. (使)欢乐，(使)娱乐；招待

【记】联想记忆：enter(进入)+tain(拿住) → 拿着东西进去，一般是请客时送礼或要招待别人

【例】The spectators go to be *entertained* rather than out of loyalty to a team. 观众去看体育比赛与其说是忠于球队，还不如说是让自己得到娱乐。

entertain

【派】entertainment(n. 娱乐，招待)

**enthusiasm** [in'θju:ziæzəm] n. 热情

【例】The bad weather has blunted our *enthusiasm* for camping. 坏天气减弱了我们去露营的热情。

**enthusiastic** [in,θju:zi'æstik] *a.* 热情的；热心的

【记】来自enthusiasm(*n.* 狂热，热心)

【例】With lights flashing and horns honking, the newly-manufactured vehicles poured into the world like *enthusiastic* machines from a science-fiction movie. 车灯闪烁，笛声轰鸣，新生产出来的汽车就像是科幻电影中充满动力的机器一样涌入大千世界。

\*entire [in'taiə] *a.* 全部的，整个的

【记】联想记忆：en(包围)+tire(累的) → 整个人都累垮了 → 全部的

【例】Hughes claims that in the twenty-first century, consumers will be encouraged to think more about the *entire* history of the products and services they buy. 休斯声称，在二十一世纪将鼓励顾客们多考虑产品的整个历史以及他们所购买的服务。

【派】entirely(*ad.* 完全地，一概地)

**entitle** [in'taitl] *vt.* 给…权利(或资格)；给(书、文章等)题名

【记】联想记忆：en(使…)+title(题目，标题) → 给…题名

【例】As a member of the museum you would be *entitled* to use the members' lounge for refreshments. 作为博物馆的会员，你有权在会员休息室内休息。

**entrepreneur** [,ɔntrəprə'nə:] *n.* 企业家

【记】来自enterprise(*n.* 企业)

【例】The owner of the company is an American *entrepreneur*. 这家公司的老板是一位美国企业家。

\*environment [in'vaiərənmənt] *n.* 周围状况；环境

【记】词根记忆：en(进入)+viron(圆)+ment → 进入圆 → 周围状况；环境

【例】The one kind of subsidy whose removal appeared to have been bad for the *environment* was the subsidy to manage soil erosion. 取消对土地流失管理部门的补助金给环境带来了不利影响。

【派】environmental(*a.* 环境的)

**envisage** [in'vizidʒ] *vt.* 展望，想象；面对

【记】词根记忆：en(使…)+vis(看)+age(行为) → 展望，想像

【例】It's just a chance for you to say anything about the equipment and problems you *envisage*. 这对你来说是个机会，你可以就设备和想到的问题谈一谈自己的看法。

\*epidemic [,epi'demik] *n.* 流行病；*a.* 流行性的

【记】词根记忆：epi（在···外）+dem（人民）+ic → 在一群人之外 → 流行性的

【例】The Government declared that no major *epidemic* diseases prevailed in this area. 政府宣布该地区没有流行主要的传染性疾病。

**\*epitomize** [i'pitəmaiz] *vt.* 集中体现；概括

【记】词根记忆：epi(在···后)+tom(看做tome一卷书)+ize → 写在一卷书后面的话 → 概括

【例】Indeed, in many respects the Siriono *epitomize* the popular conception of life in Amazonia. 事实上，从很多方面来看，西里奥诺人的生活集中体现了亚马逊河流域普遍的生活理念。

**equal** ['i:kwəl] *a.* 相等的；*vt.* 比得上

【例】These four firms had *equal* levels of productivity. 这4家公司的生产力水平不相上下。

【派】equality(*n.* 同等，平等)；equally(*ad.* 平等地，相等地)

**equation** [i'kweiʃən] *n.* 方程(式)；平衡，生态平衡

【例】The researchers thought that people should not be left out of the *equation* in the rainforest. 研究人员认为人不应该对雨林的生态平衡置之不理。

**equator** [i'kweitə] *n.* (地球)赤道

【记】联想记忆：equa(看做equal相等的)+tor → 使地球上下相等的分界线 → 赤道

【例】The *equator* divides the earth into two hemispheres. 赤道把地球划分为两个半球。

**equipment** [i'kwipmənt] *n.* 设备，装备

【例】Last week we talked about buying camping *equipment*. 上周我们讨论了有关买露营装备的事情。

# Word List 14

| | | | |
|---|---|---|---|
| **cav** 洞 excavate (*vt.* 挖掘) | | **ex** 出 except (*prep.* 除…外) | |
| **hale** 呼吸 exhale (*v.* 呼出(气)) | | **hibit** 拿 exhibit (*vt.* 展览) | |
| **pel** 驱动，推 expel (*vt.* 驱逐) | | **ploit** 利用 exploit (*vt.* 利用) | |
| **ros** 咬 erosion (*n.* 腐蚀) | | **vac** 空 evacuate (*v.* 疏散) | |
| **val** 价值 evaluate (*vt.* 评价) | | **vapor** 水汽 evaporate (*v.* (使)蒸发) | |
| **vid** 看 evidence (*n.* 证据) | | **vok** 叫喊 evoke (*vt.* 唤起) | |
| **volv** 卷 evolve (*v.* (使)进化) | | **-ment** (名词后缀) 行为，结果 excitement (*n.* 激动) | |

\*equity [ˈekwəti] *n.* 公平，公正

【记】词根记忆：equi(相等)+ty → 公平，公正

【例】The *equity* of the committee's decision was accepted by everyone. 委员会所做决定的公正性得到了大家的一致认可。

equivalent [iˈkwivələnt] *a.* 相等的，等量的；*n.* 相等物，等价物

【记】词根记忆：equi(相等)+val(强壮的)+ent → 相等的，等量的

【例】At that time, the cost of a bulb was *equivalent* to half a day's pay for the average worker. 那时，每个灯泡的成本相当于普通工人半天的工资。

\*era [ˈiərə] *n.* 纪元；时代

【记】联想记忆：反过来拼写are(是)

【例】Dallas is a very wealthy city in Texas which has grown up in an *era* when cars were considered essential to move about. 达拉斯是德克萨斯州一个非常富裕的城市，兴起于汽车成为人们基本交通工具的时代。

erosion [iˈrəuʒən] *n.* 腐蚀；磨损

【例】Often dams are built to protect the area from soil *erosion* and to

131

serve as permanent sources of water. 人们建造水坝常常是用来防止水土流失，并将大坝所在地作为永久的水源。

**eruption** [iˈrʌpʃən] *n.* 火山爆发

【记】erupt( *v.* 爆发；喷出)

【例】Geologists forecasted that an *eruption* of the volcano would take place before the end of the century. 地质学者预测，在本世纪末以前该火山可能会喷发。

**\*escalator** [ˈeskəleitə] *n.*〈美〉自动扶梯

【例】The new store has an *escalator* to carry customers from one floor to another. 这家新商店有自动扶梯将顾客从一个楼层运送到另一个楼层。

**essay** [ˈesei] *n.* 短文，评论

【例】You have to complete a 3,000 word *essay* on the topic. 你需要就该主题写一篇3000字的评论。

**essence** [ˈesəns] *n.* 本质；精髓

【记】词根记忆：ess(存在)+ence → 存在的根本 → 本质

【例】Psychologists claimed that the *essence* of reasoning lies in the putting together of two "behaviour segments" in some novel way to reach the goal. 心理学者们称，推理的本质就是将两部分行为片断用某种全新的方式结合起来，以达到预期的目的。

**essential** [iˈsenʃəl] *a.* 本质的；非常重要的；*n.* 要素；实质

【记】词根记忆：ess(存在)+ential → 存在的东西 → 要素，实质

【例】It is *essential* that the glass be thicker on the outside than on the inside. 外层的玻璃应该比内层的玻璃厚，这一点很重要。

【派】essentially( *ad.* 本质上，基本上)

**\*establish** [iˈstæbliʃ] *vt.* 建立；确立

【记】联想记忆：est(存在)+abl(看做able可…的)+ish(使…) → 使…可以存在的 → 建立

【例】You may have to *establish* new eating habits in order to keep healthy. 为了保持健康，你需要养成一些新的饮食习惯。

【例】establishment( *n.* 建立；确立)

**estate** [iˈsteit] *n.* 土地；地产

【例】My accountant estimated the value of my *estate*. 我的会计师评估了我的地产价值。

**\*estimate** [ˈestimeit] *vt.* 估计，评价

['estimət] n. 估计，看法

【记】词根记忆：est(存在)+im+ate(做)→对存在的东西做评价

【例】The deal is *estimated* to be worth around $ 1.5 million. 这笔交易估计价值150万元左右。//I can give you a rough *estimate* of the amount of wood you will need. 我可以粗略估计一下你所需的木材量。

**eternal** [i'tə:nəl] a. 永恒的

【记】联想记忆：外部(external)世界是永恒的(eternal)诱惑

【例】Muslims believe the soul of anyone who commits suicide will suffer *eternal* damnation. 穆斯林信徒相信那些自杀者的灵魂将受到永无休止的诅咒。

**evacuate** [i'vækjueit] v. 疏散；撤离

【记】词根记忆：e+vacu(空)+ate →空出去→撤离

【例】The hotel's fire officer will instruct you in how to *evacuate* the building if a fire breaks out. 饭店消防人员会告诉你万一着火该如何撤离。

【派】evacuation(n. 撤退，撤离)

**evaluate** [i'væljueit] vt. 评价，估价

【记】联想记忆：e(出)+valu(看做value价值)+ate(做)→评定出价值→评价，估价

【例】We *evaluated* the students' skills on the basis of test results. 我们在考试成绩的基础上对学生的技能进行评估。

*****evaporate** [i'væpəreit] v. (使)蒸发；消失；不复存在

【记】e(出)+vapor(水汽)+ate(使…)→使水汽出去→蒸发

【例】He thought water could *evaporate* quickly in sandy soils. 他认为水在沙土中会很快蒸发掉。

【派】evaporation (n. 蒸发；消失)

*****event** [i'vent] n. 事件；比赛项目

【例】Your graduation from college is an important *event*. 你大学毕业了，这是件大事。

*****evidence** ['evidəns] n. 根据，证据

【记】词根记忆：e+vid (看见)+ence →证实所看见的人或物→根据，证据

【例】As an international student you will need to provide *evidence* that you can fund yourself for however long your course lasts. 作为留学

生,你需要提供证据,证明无论学业持续多长时间你都有经济来源支持自己的花费。

**evoke** [i'vəuk] *vt.* 唤起

【记】词根记忆: e(出)+voke(喊)→喊出来→唤起

【例】This fragrance *evokes* the memory of a cool, summer evening. 这种香味唤起了我对清凉夏夜的回忆。

**evolution** [ˌiːvə'luːʃən] *n.* 进化,演化;发展

【记】词根记忆: e+vol(意志,意志力)+ution→人类的进化史就是一部意志战胜自然的史诗

【例】The scientist has suggested that *evolution* of speech went with right-handed preference. 科学家认为,语言的进化伴随着使用右手倾向的产生。

*\***evolve** [i'vɔlv] *v.* 使逐渐形成;(使)进化

【记】词根记忆: e(出)+volve(卷,转)→转出来→进化

【例】According to brain researchers, as the brain *evolved*, one side became specialised for fine control of movement. 根据大脑研究人员的说法,随着大脑的进化,一边的脑半球专门用来精确控制动作。

*\***exacerbate** [ig'zæsəbeit] *vt.* 恶化,加剧

【记】词根记忆: ex+acerb(苦涩)+ate→出现了苦涩→恶化,加剧

【例】More intensive farming and the abandonment of fallow periods tend to *exacerbate* soil erosion. 更密集的耕种和取消休耕期会加剧土壤的腐蚀。

*\***exact** [ig'zækt] *a.* 精确的;准确的

【记】词根记忆: ex(出)+act(做)→要做就做出精确的结果

【例】What is the *exact* amount left in your savings account? 你储蓄账户上的准确余额是多少?

【派】exactly(*ad.* 正确地;完全地)

*\***examine** [ig'zæmin] *vt.* 检查;调查,研究;测验

【例】He *examined* the work of other researchers. 他研究了其他研究人员的工作。//The medical students *examined* patients under the supervision of a doctor. 医科学生在一名医生的监督下对患者进行了检查。

【派】examiner(*n.* 主考者); examination(*n.* 考试;检查)

*\***excavate** ['ekskəveit] *vt.* 挖掘,掘出

【记】词根记忆: ex+cav(洞)+ate→挖出洞→挖掘

【例】Some large species of dung beetles originating from France *excavate* tunnels to a depth of approximately 30 cm below the dung pat. 一些法国的大型蜣螂品种会在粪堆下挖一条大约30厘米深的隧道。

**exceed** [ikˈsiːd] *vt.* 超过，胜过

【记】词根记忆：ex(出)+ceed(走) → 走出 → 超过

【例】World population in the twenty-first century will probably *exceed* 8 billion. 世界人口总数在21世纪有可能超过80亿。

**\*excellent** [ˈeksələnt] *a.* 极好的；杰出的

【记】来自excel(*v.* 优秀，胜过他人)

【例】Under several metres of earth, noise is minimal and insulation is *excellent*. 在地下几米的地方，噪音几乎听不到了，隔热的效果也很好。

**\*except** [ikˈsept] *v.* 将…除外；*prep.* 除…外

【记】词根记忆：ex(出)+cept(拿，抓) → 不拿 → 将除…外

【例】The hotel was built into a hill and little could be seen from outside *except* a glass facade. 这家旅馆建在山体内，从外面看，除了旅馆正面的玻璃墙什么也看不到。

【派】exceptional(*a.* 例外的；异常的)

**exceptional** [ikˈsepʃənəl] *a.* 例外的；异常的

【记】来自except(*v.* 除…之外)

【例】Kate has quite an *exceptional* music ability. 凯特具有超凡的音乐天赋。

**\*excess** [ikˈses] *n.* 超越；过量；*a.* 过量的，额外的

【记】词根记忆：ex(出)+cess(行走) → 走出界限 → 超越；过量

【例】I am burdened with an *excess* of public attention. 公众的过度关注使我感到不堪重负。

**excessive** [ikˈsesiv] *a.* 过多的，极度的

【例】Each month, managers would analyse the pattern of absence of staff with *excessive* sick leave. 每个月，经理们都会分析请过多病假的员工的缺勤模式。

**exchange** [iksˈtʃeindʒ] *vt. /n.* 交换，交流，交易

【例】Are you one of the *exchange* students? 你是交换生吗？ //I shook hands and *exchanged* a few words with the manager. 我与经理握手，相互交谈了几句。

**\*excitement** [ik'saitmənt] *n.* 激动；兴奋；令人兴奋的事
【例】The *excitement* died down. 激动的情绪已经平息了。

**exclude** [iks'kluːd] *vt.* 把…排除在外
【记】词根记忆：ex(出)+clud(关闭)+e → 关出去 → 把…排除在外
【例】Thick curtains help to *exclude* street noises. 厚窗帘有助于阻挡街上的噪音。

**exclusive** [ik'skluːsiv] *n.* 独家新闻；*a.* 奢华的；独有的；排他的
【例】He is part of an *exclusive* social circle. 他所属的社交圈子很排外。

**exclusively** [iks'kluːsivli] *ad.* 专有地，专门地
【例】In open-cut operations, the land is used *exclusively* for mining, but land rehabilitation measures generally progress with the mine's development. 在开采阶段，土地仅限采矿使用，但土地复原措施的开展通常与采矿的进度保持一致。

**\*excreta** [ik'skriːtə] *n.* 排泄物
【例】Dung is the droppings or *excreta* of animals. "Dung"就是兽粪或动物的排泄物。

**excursion** [ik'skəːʃən] *n.* 短途旅行
【例】Our family took a two-week *excursion* to France. 我们一家人去法国旅行了两周。

**execute** ['eksikjuːt] *vt.* 将…处死；实施
【记】联想记忆：exe(电脑中的可执行文件)+cute → 实施
【例】We *execute* company policy for homeowners. 我们执行公司针对业主的政策。
【派】executive(*a.* 执行的；行政的；*n.* 执行者)

**execution** [,eksi'kjuːʃən] *n.* 执行
【记】联想记忆：exe(可执行程序的扩展名)+cut(切)+ion → 执行
【例】After the negotiation, both the parties agreed to the *execution* of the treaty. 谈判过后，双方都同意履行条约。

**exemplify** [ig'zemplifai] *vt.* 作为…的例子
【记】来自example(*n.* 实例)，注意区分a和e
【例】Robin Hill Park *exemplifies* the standards in natural zoos. 罗宾希尔公园被作为自然动物园的典范。

**\*exhale** [eks'heil] *v.* 呼出(气)；散发
【记】词根记忆：ex(出)+hale(气) → 呼出(气)，散发

【例】Passive smoking, the breathing in of the side-stream smoke from the burning of tobacco or of the smoke *exhaled* by a smoker, also causes a serious health risk. 被动吸烟,从燃烧的烟草中吸入旁流烟或吸烟者呼出的烟气,都会导致严重的健康危机。

\*exhaust [igˈzɔːst] *vt.* (使)非常疲倦;耗尽;*n.* 废气

【例】Fuel consumption and *exhaust* emissions depend on which cars are preferred by customers. 油耗和废气排放取决于顾客喜好哪种车。

exhaustion [igˈzɔːstʃən] *n.* 精疲力竭;耗尽

【例】The runner collapsed from *exhaustion*. 那个奔跑的人因为极度疲劳倒下了。

\*exhibit [igˈzibit] *n.* 展览品;*vt.* 陈列,展览;显示

【记】词根记忆: ex(出)+hibit(拿住)→拿出来→显示;展览

【例】Some of the *exhibits* at the Museum are very precious. 这个博物馆的一些展品非常珍贵。//The artist *exhibited* his paintings in a local gallery. 画家在当地的美术馆展出了自己的画作。

【派】exhibition(*n.* 展览)

exhibition [ˌeksiˈbiʃən] *n.* 展览(会)

【例】The Woman's *Exhibition* met with great opposition from Parliament. 妇女(作品)展览会遭遇了国会的强烈反对。

exhilaration [igˌziləˈreiʃən] *n.* 高兴;兴奋

【例】Many astronauts have testified that they experienced the *exhilaration* of weightlessness. 许多宇航员都证实他们体验到了失重的兴奋感。

\*exist [igˈzist] *v.* 存在;生存

【例】Two American brain researchers studied the brains of human embryos and discovered that the left-right asymmetry *exists* before birth. 两名美国大脑研究人员研究了人类大脑晶胚后发现,大脑的左右半球不对称在婴儿出生前就已存在。

【派】existence(*n.* 存在;生活;生活方式)

\*existence [igˈzistəns] *n.* 存在;生活

【记】来自exist(存在)+ence → 存在;生活(方式)

【例】There are no scientists in *existence* who really wait until they have all the evidence in front of them before they try to work out what it might possibly mean. 从来没有哪个科学家真的要等到所有的证

据都摆在他面前才试图研究可能的规律。

【派】coexistence(*n.* 共存，共处)

**exorbitant** [ig'zɔːbitənt] *a.* 过分的，不合理的

【记】ex(出)+orbit(轨道，常规)+ant → 走出常规 → 过分的

【例】Glass as instant curtains is available now, but the cost is *exorbitant*. 现在玻璃可作为即时窗帘用，但成本太过昂贵。

**exotic** [ig'zɔtik] *a.* 外来的；奇异的

【记】词根记忆：exo(外面)+tic(…的) → 外国的 → 外来的；奇异的

【例】Their *exotic* apparel stands them out from the locals. 奇异的装扮使他们与当地人区别开来。

**expansion** [ik'spænʃən] *n.* 扩大

【例】Even without further *expansion* the school could recruit around 2,000 students every year. 即使没有进一步的扩建，学校每年仍可招收2000名学生。

**expectation** [ˌekspek'teiʃən] *n.* 期待；[*pl.*] 前程

【例】The company failed to meet shareholders' *expectations*. 公司没有满足持股人的期望。//role *expectations* 角色期待

**expedition** [ˌekspi'diʃən] *n.* 旅行，远征；探险队；迅速

【记】词根记忆：ex(出)+ped(脚)+ition → 出行，远征

【例】I talked to Charles Owen, the leader of the *expedition* group, about the trip. 我和探险队队长查理·欧文谈了关于旅行的事。

**expel** [ik'spel] *vt.* 把…开除；驱逐

【记】词根记忆：ex(出)+pel(驱动，推) → 驱逐

【例】John has been *expelled* from the firm and is operating on his own. 约翰被那家公司开除了，现在自己单干。

**\*expire** [iks'paiə] *v.* 期满；终止

【例】The lease on this house *expires* at the end of the year. 这房子年底到期。

【派】expiry(*n.* 满期；终结)

**explode** [ik'spləud] *v.* (使)爆炸；激增

【记】联想记忆：探险(explore)遭遇爆炸(explode)

【例】The experts have thought of a way to *explode* the dynamite below this building. 专家们已经想出了方法来引爆楼层下面的炸药。

【派】explosion(*n.* 爆炸)

**\*exploit** ['ik'splɔit] *vt.* 剥削；利用；开拓

【记】词根记忆：ex+ploit(利用)→利用

【例】Our company was quick to *exploit* a money-making opportunity provided by the government. 我们公司很快就抓住了政府提供的赚钱机会。

exploit

【派】exploitation(*n.* 利用，开发)

**explore** [ik'splɔ:] *v.* 探险，探索；仔细查阅，探究

【记】联想记忆：ex+pl+ore(矿石)→把矿石挖出来→探索

【例】Architects began to *explore* ways of creating buildings using the latest technology. 建筑师开始探索利用最新科技建造房屋的方法。

【派】exploration(*n.* 探险，探究)；exploratory(*a.* 探险的，探测的)

*explorer [iks'plɔ:rə] *n.* 勘探者，探险者

【记】来自explore(*v.* 探险；探索)

【例】Underground reservoirs were rare sources of permanent water and were vital to early *explorers* of inland Australia. 地下湖泊的水是罕见的长期水源，对于早期进入澳大利亚腹地的探险者至关重要。

*explosive [iks'pləusiv] *n.* 爆炸物；*a.* 爆炸的；使人冲动的

【记】考试中常考它的名词意思

【例】The bomb was packed with several pounds of explosives. 这枚炸弹装有几磅烈性炸药。

*expose [ik'spəuz] *vt.* 使暴露，揭露

【记】词根记忆：ex(出)+pos(放)+e→放出来→使暴露

【例】He has been widely exposed on television to the public. 他经常在电视上向公众露面。

【派】exposure(*n.* 暴露，曝光)

*extend [ik'stend] *v.* 延长；扩大

【记】词根记忆：ex(出)+tend(伸展)→伸展出去→延长

【例】I *extended* my tour for another week here. 我把在这里的旅行时间延长了一周。

*extension [ik'stenʃən] *n.* 伸出；延长部分；电话分机

【例】These temporary hive *extensions* contained frames of empty comb for the bees to fill with honey. 这些暂时加上去的蜂箱中放有空的蜂巢结构的架子，用于让蜜蜂存放蜂蜜。

**extensive** [ik'stensiv] *a.* 广阔的，广泛的

【例】*Extensive* underground water resources are available over more than half of Australia's land area. 在澳大利亚，超过一半的土地上广泛分布着可利用的地下水资源。

**exterior** [ik'stiəriə] *a.* 外部的，外表的；*n.* 外部，外表
【记】联想记忆：金玉其外(exterior)，败絮其中(interior)
【例】All *exterior* doors in this especially noisy pocket will have to be solid core wood doors with hinges. 在这个特别吵闹的地区，所有的户外门都必须是带铰链的坚固木芯门。

**\*external** [ik'stə:nl] *a.* 外面的，表面的
【记】词根记忆：ex(外)+ternal → 外面的
【例】The evidence we have suggests that domestic trade was greater than *external* trade at all periods. 我们掌握的证据表明，无论在哪个时期，国内贸易都要比对外贸易发达。

**externally** [ik'stə:nəli] *ad.* 外表上，外形上
【记】来自external(*a.* 外表的)
【例】The medicine is used *externally* only. 这种药只能外用。

**\*extinct** [ik'stiŋkt] *a.* 灭绝的；废弃的
【记】词根记忆：ex+tinct(刺，促使) → 使…失去 → 灭绝的
【例】A species becomes *extinct* when the last individual dies. 当最后一个个体死亡后，该物种便灭绝了。
【派】extinction(*n.* 灭绝；废止)

**extinguisher** [iks'tiŋgwiʃə] *n.* 灭火器；灭火者
【记】来自extinguish(*v.* 熄灭；消灭)
【例】If you discover a fire, shout "FIRE" and activate the nearest fire alarm. Attack the fire with an *extinguisher* but do not take any risks. 如果发现火情，应大喊"着火了"，并按响离你最近的火警铃。使用灭火器去灭火，但不要冒险。

**\*extol** [ik'stəul] *vt.* 赞颂，赞美，颂扬
【记】词根记忆：ex+tol(举起) → 举起来 → 赞美
【例】Weld *extolled* Kerry's debate skills, saying he has "the speed of a welterweight." 韦尔德称赞克里的辩论技巧，说他有"次重量级拳击手的速度"。

# Word List 15

| | | | |
|---|---|---|---|
| **extra-** | 以外的 extraordinary (*a.* 非常的) | **fac** | 脸 facade (*n.* 正面) |
| **fascin** | 迷住 fascinate (*vi.* 入迷) | **fatig** | 疲倦 fatigue (*n.* 疲劳) |
| **feas** | 做 feasible (*a.* 可行的, 可能的) | **fer** | 带来 fertile (*a.* 肥沃的, 多产的) |
| **fibr** | 纤维 fibre (*n.* 纤维) | **fin** | 结束 finale (*n.* 结局, 终曲) |
| **firm** | 坚定 firm (*a.* 坚实的) | **flex** | 弯曲 flexible (*a.* 易弯曲的) |
| **-en** | (动词后缀)使…fasten (*vt.* 扎牢) | | |
| **-ism** | (名词后缀)…主义 feminism (*n.* 男女平等主义) | | |

\*extra [ˈekstrə] *a.* 额外的; 特别的; *ad.* 特别地

【记】本身为词根: 额外的; 特别的

【例】Today, almost all companies have employees work overtime rather than hire *extra* personnel. 如今, 几乎所有的公司宁愿让员工加班也不愿意雇佣额外的职员。

\*extract [iksˈtrækt] *vt.* 取出; 提取

[ˈekstrækt] *n.* 摘录; 提出物

【记】词根记忆: ex(出)+tract(拉) → 拉出 → 拔出

【例】You will hear an *extract* from a BBC television program on acid rain. 你将会听到来自BBC的一段有关酸雨的新闻摘录。

\*extracurricular [ˌekstrəkəˈrikjulə] *a.* 课外的

【记】组合词: extra(额外的)+curricular(课程的) → 课外的

【例】What role do you think *extracurricular* activities play in education? 你认为课外活动在教育中起着什么样的作用?

\*extraordinary [ikˈstrɔːdənəri] *a.* 不同寻常的; 非常的

【记】extra(以外的)+ordinary(平常的) → 平常之外的 → 不同寻常的

【例】It's *extraordinary* that he managed to sleep through the party. 真

141

想不到他竟然从聚会一开始一直睡到结束。

**extreme** [ik'stri:m] *a.* 极度的；最后的；*n.* 极端，过分

【记】联想记忆：extre(看做extra以外的)+me(我) → 在我能忍受的极限以外 → 极端的

【例】One mistake we often make when stricken with *extreme* back pain is to go to bed and stay there. 当背部出现剧痛时我们经常犯的一个错误就是上床躺着。

【派】extremely(*ad.* 极端地，非常地)

**\*extremely** [ik'stri:mli] *ad.* 极端地；非常地

【例】Long hours of hot sunshine and searing winds give Australia an *extremely* high rate of evaporation. 长时间的烈日曝晒和炙热的风使澳大利亚的蒸发率极高。

**eyesight** ['aisait] *n.* 视力

【记】组合词：eye(眼睛)+sight(视力) → 视力

【例】You must stop taking the medicine if your *eyesight* is affected. 如果你的视力受到药物的影响，就必须停止服药。

**\*facade** [fə'sɑ:d] *n.* 正面；(虚伪的)外表

【记】联想记忆：fac(看做face正面)+ade → 正面

【例】Preserving historic buildings or keeping only their *facades* grew common. 对历史建筑或对他们的正面外观的保护变得越来越普遍。

**facilitate** [fə'siliteit] *vt.* 使便利

【例】The new strategies have *facilitated* and improved cooperation and communication between management and staff. 新策略有助于员工和管理层之间进行更为有效的沟通与合作。

**facility** [fə'siləti] *n.* [*pl.*] 设备，设施；便利

【记】词根记忆：fac(做)+ility(表性质) → 设备都是靠人做出来的

【例】There are *facilities* for high-energy particle experiments in our research centre. 我们研究中心有高能粒子实验装置。

**\*factsheet** ['fæktʃi:t] *n.* (电视节目中插入的)字幕新闻

【例】The *factsheets* have a summary of all the information contained in the programme. 这些字幕新闻包含该节目的所有信息摘要。

**faculty** ['fækəlti] *n.* 系；全体教员

【例】Here on this campus we have the *faculties* of Architecture and Law. 这所大学里设有建筑系和法律系。

**fade** [feid] *vi.* 褪色；凋谢；逐渐消失

【记】联想记忆：褪色(fade)的记忆何堪以对(face)

【例】His smile *faded* as he heard the answer. 听到这个答案，他脸上的笑容消失了。

**\*fair** [feə] *a.* 公平的；*ad.* 公平地

【例】This part of the island is warmer than the southern half, but it wouldn't be *fair* to say that the southern half is cold. 小岛的这部分区域比南部区域暖和，但并不是说南部就冷。

【派】unfair(*a.* 不公平的)

**\*fairly** ['feəli] *ad.* 相当；尚可；公平地

【例】Although the UK is a *fairly* small country, the geology and climate vary a good deal from region to region. 尽管英国是个相当小的国家，但是它的地理和气候状况却因地区不同而变化很大。

**faith** [feiθ] *n.* 信任，信仰

【记】联想记忆：屡败(fail)屡战，信心(faith)不倦

【例】People have to have *faith* in their ability to carry out the task their boss has set them. 大家必须相信彼此的能力，共同完成老板布置的任务。

**fake** [feik] *n.* 假货；骗子；*v.* 伪装；*a.* 假的

【记】联想记忆：打击造(make)假(fake)

【例】He's holding the *fake* credit card, but dares not use it. 他手里攥着伪造的信用卡，却不敢用。

**\*fallow** ['fæləu] *n.* 休耕地；*a.* (土地)休耕的

【记】和fellow(*n.* 伙伴，同伙)一起记

【例】Overuse of fertilisers may cause farmers to stop rotating crops or leave their land *fallow*. 肥料的过度使用可能会导致农民停止农作物的轮作或让土地休耕。

**fancy** ['fænsi] *n.* 设想；爱好；*vt.* 想象；*a.* 别致的

【记】联想记忆：fan(迷，狂热者)+cy → 着迷(的事) → 爱好

【例】Maureen tiptoed around the room in her *fancy* shoes. 莫林穿上她那双精致的鞋，踮着脚尖在房间里走来走去。//She tries to *fancy* what the flame of a candle looks like after the candle is blown out. 在蜡烛被吹灭后，她试图想象烛焰的样子。

**fantasy** ['fæntəsi] *n.* 想象

【例】Those pleasures were produced through daydreaming and *fantasy*. 那些快乐是通过白日梦和想象产生的。

**\*fare** [feə] *n.* 费，票价；*v.* 进展
【记】联想记忆：若愿与我同行，我不在乎（care）船费（fare）
【例】According to Susan, air *fares* are lowest. 据苏珊说，机票价格是最便宜的。//How did you *fare* while you were abroad? 你在国外时过得好吗？

**farewell** [feə'wel] *n.* 告别；欢送会
【记】联想记忆：fare（看做 far 远）+well（好）→ 朋友去远方，说些好听的话 → 告别
【例】We bid our old friends *farewell*. 我们向老友们告别。

farewell

**fascinate** ['fæsineit] *vt.* 强烈地吸引，使着迷；*vi.* 入迷
【记】联想记忆：fasc(看做 fast 牢固的)+in(里面的)+ate → 牢牢地陷在里边 → 使着迷
【例】The very style of the old house *fascinates*. 这一古建筑的风格本身就令人着迷。

**fascinating** ['fæsineitiŋ] *a.* 迷人的
【例】The museum has a *fascinating* collection of Celtic artifacts. 该博物馆收藏了极吸引人的塞尔特文化遗物。

**\*fashion** ['fæʃən] *n.* 方式；流行款式；时装
【记】联想记忆：f+ash(灰)+ion → 我的灰头土脸和流行时尚格格不入
【例】You'll find all sorts of things in the museum: old suitcases, ships' crockery, and classical cabins decorated in the *fashion* of the day. 在博物馆里你会找到各类东西：陈旧的手提箱、船的瓷器模型还有以现代风格装饰的古典小屋。
【派】fashionable(*a.* 时髦的)

**\*fasten** ['fɑ:sən] *vt.* 扎牢，扣住
【记】联想记忆：fast(牢固地)+en(使) → 扎牢
【例】The driver must *fasten* his seat belt before driving. 司机在行车时必须系好安全带。

**\*fatal** ['feitəl] *a.* 致命的；重大的
【记】来自 fate(*n.* 命运)

【例】The majority of single-gene defects are *fatal*. 大部分的单基因缺陷是致命的。

*fate [feit] *n.* 命运，天数

【例】Chek Lap Kok was built in a different way, and thus hopes to avoid the same sinking *fate*. 赤腊角是用一种不同的方法建造而成的，希望这样能够避免沉没的命运。

fatigue [fə'tiːg] *n.* 疲劳，劳累；*v.* (使)疲劳

【记】联想记忆：fat(胖)+igue → 胖的人容易累 → 疲劳

【例】Part-time workers are less likely to succumb to *fatigue* in stressful jobs. 兼职工人在有压力的工作中不太可能被疲劳压垮。

fault ['fɔːlt] *n.* 缺点，瑕疵，毛病

【例】Any *fault* should be reported to the local fault repair service. 出现任何问题都应报知当地的维修中心。

*fauna ['fɔːnə] *n.* (某地区或某时期的)所有动物

【记】来自Fannus(潘纳斯)，罗马神话中的动物之神

【例】They tried their best to protect native flora and *fauna*. 他们尽自己所能来保护当地的动植物。

favour ['feivə] *n.* 好感，赞同；恩惠；*vt.* 赞同；喜爱；有利于

【记】发音记忆："飞吻" → 姑娘对那个小伙子很有好感，于是给了他一个飞吻

【例】Darkness *favored* their escape. 黑暗有利于他们逃跑。//I *favour* a state income tax over a raise in the sales tax. 我赞成用收取所得税来代替提高营业税。

feasible ['fiːzəbl] *a.* 可行的，可能的

【记】联想记忆：f+easi(看做easy容易的)+ble → 容易做到的 → 可能的

【例】Better integration of transport systems is made more *feasible* by modern computers. 现代计算机的应用使得交通系统得到更好的统筹。

feather ['feðə] *n.* 羽毛，翎毛

【记】和father(*n.* 父亲)一起记

【例】*Feather* fans and decorated hats went out of fashion. 羽毛扇子和用羽毛装饰的帽子已经过时了。

*feature ['fiːtʃə] *n.* 特征；[*pl.*]相貌；特写；*v.* 给…以显著地位

【记】联想记忆：我的未来(future)由我主演(feature)

【例】Asymmetry is a common *feature* of the human body. 不对称是人类身体的一个普遍特征。

**federal** ['fedərəl] *a.* 联邦的，联盟的

【记】联想记忆：FBI(联邦调查局)第一个词就是federal

【例】I opened a current account at the *Federal* Bank. 我在联邦银行开了一个活期账户。

**federation** [ˌfedə'reiʃən] *n.* 联邦；同盟

【记】来自federal(*a.* 联邦的)

【例】A study by the European *Federation* for Transport found that car transport is seven times as costly as rail travel. 欧洲运输联盟的一项研究发现，汽车运输所需的费用是铁路运输费用的7倍。

**feeble** ['fi:bl] *a.* 虚弱的；无效的

【记】联想记忆：fee(费用)+ble → 需要花钱看病 → 虚弱的

【例】I felt *feeble* when I was ill. 我生病的时候感到很虚弱。

**feed** [fi:d] *v.* 喂(养)；吃；*n.* 饲料

【例】To *feed* an increasingly hungry world, farmers need every incentive to use their soil and water effectively and efficiently. 为了养育世界上日益增加的人口，农民需要利用每一个激励因素来高效地使用他们的土壤和水资源。

**\*feedback** ['fi:dbæk] *n.* 反馈；反馈信息

【记】组合词：feed(喂养，馈给)+back(反) → 反馈

【例】Employee *feedback* is reviewed daily and suggestions are implemented within 48 hours. 员工反馈信息每天都会被查看，建议也会在48小时之内被采纳实施。

**female** ['fi:meil] *n.* 女子；*a.* 女(性)的；雌的

【记】联想记忆：雌(female)雄(male)相吸

【例】A cow produces only one calf a year whereas a *female* ostrich can lay an egg every other day. 一头奶牛一年只能生一头小牛，而一只雌鸵鸟每隔一天就下一个蛋。

**\*feminism** ['feminizəm] *n.* 男女平等主义；争取女权运动

【记】词根记忆：femin(女)+ism → 争取女权运动

【例】We discuss everything from personal experience to future society and *feminism*. 我们从个人阅历、未来社会或男女平等主义的角度

来讨论每件事。

**fertile** ['fə:tail] *a.* 肥沃的，多产的

【记】词根记忆：fer(带来，结果)+tile → 可带来果实的 → 多产的

【例】The east of this region is flatter and more low-lying, with *fertile* soils. 这一地区的东部土壤肥沃，地势较为平坦，海拔也比较低。

**fibre** ['faibə] *n.* 纤维

【记】联想记忆：多食纤维质(fibre)水果有助消化降火(fire)

【例】Today *fibre* optics are used to obtain a clearer image of smaller objects than ever before—even viruses. 现在人们利用纤维光学获得的微小物体有着前所未有的清晰画面，甚至细菌病毒的图像都能看清楚。

**\*fickle** ['fikl] *a.* 易变的，无常的

【记】形似：flick(摇动) → 摇摆不定 →（爱情或友谊上的）易变的；和tickle(*v.* 搔痒)一起记

【例】I knew that he was a *fickle* man, and one you could never rely on. 我知道他是个反复无常的人，你绝不能依赖他。

**\*fiction** ['fikʃən] *n.* 小说

【记】发音记忆："废口舌" → 别废口舌瞎编了 → 小说

【例】Suddenly, the stuff of science *fiction* doesn't seem so fanciful anymore. 这些科幻小说似乎突然就不再那么让人充满幻想了。

**\*fieldwork** ['fi:ldwə:k] *n.* 实地调查；临时筑成的防御工事

【记】组合词：field(野外的)+work(工作) → 野外研究

【例】A series of acquisitions might represent a decade's *fieldwork*. 一系列的收获可能需要十年的实地调查。

**\*fierce** [fiəs] *a.* 凶猛的；强烈的

【记】发音记忆："飞蛾死" → 飞蛾扑火源于对光明的狂热追求

【例】There is *fierce* competition an the examination. 考试竞争非常激烈。

**\*figure** ['figə] *n.* 数字；图形，画像；*v.* 认为

【例】The most recent available *figures* show that about a quarter of a million people are incapacitated with back pain every day. 最近得到的数字显示，每天大约有25万人面对背部疼痛的折磨却束手无策。

**\*filter** ['filtə] *n.* 过滤器；*v.* 过滤；(消息等)走漏

【记】发音记忆："非要它" → 香烟的过滤咀是非要不可的

【例】Workers find that machines work much better if they change the *filters* regularly. 工人们发现如果他们能定期更换机器里的过滤器，机器就会运转得更好。

**\*finale** [fiˈnɑːli] *n.* 最后；【音】乐曲的最后部分
【记】和final(*a.* 最后的)一起记
【例】No other performer has managed to equal their grand *finale*. 他们的压轴戏令其他表演者望尘莫及。

**\*finance** [faiˈnæns] *n.* 财政，金融；[常*pl.*]财务情况；*v.* 为…提供资金
【记】联想记忆：fin(看做fine好的)+ance → 为希望工程筹措资金是一件好事 → 为…提供资金
【例】Opponents of smoking *financed* this study. 反对吸烟的人为这一研究提供资金。
【派】financial(*a.* 财政的，金融的)；financially(*ad.* 财政地，金融上)

**\*fingerprint** [ˈfiŋɡəprint] *n.* 指纹，手印
【记】组合词：finger(手指)+print(印迹) → 指纹，手印
【例】Systems using *fingerprints*, hands, voices and faces are already on the market. 市场上已出现了利用指纹、手印、声音和面部进行识别的系统。

**finite** [ˈfainait] *a.* 有限的；限定的
【记】词根记忆：fin(范围)+ite → 限于一定范围的 → 有限的
【例】The *finite* fossil fuel reserves will hinder the development of a country. 有限的矿物燃料储备将阻碍一个国家的发展。

**\*firm** [fəːm] *n.* 公司；*a.* 坚实的；稳固的；坚定的
【例】Some *firms* are even downsizing as their profits climb. 一些公司甚至在利润上升的情况下也在裁员。

**fitness** [ˈfitnis] *n.* 健康；锻炼；适合某事物
【记】来自fit(*a.* 健康的)
【例】Specific behaviours which were seen to increase risk of disease, such as smoking, lack of *fitness* and unhealthy eating habits, were targeted. 一些被认为会加大疾病威胁的特定行为被确定，如吸烟、缺少锻炼和不正常的饮食习惯。

**fitting** [ˈfitiŋ] *n.* 试穿；装置；*a.* 适合的
【例】If you want to buy a pair of trousers, a *fitting* is very necessary. 如果你想买条合身的裤子，试穿非常必要。

**\*flame** [fleim] *n.* 火焰；强烈的感情；*v.* 发火焰，燃烧
【记】词根记忆：flam(火)+e → 火焰

【例】Unable to make *flame* for themselves, the earliest peoples probably stored fire by keeping slow burning logs alight or by carrying charcoal in pots. 由于无法自己生火，古人可能通过让圆木缓慢燃烧或把碳放在罐子里来保存火种。

**flap** [flæp] *vi.* (翅膀)拍动; *n.* 薄片; 口盖

【记】联想记忆: f(看做fly飞)+lap(拍打) → 拍动

【例】Mike bended the *flap* of an envelope over and stuck it with glue. 迈克把信封的封口折过来用胶水粘好。

**flash** [flæʃ] *v.* 闪光; *n.* 闪烁, 闪光灯

【记】flash(*n.* 闪客)就是这个词

【例】The air can become slightly positively charged when large thunderclouds are generating the intense electrical fields that cause lightning *flashes*. 当大团的雷雨云产生了引发闪电的强烈电场时, 空气略带正电。

【派】flashlight(*n.* 闪光信号灯; 手电筒)

**flask** [flɑːsk] *n.* 长颈瓶; 烧瓶

【记】和flash(*v.* 闪光)一起记

【例】After the science experiment, students washed the *flasks*. 科学实验后, 同学们将烧瓶清洗干净。

**\*flat** [flæt] *a.* 平的; (价格)固定的; *n.* 单元住宅

【记】联想记忆: 加了盐(salt)的调料再不单调(flat)了

【例】*Flat* shoes may cure your back pain. 穿平底鞋是治疗背部疼痛的一种方法。

**flavour** [ˈfleivə] *n.* 风味, 滋味; *v.* 给…调味

【记】联想记忆: 喜欢(favor)加上爱l(看做love)的生活更有味道(flavor)

【例】Each country's coffee has a different *flavour*. 各国的咖啡都别具风味。

**flaw** [flɔː] *n.* 缺点; 瑕疵

【例】The worst *flaw* in this document was the naive faith it embodied. 这份文件最大的缺点就是它所表达的思想太天真了。

**flee** [fliː] *v.* 逃走; 逃避

【例】Citizens were forced to *flee* the besieged city. 居民们被迫逃离这座被围困的城市。

**\*fleet** [fliːt] *a.* 快速的; *v.* 消磨; 疾驰; *n.* 舰队

【记】舰队(fleet)遇到问题赶紧逃跑(flee)

【例】Governments assembled the world's largest *fleet* of dredgers to suck up mud in the ocean. 各国政府共同组建了世界上最大的挖泥船队，去挖掘大洋海底沉积的淤泥。

**flexibility** [ˌfleksə'biləti] *n.* 韧性；适应性

【例】PE teachers help the development of co-ordination, balance, posture, and *flexibility* with activities like simple catching and throwing. 体育老师利用简单的训练，比如抓取和投掷技巧，来帮助学生提高身体的协调性、平衡度以及改善他们的体态和柔韧性。

**flexible** ['fleksibl] *a.* 易弯曲的；柔韧的；灵活的

【记】词根记忆：flex(弯曲)+ible → 易弯曲的，柔韧的

【例】Cars easily surpass trains or buses as a *flexible* and convenient mode of personal transport. 汽车轻易地超越火车和巴士，成为一种灵活、便利的个人交通工具。

**\*flexi-time** ['fleksitaim] *n.* 弹性上班制

【例】*Flexi-time* is one good method to reduce the number of vehicles traveling together at rush hour. 采用弹性上班制是降低交通高峰期车流量的好方法。

**flicker** ['flikə] *v. /n.* 闪烁；一闪而过

【记】来自flick(弹)+er → 弹指神通的功夫让灯光闪烁，摇曳不定

【例】The light *flickers* quite badly and it's giving me headaches. 灯光闪得厉害，弄得我头疼。

**flight** [flait] *n.* 航班

【例】She's already booked a *flight* to Queensland. 她已经预订了去昆士兰的航班。

# Word List 16

词根词缀预习表

| | | | |
|---|---|---|---|
| **flor** | 花 flora（*n.* 花神） | **fluctu** | 波浪 fluctuate（*vi.* 波动） |
| **fore** | 预先 foresee（*vt.* 预见） | **form** | 形式 formal（*a.* 正式的） |
| **fract** | 打破 fracture（*v.*（使）断裂） | **fum** | 烟 fume（*n.* 烟） |
| **fus** | 流 fusion（*n.* 熔合） | **galax** | 乳 galaxy（*n.* [the G-]银河） |
| **oss** | 石头 fossil（*n.* 化石） | **-ile** | （形容词后缀）易…的 fragile（*a.* 脆弱的） |

*flint [flint] *n.* 火石，打火
【记】联想记忆：+lint(看做line线）→ 火石产生的火光如同一条线
【例】In Europe, the combination of steel, *flint* and tinder remained the main method of firelighting until the mid 19th century. 在欧洲，19世纪中期以前，钢铁、火石和火绒的混合物一直都是点火的主要工具。

flip [flip] *v.* 轻抛；轻弹
【例】A switch was *flipped* and the machine began to operate. 轻弹开关，机器便运作起来。

*flora ['flɔːrə] *n.* 植物区系；花神
【记】词根记忆：flor(花草)+a → 植物群
【例】The theme of the meeting is the protection of native *flora* and fauna. 本次会议以当地动植物的保护为主题。
【派】floral(*a.* 花的；植物的)

*flourish ['flʌriʃ] *v.* 繁荣；活跃而有影响
【记】词根记忆：flour(=flor花)+ish → 花一样开放 → 繁荣
【例】Research in Britain has shown that "green consumers" continue to *flourish* as a significant group amongst shoppers. 英国的调查表明，作为购物人群重要组成部分的"绿色消费者"仍然很活跃。

fluctuate ['flʌktjueit] *vi.* 波动

【记】词根记忆：flu(流动)+ctu+ate → 流动 → 波动

【例】Australia's environment *fluctuates* enormously from year to year. 澳大利亚的环境每年变化都很大。

**flush** [flʌʃ] *v.* 冲洗；(使)发红；(使)脸红

【记】和flash(*v.* 闪光)一起记

【例】You can *flush* a wound with iodine to prevent the infection. 可以用碘酒冲洗伤口，以防止感染。

**flutter** ['flʌtə] *vi.* 振翅；飘动；乱跳

【记】联想记忆：fl(看做fly)+utter(看做butter) → butterfly(蝴蝶) → 振翅而飞

【例】Her heart began to *flutter* with fear. 她的心因害怕而开始砰砰乱跳。

**foam** [fəum] *n.* 泡沫；泡沫材料；*vi.* 起泡沫

【记】联想记忆：肥皂(soap)变成了很多泡沫(foam)

【例】The orange juice in its *foam* overflew. 橙汁冒着泡，溢了出来。

**\*focus** ['fəukəs] *v.* (使)聚焦；*n.* 焦点；中心

【记】联想记忆：foc(看做for为了)+us → 焦点访谈的口号是为人民大众服务

【例】The primary *focus* of attention in the twentieth century has been on small-scale societies. 在20世纪，小型社会成了人们首要关注的焦点。

**\*foetus** ['fiːtəs] *n.* 胎儿；胚胎

【记】词根记忆：foet(胚胎)+us → 胎儿

【例】Every brain is initially female in its organisation and it only becomes a male brain when the male *foetus* begins to secrete hormones. 每一个大脑在结构上最初都是雌性的，只有当雄性胚胎开始分泌荷尔蒙的时候才变成一个雄性的大脑。

**foil** [fɔil] *n.* 箔；金属薄片

【例】The freezer is filled with *foil*-wrapped packages. 冷藏室里塞满了用箔纸包裹着的东西。

**fold** [fəuld] *v.* 折叠；*n.* 皱；折

【例】He decided to *fold* up Phoebe's massage table. 他决定把菲比的按摩桌折叠起来。

**\*for instance** [fɔː 'instəns] 例如

【例】Fish can be flavored with tomato, cheese or chocolate *for instance*. 可以在鱼里加些东西来调味，例如：西红柿、奶酪或巧克

力之类的东西。

**for the sake of** 为了

【例】*For the sake of* future generations, please save water. 为了子孙后代，请节约用水。

**\*force** [fɔːs] *v.* 强迫；*n.*[*pl.*] 军队；力气；效力

【例】She'd like to finish the studies she was *forced* to give up earlier in life. 她想完成自己早年被迫放弃的研究。

**\*forecast** ['fɔːkɑːst] *v. /n.* 预报；预测；预想

【记】fore(前面)+cast(扔) → 预先扔下 → 预料

【例】The economic report *forecast* a sharp drop in unemployment for the next year. 据经济报告预测，来年的失业人数将会有明显的下降。

**\*foreland** ['fɔːlənd] *n.* 前沿地；岬角

【记】fore(前面)+land(土地) → 前面的土地 → 前沿地

【例】The south *foreland* is also open to visitors. 南部前沿地也向游客开放。

**foremost** ['fɔːməust] *a.* 最好的；最重要的

【记】联想记忆：fore(前面)+most(最) → 放在最前面的 → 最重要的

【例】The *foremost* research center of the day is in the USA. 当今设备最先进的研究中心在美国。

**foresee** [fɔːˈsiː] *vt.* 预见，预知

【记】词根记忆：fore(预先)+see(看) → 预先看到 → 预见，预知

【例】What changes do you *foresee* in the educational field in the next 50 years? 在未来的50年里，你认为教育界会发生怎样的变化？

**\*forfeit** ['fɔːfit] *v.* 被罚；没收；*n.* 罚款

【记】联想记忆：for(因为)+feit(看做fect做) → 因为做了错事所以被罚

【例】He *forfeited* his driving licence because he drove after drinking. 因酒后驾车，警察没收了他的驾照。

**\*form** [fɔːm] *n.* 形式；外形；表格；*v.* 形成

【例】You have to fill in a *form*, but it doesn't take long. 你得填写一张表格，但不会耽误太久。//The council *formed* new policies at the meeting last night. 昨晚的会议上，委员会产生了一些新的政策。

【派】formality(*n.* 拘谨；礼节)；formability(*n.* 可成形性)

**formal** ['fɔːməl] *a.* 正式的；礼仪上的

【例】They held the first *formal* international meeting on the subject. 他们就这一主题举行了第一届正式的国际会议。

【派】informal(*a.* 非正式的)

**\*format** [ˈfɔːmæt] *n.* 格式；*v.* 使格式化

【记】词根记忆：form(形式)+at → 固定的形式 → 格式

【例】You can use a computer to *format* your disc. 你可以用计算机将磁盘格式化。

【派】formation(*n.* 构成)；formative(*a.* 格式化的)

**\*former** [ˈfɔːmə] *a.* 在前的；*n.* 前者

【记】来自form(形成)+er(人，物) → 已形成的东西 → 在前的

【例】The world's food production will move from Western Europe to the *former* communist countries and parts of the developing world. 世界粮食生产将从西欧转移到前社会主义国家和一些发展中国家。

【派】formerly(*ad.* 从前，以前)

**\*formidable** [ˈfɔːmidəbl] *a.* 可怕的；极好，极强的

【记】联想记忆：formid(看做formic 蚂蚁的)+able → 蚂蚁成群骚扰 → 可怕的

【例】The new coastline is being bolstered with a *formidable* twelve kilometres of sea defences. 新的海岸线被一条长12公里的坚固海防线保护起来。

**\*formula** [ˈfɔːmjulə] *n.* 公式；配方；*a.* 根据公式的

【记】词根记忆：form(形成，形状)+ula → 结构式

【例】John Walker, an English pharmacist, borrowed the *formula* from a military rocket-maker called Congreve. 一名叫做约翰·沃克的英国药剂师从一位名叫康格里夫的军用火箭制造师那里借用了配方。

**formulate** [ˈfɔːmjuleit] *vt.* 系统地阐述；明确地表达

【记】词根记忆：form(形成)+ulate → 构想出 → 系统地阐述

【例】She can not *formulate* her idea in a few words. 她无法用几句话阐明自己的思想。

**forthcoming** [ˈfɔːθˈkʌmiŋ] *a.* 即将到来的

【记】forth(往前)+coming(就要来的) → 即将到来的

【例】This is the list of *forthcoming* books. 这是即将出版的书籍目录。

**fortnight** [ˈfɔːtnait] *n.* 两星期，十四天

【记】联想记忆：fort(看做fourteen)+night(夜晚) → 十四个日日夜夜

【例】It's a *fortnight* to National Day. 离国庆节还有两星期的时间。

**forum** ['fɔːrəm] *n.* 论坛；讨论会

【记】联想记忆：for+u（看做you）+m（看做me我）→ 让你我说话的地方 → 论坛

【例】The huge development in rocket technology is a good thing，but at the same time，rockets cause devastating results in the *forum* of war. 火箭研制技术的长足进步是件好事，但同时火箭被用于战争也带来了惨痛的结果。

**fossil** ['fɔsəl] *n.* 化石

【记】发音记忆："佛说" → 一开口就是"佛说…"，真是个老顽固 → 化石

【例】Fuel produced from crop residues is rarely competitive with *fossil* fuels at the present time. 由作物残渣制成的燃料还不具备与矿物燃料竞争的实力。

**\*foul** [faul] *a.* 发臭的；肮脏的；*n.* 犯规；逆境

【记】联想记忆：邪恶的(foul)心灵(soul)

【例】The football player was penalized for his *foul*. 那名足球运动员因为犯规而被判罚。

**\*foundation** [faun'deiʃən] *n.* 基础；地基；创立

【记】词根记忆：found(基础)+ation(表状态)

【例】Most of the rock will become the *foundations* for the airport's runways and taxiways. 大多数石块将用来铺设机场跑道和机场出租车道的地基。

**fountain** ['fauntin] *n.* 喷泉

【记】联想记忆：山(mountain)里有喷泉(fountain)

【例】There is a beautiful *fountain* in the centre of the square. 广场中心有个漂亮的喷泉。

**fraction** ['frækʃən] *n.* 小部分，片断

【记】词根记忆：frac(碎裂)+tion → 碎的部分 → 小部分

【例】Catastrophes such as fire，flood，drought or epidemic may reduce population sizes to a small *fraction* of their average level. 像火灾、洪水、干旱或者瘟疫这些灾难，都会导致人口数量减少到平均水平的一小部分。

**fracture** ['fræktʃə] *v.* (使)断裂 *n.* 折断

【记】词根记忆：fract(打破)+ure → (使)断裂

【例】*Fractures* on tools indicate that a majority of ancient people were right-handed. 从工具上的裂痕我们可以看出，大多数古人经常使用右手。

**fragile** [ˈfrædʒail] *a.* 脆弱的；虚弱的

【记】词根记忆：frag(打破)+ile(易…的) → 脆弱的

【例】The *fragile* boxes arrived intact. 这些易碎的箱子被完好无损地运到目的地。

**fragment** [ˈfrægmənt] *n.* 碎片；*v.* 分裂；(使)成碎片

【记】词根记忆：frag(打碎)+ment(表名词) → 碎片

【例】The gigantic explosion from eruption of the volcano tore its summit into *fragments*. 火山喷发引起的强烈爆炸将山顶炸成碎片。

**fragrance** [ˈfreigrəns] *n.* 芳香；香水

【记】联想记忆：fragr(看做frag打碎)+ance(表名词) → 香水瓶被打翻，芳香四溢

【例】The rose sends out strong *fragrance*. 玫瑰散发出浓郁的香味。

**frame** [freim] *n.* 框架；*vt.* 给…镶框

【例】The tall buildings have been made possible by the development of light steel *frames* and safe passenger lifts. 高层建筑轻钢框架和安全客梯的改良使得高层建筑的建造成为可能。

**\*frank** [fræŋk] *a.* 坦白的，直率的

【例】Will you be *frank* with me about this matter? 在这件事上你能不能真正地跟我说实话？

**\*fraud** [frɔːd] *n.* 诈骗；骗子

【记】发音记忆："富饶的" → 骗子愿意去富饶的地区骗人

【例】The votes are invalidated because of voter *fraud*. 由于选民的欺骗行为，这些选票都作废了。

**freefone** [ˈfriːfəun] *n.* 免费电话

【例】The special call services of this telephone company include alarm calls, credit card calls, fixed time calls and *freefone* calls. 这家电话公司的特殊电话业务包括紧急号码呼叫、信用卡付费呼叫、定时呼叫和免费电话呼叫。

**freight** [freit] *n.* 货物

【例】Heavy *freight* could only be carried by water or rail. 大型货物只能通过水路或铁路来运输。

**\*frequent** [ˈfriːkwənt] *a.* 常见的，常用的

【记】联想记忆：fre(看做free自由的)+quent(…的) → 因为是自由

的，不受控制 → 常见的

【例】*Frequent* failures did not affect his morale. 屡次的失败都没能让他泄气。

【派】frequently(*ad.* 常常，频繁地)

**friction** [ˈfrikʃən] *n.* 摩擦(力)；矛盾

【记】联想记忆：润滑油的功能(function)是减小摩擦力(friction)

【例】Studies of primitive societies suggest that the earliest method of making fire was through *friction*. 有关史前社会的研究表明，摩擦取火是最早的取火方式。

***frightened** [ˈfraitənd] *a.* 受惊的；受恐吓的

【例】The *frightened* child spoke in a halting voice. 受了惊的孩子们说话结结巴巴的。

***frock** [frɔk] *n.* 上衣；连衣裙

【例】WSPU members wear their official uniforms of a white *frock* decorated with purple, yellow and green accessories. 妇女社会政治联邦的成员穿着白色的制服裙，上面有紫、黄、绿三色配饰。

***front-line** [frʌnt ˈlain] *a.* 前线的；第一线的

【例】Decision-making has been forced down in many cases to *front-line* employees. 很多方面的决策权被迫下放到第一线的雇员手中。

***frown** [fraun] *v.* 皱眉；反对

【记】f（音似：翻）+row（看做brow眉毛，额头）+n → 翻眉毛 → 皱眉

【例】Colleges always *frown* on late nights out. 大学向来不赞成深夜外出。

frown

**fruitful** [ˈfruːtful] *a.* 多产的，富有成效的

【记】来自fruit(果实)+ful → 硕果累累的 → 多产的

【例】The researchers' hard working has led to some *fruitful* discoveries. 研究人员经过努力工作，终于取得了卓有成效的发现。

**frustrate** [frʌˈstreit] *vt.* 使沮丧；挫败

【例】This is the place where we *frustrated* the enemy. 这就是我们挫败敌人的地方。

**fuel** [fjuəl] *n.* 燃料；*vt.* 给…加燃料

【例】Such *fuels* produce far less carbon dioxide than coal or oil. 这种燃料所产生的二氧化碳要比煤和石油产生的少得多。

***fulfill** [fulˈfil] *vt.* 实现，完成；满足

【记】联想记忆: ful(看做full充满的)+fill(装满)→做得圆满→实现

【例】If a prediction based on a hypothesis is *fulfilled*, then the hypothesis is confirmed. 如果基于某一假设的预测被证实了, 那么这一假设就是成立的。

*fume [fjuːm] v. 发火; 冒烟; n. 烟, 气

【例】Moscow has joined the list of capitals afflicted by congestion and traffic *fumes*. 莫斯科成为受交通堵塞和尾气排放之苦的首都之一。

function [ˈfʌŋkʃən] n. 功能; 作用

【例】The dams store water for a variety of *functions*. 大坝贮存的水用途广泛。

fund [fʌnd] n. 资金; vt. 为…提供资金

【例】They provide *funds* for zoos in underdeveloped countries. 他们为不发达国家的动物园提供资金。

fundamental [ˌfʌndəˈmentəl] n.[pl.] 基本原理; a. 基础的, 基本的

【记】来自fundament(n. 基础), fund(基础)+ament→基础的

【例】The *fundamental* conditions and resources for health are peace, education, food, a viable income, and a stable eco-system. 和平、教育、食物、足以维持生计的收入、稳定的生态系统是健康的基本条件和源泉。

furious [ˈfjuəriəs] a. 狂怒的; 激烈的

【例】The *furious* workers agitated for a strike. 愤怒的工人们鼓动罢工。

furnace [ˈfəːnis] n. 炉子

【例】This meeting room is like a *furnace*. 这个会议室热得像个火炉。

*furnish [ˈfəːniʃ] vt. 供应; 布置

【记】联想记忆: fur(皮毛)+nish→供应皮毛

【例】You can get free advice on *furnishing* your home from the interior designer. 你可以从室内设计师那儿免费获得关于家居装潢的建议。

【派】unfurnish(v. 拆除…的家具)

furniture [ˈfəːnitʃə] n. 家具

fuse [fjuːz] n. 保险丝; v. 熔合; 熔化

【例】We must insert a new *fuse* every time a fuse has malfunctioned. 保险丝烧断后我们必须换一根新的。

**\*fusion** ['fjuːʒən] *n.* 熔化；核聚变；熔合

【记】词根记忆：fus(流)+ion → 流到一起 → 熔合

【例】Singapore culture is a successful *fusion* of Eastern and Western features. 新加坡文化成功融合了东西方文化的特点。

**galaxy** ['gæləksi] *n.* [the G-] 银河；星系

【例】Scientists intend to discover a sun-like fixed star in remote *galaxies*. 科学家们想在遥远的星系中找到一颗类似太阳的恒星。

**gallery** ['gæləri] *n.* 美术馆

【例】We'll go to the Picture *Gallery* with a marvellous collection of paintings all by Australian artists. 我们将前往美术馆，那里收藏了一些优秀的画作，它们全部出自澳洲画家之手。

**gamble** ['gæmbl] *v.* 赌博；投机；冒险

【记】联想记忆：gamb(看做game游戏)+le(小) → 赌博可不只是小小的游戏

gamble

【例】For vacation, I went to Las Vegas to *gamble*. 假期，我去拉斯维加斯赌博。//Bob might show up on time, but I wouldn't *gamble* on it. 鲍勃也许会准时露面，但我不想冒这个险。

**gang** [gæŋ] *n.* 一帮；*vi.* 结成一伙

【例】A *gang* of young men attacked the police station with machine guns. 一群手持枪械的年轻人袭击了警察局。

**\*gather** ['gæðə] *v.* 聚集；收集；推测

【例】In the beginning of a new semester, all the new students will *gather* in the playground to meet the Principal and the rest of the faculty. 新学期伊始，所有的新生在操场上集合与校长和其他老师见面。

**gauge** [geidʒ] *n.* 测量仪表；规格；*vt.* 测量

【记】发音记忆："规矩" → 规格

【例】These new monitors can *gauge* the exhaust from a passing vehicle. 这些新的监视器可以测量驶过车辆的尾气排放量。

**gear** [giə] *n.* 齿轮；*vt.* 使适应，调整

【记】联想记忆：g+ear(耳朵) → 长满耳朵的圈 → 齿轮

【例】Single-speed cycles are bikes with no *gears*. 单速自行车就是没有变速齿轮的自行车。

# Word List 17

词根词缀预习表

| | | | |
|---|---|---|---|
| **geo-** | 地 geology（n. 地质学） | **gen** | 出生 gender（n. 性，性别） |
| **gener** | 产生 generate（vt. 发生） | **glaci** | 冰 glacial（a. 冰川的） |
| **gloss** | 语言 glossary（n. 词汇表） | **graph** | 写 graphic（a. 图解的） |
| **habit** | 居住 habitat（n. 栖息地） | **-etic** | （形容词后缀）…的 genetic（a. 遗传的） |
| **-y**（形容词后缀）…的 grassy（a. 草绿色的） | | | |

**gelatin** ['dʒelə,tin] n. 胶质；白明胶

【例】*Gelatin* dry plates are used in the film-making industry. 白明胶干燥后制成的底版被用于电影制造业。

**\*gender** ['dʒendə] n. 性，性别

【记】联想记忆：女性大体上属于温柔的（tender）性别（gender）

【例】The *gender* gap is being attenuated in modern society. 在现代社会里，性别差距正在弱化。

**generalize** ['dʒenərəlaiz] v. 概括；推广

【记】来自general（概括的）+ize → 概括

【例】It's impossible to *generalize* about children's books, as they are all different. 儿童读物差别很大，很难概括。

**generate** ['dʒenəreit] vt. 发生，引起

【记】词根记忆：gener（产生）+ate（做）→ 引起

【例】Compared with ordinary coal, "new clean coals" may *generate* power more efficiently. 和普通煤相比，新型的"高纯度"煤可以提高发电效率。

【派】generation（n. 产生；一代）

**generic** [dʒi'nerik] a. 种类的，类属的

【记】来自gener（种属）+ic → 种类的，类属的；注意不要和genetic

(*a.* 遗传的；起源的)相混

【例】The *generic* term for that plant is difficult to remember. 那种植物的种类名称很难记。

**generous** [ˈdʒenərəs] *a.* 慷慨的；大量的

【记】词根记忆：gener(产生)+ous(…的) → 产生很多的 → 慷慨的

【例】People in disaster-affected areas received *generous* aid from the government. 受灾地区的群众从政府那里得到了大量的救济物资。

**\*genetic** [dʒiˈnetik] *a.* 遗传的；*n.* [-s] 遗传学

【记】来自gene(基因)+tic → 基因的 → 遗传的

【例】*Genetic* inheritance determines a baby's characteristics. 遗传基因决定了婴儿的特征。

【派】genetical(*a.* 遗传的；起源的)

**\*genuine** [ˈdʒenjuin] *a.* 真正的；真实的

【记】词根记忆：genu(出生，产生)+ine → 产生的来源清楚 → 真正的

【例】Sixteen American states now use biometric fingerprint verification systems to check that people claiming welfare payments are *genuine.* 现在美国的16个州利用生物遗传指纹识别系统来确保人们领取福利金的要求是真实无误的。

**geology** [dʒiˈɔlədʒi] *n.* 地质学；地质概况

【记】词根记忆：geo(地)+logy(学科) → 地质学

【例】The *geology* varies a good deal from region to region even in one country. 即使是在同一个国家，不同地区的地况也极为不同。

**geometry** [dʒiˈɔmətri] *n.* 几何；几何学

【例】Reading novels during *geometry* class is a misuse of your time. 在几何课上看小说是浪费你自己的时间。

**germ** [dʒəːm] *n.* 微生物；细菌；幼芽

【记】本身是词根：种子，引申为微生物，细菌

【例】The patient had not the strength to throw off the *germs* that had invaded his immune system. 病人无力摆脱已经侵入他免疫系统的病菌。

**\*gesture** [ˈdʒestʃə] *n.* 姿势；手势；姿态；*v.* 做手势

【例】Sometimes you may simply bow, or make no *gesture* at all, when you're introduced to a stranger. 在介绍你和陌生人认识时，有时你可以简单地鞠躬，也可以不做任何表示。

**\*get off track** 离题，偏离目标

【例】It's all too easy for discussion in a meeting to *get off track*. 会议上的讨论很容易让人离题。

**gigantic** [dʒaiˈgæntik] *a.* 巨大的，庞大的

【记】联想记忆：gigant(看做giant巨人)+ic(…的) → 巨大的

【例】A *gigantic* explosion tore buildings around the bomb to fragments. 巨大的爆炸将炸弹周围的建筑物炸得粉碎。

**\*given** [ˈɡivən] *a.* 规定的，特定的；假设的

【例】It is often important that you make it clear what your particular role is at a *given* time. 明确自己在特定时间内的特定角色通常是很重要的。

**\*glacial** [ˈgleisjəl] *a.* 冰川的；寒冷的

【记】词根记忆：glaci(冰)+al → 冰的，冰状的

【例】These giant stones are part of an ancient *glacial* deposit. 这些巨石是古冰川沉积物的一部分。

**glamor** [ˈglæmə] *n.* 魅力；诱惑力

【记】联想记忆：g+lamor(看做labor劳动) → 劳动人民最有魅力 → 魅力

【例】Traveling abroad can offer you an opportunity to enjoy the *glamor* of other countries. 出国旅游能为你提供一个领略异国风情的机会。

**gland** [glænd] *n.* 腺

【例】This type of hormone is only produced in the pineal *gland* in the brain. 只有脑部的松果腺才分泌这类荷尔蒙。

**gleam** [gliːm] *vi.* 闪烁；流露；*n.* 闪光

【例】The church steeple *gleamed* in the sunlight. 教堂的尖塔在阳光下闪闪发光。

**glide** [glaid] *n.* 滑行，滑翔

【记】和slide(*n.* 滑动)一起记

【例】The pilot managed to *glide* down to a safe landing. 驾驶员成功地使飞机向下滑行并安全着陆。

**glimpse** [glimps] *n. /v.* 一瞥，一看

【记】联想记忆：glim(灯光)+pse → 像灯光一闪 → 一瞥

【例】We *glimpsed* the profile of the church steeple against the last glow of the sunset. 我们瞥见了在最后一抹晚霞映衬下的教堂尖顶

的轮廓。

**glitter** [ˈglitə] *n. /vi.* 闪光

【记】联想记忆：g+litter（看做little小）→ 一闪一闪小星星 → 闪光

【例】Wealth's *glitter* never washed a foul life clean. 财富的光辉永远洗不净肮脏的生涯。

**\*global** [ˈgləubəl] *a.* 全球的；总的

【记】来自globe（*n.* 地球，世界）

【例】Does the media in your country pay more attention to *global* or national events? 你们国家的媒体更关注全球范围内的事件还是国内事件？

**glorious** [ˈglɔːriəs] *a.* 光荣的；壮丽的；令人愉快的

【记】发音记忆："可劳累死" → 光荣的桂冠来之不易

【例】Our country has a *glorious* past. 我们的祖国有着辉煌的历史。

glorious

**\*glossary** [ˈglɔsəri] *n.* 词汇表，术语表

【记】联想记忆：gloss（看做glass眼镜）+ary（场所）→ 需要带着眼镜看的地方 → 词汇表，术语表

【例】You'll find the meaning of the difficult words used on this website in the *glossary*. 你能在词汇表中查到此网页上难词的意思。

**\*glove** [glʌv] *n.* 手套

【记】联想记忆：g+love（喜欢）→ MM如果喜欢GG就给他织手套

【例】It is not necessary to wear *gloves* or a beekeeper's veil because the hives are not being opened and the bees should remain relatively quiet. 因为蜂箱尚未打开，蜜蜂应该还保持着相对的安静，所以没有必要戴手套或戴上养蜂人戴的面罩。

ski gloves 滑雪手套

mitten 连指手套

winter gloves 防寒手套

a baseball gloves 棒球手套

**glue** [gluː] *n.* 胶水

【例】I've prepared this so that I don't get *glue* everywhere. 我已经有

所准备，这样就不会把胶水弄得到处都是。

**\*goal** [ɡəul] *n.* 目标

【例】Once you have achieved the first *goals*, you will move up to a higher level of study. 一旦你达到了最初的目标，就可以进行更深层次的研究了。

**\*goggle** ['ɡɔɡl] *v.* 睁眼看；*n.* 护目镜

【例】Racecar drivers all wear *goggles* when they are in a race. 赛车选手比赛时都佩戴护目镜。

**\*goodwill** [ɡud'wil] *n.* 友好，善意

【记】组合词：good(好的)+will(意愿) → 善意

【例】The manufacturer will lose customers and *goodwill* if word gets around that the product is unreliable. 一旦产品不可靠的消息传了出去，生产商便会失去顾客及其信任。

**gorgeous** ['ɡɔːdʒəs] *a.* 华丽的；极好的

【记】联想记忆：gorge(峡谷)+ous → 峡谷很美丽 → 华丽的

【例】The garden with azaleas is *gorgeous*. 花园里盛开着绚丽的杜鹃花。

**govern** ['ɡʌvən] *v.* 统治，管理

【例】The discovery that language can be a barrier to communication is quickly made by all who travel, study, *govern* or sell. 旅行者、学习者、管理人员或销售人员很快就会发现语言可能会成为他们交流的障碍。

【派】government(*n.* 政府)

**grab** [ɡræb] *v.* 抓，夺

【记】联想记忆：螃蟹（crab）用钳子抓（grab）人

【例】Promotions in the store stand out and *grab* our attention. 商店最好的位置突显出来，吸引了我们的视线。

**\*graduate** ['ɡrædjueit] *n.* (尤指大学)毕业生；研究生
['ɡrædjueit] *v.* (使)毕业

【例】Nowadays, there are not many job opportunities which *graduates* can look forward to. 现在，本科毕业生所能期望的就业机会并不多。

**\*grand** [ɡrænd] *a.* 宏伟的；全部的

【例】Some 60 biometric companies around the world pulled in at least $22 million last year and that *grand* total is expected to mushroom to at least $50 million by 1999. 去年，全球大约60家生物公司收入至少是2200万美元，到1999年总收入预计最少会猛增到5000万美元。

**\*granite** ['grænit] *n.* 花岗岩，大理石
【记】词根记忆：gran(=grain颗粒)+ite → 颗粒状石头 → 花岗岩
【例】This provided 7,000 cubic metres of *granite* to add to the island's foundations. 这为小岛地基的建设提供了7000立方米的大理石。

**\*grant** [grɑːnt] *n.* 助学金，津贴；授权；*vt.* 授予
【记】联想记忆：授予(grant)显赫的(grand)贵族爵位
【例】The loan is intended to supplement the *grant* for living costs. 这一贷款是打算用来补贴生活费的。

**graphic** ['græfik] *a.* 图解的；生动的
【记】词根记忆：graph(书写)+ic(…的) → 文字的 → 生动的
【例】The *graphic* record shows three waves arriving. 图表记录显示有三股浪潮正在靠近。

**graphology** [græ'fɔlədʒi] *n.* 笔迹学，笔相学
【记】词根记忆：graph(写，图)+ology(学科) → 笔迹学
【例】*Graphology* is not a good predictor of future job performance. 笔相学并不是预测未来工作表现的好方法。

**grasp** [grɑːsp] *vt.* 抓紧；掌握；*n.* 抓
【记】联想记忆：他见到她宛如抓住(grasp)一根救命稻草(grass)
【例】Mary finally *grasped* the material after reading the textbook very carefully. 在非常仔细地阅读了课本后，玛丽最终领会了材料的意思。//Success is within our *grasp*. 成功尽在我们掌握之中。

**\*grassy** ['grɑːsi] *a.* 草绿色的；似草的
【例】To the east of us, you'll see no building at all—just trees and flowers and a huge *grassy* area. 在我们东面，你根本看不到建筑物，惟有树木、花卉和大片的绿地。

**grateful** ['greitful] *a.* 感激的，感谢的
【例】I'd be *grateful* if you could tell me a little about your time since you've been here in Cambridge. 如果你能够说说来剑桥以后的一些情况，我将不胜感激。

**gravity** ['grævəti] *n.* 重力

【例】This increased the arrow's stability by moving the centre of *gravity* to a position below the rocket. 通过将重心移到火箭下方来增加整支箭的稳定性。

\*greasy ['gri:zi] *a.* 多脂的；油滑的

【记】来自greas(e)（油脂）+y → 多脂的

【例】Fish contains a lot of protein, and is not *greasy.* 鱼肉富含蛋白质且脂肪含量低。

\*greatly ['greitli] *ad.* 非常；极

【例】The process of growing bananas was *greatly* reduced with modern growing methods. 现代种植技术大大缩短了香蕉的生长过程。

\*grid [grid] *n.* 格子，栅格

【例】New York is laid out on a *grid,* which makes it easier to find your way around. 纽约市的布局十分整齐，因此你不容易迷路。

grieve [gri:v] *v.* (使)伤心

【例】I *grieved* very much for what I have done. 我为自己的行为感到非常痛心。

grim [grim] *a.* 严厉的；可怕的；讨厌的

【记】联想记忆：g+rim(边框) → 给出条条框框来约束 → 严厉的

【例】We gradually found his laugh *grim.* 我们渐渐觉得他的笑声让人讨厌。

grin [grin] *n. /v.* 咧嘴笑

【记】联想记忆：gr(看做girl)+in → 一看到有女孩走进来了，就咧嘴笑

【例】The suicide-bomb attacker made a wolfish *grin* and exploded the car he was driving. 自杀式爆炸的制造者露出狰狞的一笑，随后引爆了自己驾驶的汽车。

grind [graind] *v.* 磨(碎)，碾；折磨

【记】联想记忆：将一块大(grand)石头磨碎(grind)

【例】Tension may cause you to chew too forcefully or *grind* your teeth when you are sleeping. 紧张可能导致你在睡觉时用力咀嚼或是磨牙。

grip [grip] *vt.* 握紧；吸引…注意力；*n.* 紧握

【例】She *gripped* on to the railing with both hands. 她双手紧紧抓住栏杆。

**groan** [grəun] *vi.* 呻吟；受折磨；*n.* 呻吟

【记】和moan(*v.* 抱怨，呻吟)一起记

【例】The roof creaked and *groaned* under the weight of the snow. 屋顶在雪的重压下发出嘎吱嘎吱的声响。

**grope** [grəup] *v.* (暗中)摸索

【记】联想记忆：g+rope(绳子)抓住绳子 → (暗中)摸索

【例】The man *groped* for the light switch in the dark room. 男子在黑洞洞的屋里摸索着寻找电灯开关。

**gross** [grəus] *a.* 总的

【例】Agriculture and its supporting industries account for around 20% of our *Gross* National Product. 农业及其辅助产业占我国国民生产总值的20%。

*\***grove** [grəuv] *n.* 树丛，小树林

【记】联想记忆：g(音似：哥)+rove(看做love爱) → 哥哥在小树林里谈恋爱

【例】At this time, beehives are in particular demand by farmers who have almond *groves*. 这时，拥有杏树林的农民就特别需要蜂房来帮忙。

*\***guarantee** [ˌgærən'tiː] *n.* 保证，担保物；*vt.* 保证；允诺

【记】联想记忆：guar(看做guard保卫)+antee → 保证

【例】The box is made of stainless steel which is *guaranteed* for 20 years. 这个盒子是不锈钢的，品质保证为20年。

*\***guidance** ['gaidəns] *n.* 指引，指导

【记】联想记忆：guid(看做guide指引，指导)+ance(表动作) → 指引，指导

【例】We will solicit *guidance* and aid from legal experts. 我们将向法律专家寻求指导和帮助。

*\***guideline** ['gaidlain] *n.* [常*pl.*] 指导方针

【记】组合词：guide(指导)+line(线路) → 指导方针

【例】These standards are based on *guidelines* set out by the major control boards. 这些标准是基于主管委员会拟定的指导方针制定的。

*\***guilty** ['gilti] *a.* 内疚的；有罪的

【例】The information can lead to the conviction of any person *guilty* of placing metal pieces in its products. 这些信息可以将那些把金属片

非法放入他们产品中的人绳之以法。

**guinea** ['gini] *n.* 基尼(英国的旧金币,值一镑一先令)

【记】发音记忆

【例】A *guinea* equals 5 dollars. 一基尼相当于五美元。

**\*gullibly** ['gʌləbli] *ad.* 轻信地,易受欺骗地

【记】来自guillibl(e)(易受骗的)+y → 轻信地

【例】The tourist finds pleasure in landscapes and *gullibly* enjoys pseudo-events. 游客从欣赏风景中得到快乐,并且可以轻易享受模拟事件带来的乐趣。

**\*habitat** ['hæbitæt] *n.* 栖息地,住处

【记】词根记忆: habit(住)+at → 住的地方 → 住处

【例】They have focused their research on *habitats* they believe have escaped human influence. 他们已将研究目标集中在被他们认为不受人类影响的物种栖息地上。

**\*hall** [hɔːl] *n.* 门厅;礼堂

【例】There is a pay phone in the entrance *hall*. 门廊里有一个投币式公用电话。

**hallow** ['hæləu] *vt.* 把…视为神圣;尊敬

【记】联想记忆: hall(大厅)+ow → 尊敬地放在大厅里 → 把…视为神圣

【例】In ancient Greece, sports games were held on *hallowed* ground near Mount Olympus every four years. 古希腊人每四年就要在奥林匹克山附近的圣地举行运动会。

**\*halt** [hɔːlt] *n.* 停住;*v.* 暂停;踌躇

【记】联想记忆: h+alt(高) → 高处不胜寒,该停住了

【例】Iraq *halted* most oil exports. 伊拉克暂停了大部分的石油出口。

**\*halve** [hɑːv] *v.* 二等分,减半

【例】A development of 194 houses would take up 14 hectares of land above ground and occupy 2.7 hectares below it, while the number of roads would be *halved*. 建造194栋房子要占用14公顷的地上面积和2.7公顷的地下面积,而道路的数量则会减半。

halve

**\*hamster** ['hæmstə] *n.* 仓鼠

【例】In the laboratory, *hamsters* put on more weight when the nights get shorter. 在试验室里，随着晚上时间的变短，仓鼠会长更多的肉。

**handicapped** ['hændikæpt] *a.* 残废的；*n.* 残疾人

【记】来自handicap(*vt.* 妨碍；使不利)

【例】*Handicapped* toilets are located on this floor, and the door shows a wheelchair. 残疾人厕所就在本楼层，门上有一个轮椅的标志。

**handle** ['hændl] *v.* 处理；操作；*n.* 手柄

【记】来自hand(手)+le → 方便手操作的东西 → 手柄

【例】Friction management means *handling* conflicts in a positive and constructive manner. 摩擦管理是指以积极的、建设性的态度来处理各种冲突。

【派】mishandle(*v.* 错误地处理)

**handout** ['hændaut] *n.* 传单，分发的印刷品；救济品

【记】来自词组hand out分发，施舍

【例】You should each have a *handout* with the names and addresses. 你们每个人手头都应该有一张写有名字和地址的单子。

# Word List 18

## 词根词缀预习表

| | | | |
|---|---|---|---|
| **homo-** | 相同 homogeneous（*a.* 同种类的） | **hap-** | 运气 haphazard（*a.* 偶然的） |
| **hect-** | 百 hectare（*n.* 公顷） | **hemi-** | 半 hemisphere（*n.* 半球） |
| **herit-** | 遗传 heritage（*n.* 遗产） | **hes-** | 粘附 hesitate（*vi.* 犹豫） |
| **hum-** | 地 humble（*a.* 卑微的） | **hypo-** | 下面 hypothesis（*n.* 假设） |
| **idea** | 思想 ideal（*a.* 理想的） | **vor-** | 吃 herbivore（*n.* 食草动物） |
| **-ian** | （名词后缀）…人 historian（*n.* 历史学家） | | |

*handy [ˈhændi] *a.* 方便的；手边的；手巧的
【例】To do this work needs *handy* men. 做这项工作需要些手巧的人。//Scissors are a *handy* tool to have in the kitchen. 剪刀是厨房里的一种便利工具。

*hang on 抓住(紧)；坚持下去；别挂断
【例】"*Hang on*. I'll just get a pen." Tom said. "别挂断，我去拿一支笔过来。"汤姆说道。

*haphazard [hæpˈhæzəd] *a.* 偶然的；无秩序的
【记】联想记忆：hap(机会，运气)+hazard(冒险) → 运气+冒险 → 偶然的
【例】There are books piled on shelves in a *haphazard* fashion. 书架上无序地堆放着一些书。

harbour [ˈhɑːbə] *n.* 港口；*v.* 停泊；隐匿
【记】发音记忆："哈脖" → 哈着脖子，躲在港口
【例】A port must be distinguished from a *harbour*. 港口的概念和港湾的概念必须区分开来。// *Harbouring* criminals is an offense in law. 窝藏罪犯是犯法的。

*harridan [ˈhæridən] *n.* 凶恶的老妇；老巫婆

h

【记】原意为"骑坏的老马", hard+ridden → harridan

【例】Those people depicted a suffragette as a fierce *harridan* bullying her poor, abused husband. 那些人把参政妇女刻画成虐待自己可怜丈夫的恶妇。

**harsh** [hɑːʃ] *a.* 严厉的；刺耳的

harsh

【记】联想记忆：har(看做hard坚硬的)+sh → 态度强硬 → 严厉的

【例】The report has *harsh* words for the countries that sold these weapons. 这篇报道严厉谴责了出售这些武器的国家。

**\*hassle** ['hæsəl] *n.* 激烈的辩论；困难，麻烦

【记】可能是haste(急忙)+tussle(争论；扭打)的缩合词

【例】Bob didn't want the *hassle* of commuting to work, so he took a job close to his home. 鲍勃不想每天很麻烦地乘车往返上班，于是在靠近家的地方找了份工作。

**hasty** ['heisti] *a.* 草率的；匆忙的

【记】联想记忆：hast(看做fast快的)+y(…的) → 快速完成的 → 匆忙的

【例】It is unwise to make a *hasty* conclusion. 草率地得出结论是很不明智的。

**hatch** [hætʃ] *vt.* 孵出；策划；*vi.* 孵化

【记】联想记忆：赢得比赛(match)要有准备和策划(hatch)

【例】Almost all the eggs in the farm will *hatch* into chicks. 农场里几乎所有的鸡蛋都将孵化成小鸡。

**haul** [hɔːl] *v.* 用力拖；搬运

【记】联想记忆：hal(呼吸)中间加u → 累得喘气 → 用力拖

【例】Every spring a beekeeper may move up to flowering fields and *haul* the hives back to where he starts out in winter. 每年春天，养蜂人都会迁往花地，冬天再将蜂箱搬运回来。

**hawk** [hɔːk] *n.* 鹰，隼

【记】发音记忆："好客" → 好客的主人硬是要送给客人一只鹰 → 鹰

【例】The *hawk* swooped on its prey. 老鹰向猎物俯冲过去。

**hazard** ['hæzəd] *n.* 危险；公害；*v.* 冒…风险

【记】发音记忆："骇人的" → 危险

【例】Traffic pollution is a major health *hazard*. 交通污染是主要的健

康公害。

【派】hazardous(a. 危险的，冒险的)

**headline** [ˈhedlain] n. 大字标题；[常pl.]头版头条新闻

【记】联想记忆：head(头部)+line(行列) → 写在文章第一行的内容 → 大字标题

【例】What sort of national events make *headlines* in your country? 在贵国，什么类型的国内事件会成为头条新闻呢？

**\*headmaster** [hedˈmɑːstə] n. (中小学)校长

【例】The new *headmaster* boosted their school with rallies and fund drives. 新校长通过集会和募捐来宣传他们的学校。

**\*headquarters** [ˌhedˈkwɔːtəz] n. 总部，总店；指挥部

【记】组合词：head(头)+quarters(部分) → 总部，总店

【例】The daily paper is compiled at the editorial *headquarters*. 日报由编辑部总部编纂。

**heal** [hiːl] v. 治愈，康复；调停

【例】The wound took months to *heal*. 这个伤口几个月才好。

**\*heap** [hiːp] n. (一)堆；大量；v. (使)成堆

【记】联想记忆：通过大量(heap)量变一跃(leap)发生质变

【例】The *heap* of boulders does not fill the space perfectly. 成堆的大块鹅卵石不能恰如其分地填充这个空间。

**\*hectare** [ˈhektɑː] n. 公顷

【记】词根记忆：hect(=hecto一百)+are(公亩) → 一百公亩 → 公顷

【例】The farms there are quite large, typically around 800 *hectares*. 那里的农场都很大，最具代表性的在800公顷左右。

**\*height** [hait] n. 海拔，身高

【例】Many characteristics, such as *height* and intelligence, result from subtle interactions between genes and the environment. 许多特征，如身高和智力，都是基因和环境间相互微妙作用的结果。

**heir** [eə] n. 继承人

【记】发音记忆："儿啊" → 儿子当然是继承人了

【例】The man murdered the legal *heir* and disguised himself his victim. 该男子谋杀了合法继承人并冒名顶替。

**\*helicopter** [ˈhelikɔptə] n. 直升飞机

【记】词根记忆：helico(螺旋)+pter → 带螺旋翼的飞机 → 直升飞机

【例】Here used to be a big factory manufacturing *helicopter* engines. 这里曾经有家生产直升飞机引擎的大工厂。

*helix [ˈhiːliks] *n.* 螺旋(形)，螺旋结构

【记】联想记忆：heli(看做helic螺旋的)+x → 螺旋(形)

【例】The DNA molecule is a double *helix*, resembling a ladder that's been twisted along its height. DNA分子是双螺旋结构，就像是顺其长度螺旋扭转的梯子。

hemisphere [ˈhemiˌsfiə] *n.* (地球的)半球；大脑半球

【记】词根记忆：hemi(半)+sphere(球) → 半球

【例】The left *hemisphere* of the brain controls the right half of the body. 左脑控制身体的右半部分。

*herbivore [ˈhəːbivɔː] *n.* 食草动物

【记】词根记忆：herb(草)+i+vore(吃) → 草食动物

【例】Ground-dwelling *herbivores* may return within a decade to this area. 地栖食草动物可能会在十年内返回这一地区。

*herdsman [ˈhəːdzmən] *n.* 牧人

【记】组合词：herds(畜群)+man(人) → 牧人

【例】The *herdsman* talked to the cattle as if they were children. 牧人对着牛说话，好像它们是自己的孩子一样。

heritage [ˈheritidʒ] *n.* 遗产；传统

【记】词根记忆：herit(遗传)+age(物) → 遗传下来的东西 → 遗产

【例】The highland games are part of Scotland's cultural *heritage*. 高地竞技是苏格兰文化遗产的一部分。

hesitate [ˈheziteit] *vi.* 犹豫；不情愿

【记】词根记忆：hes(粘附)+it+ate(做) → 脚像粘住了一样 → 犹豫

【例】Mary *hesitated* before she answered this question because she didn't know what to say. 玛丽在回答这个问题之前犹豫了一下，因为她不知道要说什么。

【派】hesitation(*n.* 犹豫)

hide [haid] *n.* 皮革，兽皮；*v.* (躲)藏

【例】It is improbable that there is a planet *hidden* behind the sun. 在太阳的背后不可能藏着一颗行星。

hierarchy [ˈhaiərɑːki] *n.* 领导层；层次，等级

【记】词根记忆：hier(神圣)+archy(统治) → 统治 → 领导层

【例】It is likely that all uniforms make symbolic sense, namely, denoting a *hierarchy*. 或许所有的制服都具有象征意义，即体现了穿衣人的等级。

**highland** [ˈhailənd] *n.* 高原地区；丘陵地带
【记】组合词：high(高处)+land(陆地)→高原地区
【例】Angela planned to take leave to see the southern *highlands*. 安吉拉计划休假去参观南部的高原。

**highlight** [ˈhailait] *vt.* 强调，突出
【记】组合词：high(高的)+light(发光)→高高在上还发光→强调，突出
【例】You'd better underline or *highlight* new words in this paragraph. 你最好将这个段落的新词划上底线或突出一下。

**\*high-tech** [ˈhaitek] *n.* 高科技
【记】组合词：high(高的)+tech(科技)→高科技
【例】The architectural style usually referred to as *high-tech* was emerging. 常被称为高科技的建筑风格涌现了出来。

**highway** [ˈhaiwei] *n.* 公路
【例】Los Angeles suffers from chronic *highway* blockages, despite efforts to encourage people to use public transport. 尽管(政府)竭力鼓励人们使用公共交通工具，但长期以来洛杉矶仍饱受公路交通拥堵的困扰。

**hike** [haik] *v.* 徒步旅行；*vt.* 提高(价格等)；*n.* 猛增
【记】联想记忆：穿着Nike鞋徒步旅行(hike)
【例】My classmates want to *hike* across the country in summer. 我的同学们想在夏天徒步去农村旅行。

**\*hinge** [hindʒ] *n.* 合页；铰链；*v.* 依…而定
【记】发音记忆："很紧"→铰链很紧，转不动
【例】The two metal tubes joined at a *hinge* at one end. 这两根铁管的末端连接在一个铰链上。

**\*hinterland** [ˈhintəlænd] *n.* 内地，腹地；内地贸易区
【记】组合词：hinter(=hinder后面的)+land(土地)→内地，腹地
【例】A port is a centre of land-sea exchange which requires good access to a *hinterland*. 港口是海陆交易的中心，它需要与内陆有着便利的通道。

**hire** [ˈhaiə] *v. /n.* 租用，雇用

【例】She was *hired* three years ago. 她是三年前录用的。

historian [hi'stɔːriən] *n.* 历史学家；史学工作者

【例】Most *historians* of technology credit the Chinese with the discovery of gun powder. 大多数技术历史学家认为是中国人发明了黑火药。

hitherto ['hiðə'tuː] *ad.* 到目前为止，迄今

【记】联想记忆：hit(打)+her+to → 迄今为止，他的爱还没有打动她

【例】*Hitherto*, virtually all photographers developed and printed their own pictures. 事实上，到目前为止，所有的摄影师都亲自冲印自己拍摄的照片。

*hive [haiv] *n.* 蜂房，蜂箱

【记】联想记忆：蜜蜂忙忙碌碌地生活(live)，建造蜂房(hive)

【例】For the three-week long bloom, beekeepers can hire out their *hives* for $32 each. 在长达三周的花期里，养蜂人可以将他们的蜂箱以每个32美元的价格租出去。

hockey ['hɔki] *n.* 曲棍球；冰球

【记】联想记忆：一只猴子(monkey)在玩曲棍球(hockey)

【例】Both skating and ice *hockey* were included in the Antwerp Olympic Games in 1920. 在1920年安特卫普举办的奥运会上有滑冰和冰球这两个项目。

hollow ['hɔləu] *a.* 空的，空洞的；*vt.* 挖空

【例】Dung beetles' homes are *hollowed* out from within. 蜣螂的家是从里面往外挖空的。

homogeneous [həu'mədʒiːniəs] *a.* 同种类的

【记】词根记忆：homo(同类的)+gene(基因)+ous → 同种类的

【例】Uniforms can project the image of a company and unite the workforce into a *homogeneous* unit. 工作服可以展示一个公司的形象，并使公司内的员工凝聚为一个整体。

honour ['ɔnə] *n.* 光荣；尊敬；*vt.* 向…示敬意；兑现

【例】The planet was for a time called Herschel in *honour* of its discoverer. 为了纪念这颗行星的发现者，后来它一度被称为赫歇尔星。

*horizon [hə'raizən] *n.* 地平线；范围；眼界

【记】联想记忆：ho+riz(音似：rise升起)+on → 太阳从地平线上升起

【例】It is in technology and commerce that glass has widened its *horizons*. 玻璃在科技和商业领域扩大了自己的应用范围。

【派】horizontal(*a.* 水平的); horizontally(*ad.* 水平地)

**horror** [ˈhɔrə] *n.* 害怕，恐怖

【例】He was filled with *horror* at the sight of the dog. 他看见狗就害怕。

**\*hose** [həuz] *n.* 软管; *v.* 用软管淋浇

【记】联想记忆：用像大象鼻子(nose)一样的软管子(hose)浇玫瑰花(rose)

【例】The water entered through a *hose* to the machine. 水经过软管流入机器。

**hospitality** [ˌhɔspiˈtæləti] *n.* 好客；盛情；招待礼节

【记】词根记忆：hospi(=host主人，客人)+tal+ity → 主人对客人的友好款待 → 好客；盛情

【例】The *hospitality* of the host greatly impressed every guest. 主人的殷勤好客给每一位客人留下了深刻印象。

**\*host** [həust] *n.* 主人，东道主；许多; *v.* 招待

【例】We will be *hosting* more than 250 participants for the lectures and workshops. 我们将接待250多位参加讲座和讨论会的人员。

**\*hostel** [ˈhɔstəl] *n.* 招待所；客栈

【记】联想记忆：host(主人)+el → 我们都希望客栈给人宾至如归的感觉

【例】Claudia doesn't like youth *hostels* because there's no privacy. 克劳迪亚不喜欢住青年旅馆，因为那里没有隐私。

**\*hostile** [ˈhɔstail] *a.* 敌方的，不友善的

【记】联想记忆：host(主人)+ile → 鸿门宴的主人 → 不友善的

【例】The luxuriant forests of Amazonia seem ageless, unconquerable, a habitat totally *hostile* to human civilization. 茂密的亚马逊丛林似乎是永恒且无法征服的，是一个与人类文明完全相反的地方。

**\*hostility** [hɔˈstiləti] *n.* 敌意

【例】The *hostility* of the indigenous population to North American influences is still very strong. 当地人对来自北美的影响仍怀有很深的敌意。

**household** [ˈhaushəuld] *n.* 家庭; *a.* 家用的

【记】组合词：house(房屋)+hold(拥有) → 家庭

【例】I've been investigating four new *household* gadgets and sorting out their advantages and disadvantages. 我已就四种家居产品做了调查，分清了其优缺点。

**huddle** [ˈhʌdl] *vi.* 聚集在一起；*n.* 杂乱的一堆；拥挤

【记】联想记忆：聚集在一起(huddle)处理(handle)问题

【例】There is a *huddle* of people around the injured man. 一群人聚在伤者周围。

**hug** [hʌg] *n. /v.* (热烈的/地)拥抱

【例】She gave her mother an affectionate *hug* after winning the prize. 获奖后，她紧紧地拥抱了母亲。

**hum** [hʌm] *vi.* 哼曲子；发嗡嗡声；*n.* 嗡嗡声，吵杂声

【记】发音记忆："哼"

【例】The *hum* of conversation died away as the curtain rose. 幕布升起时，嗡嗡的谈话声渐渐消失。

**humanity** [hjuːˈmænəti] *n.* [总称] 人类；人性

【例】The control of fire was the first and perhaps greatest of *humanity's* steps towards a life-enhancing technology. 人类在迈向提高生活质量的科技途中，对火的支配是迈出的第一步，可能也是最重要的一步。

**\*humble** [ˈhʌmbl] *a.* 谦逊的；卑微的；简陋的

【记】词根记忆：hum(地)+ble → 接近地的 → 卑微的，谦逊的

【例】They do not wish to return to the *humble* post-war era. 他们不希望回到那个可怜的战后年代去。

**humidity** [hjuːˈmiditi] *n.* 湿度；潮湿

【记】humid(*a.* 潮湿的)的名词形式

【例】The wooden frame warped in the *humidity*. 木框因受潮而弯曲了。

**humour** [ˈhjuːmə] *n.* 幽默，幽默感

【记】发音记忆

【例】I think our professor must have a sense of *humour*. 我认为我们的教授得有幽默感。

**\*hurdle** [ˈhəːdl] *v.* 越过障碍；*n.* 障碍；跳栏

【例】It's still so hard for women to even get on to shortlists—there are so many *hurdles* and barriers. 对于女性来说，想要进入最后的候选人名单仍然很难，可谓是障碍重重。

**hurricane** [ˈhʌrikən] *n.* 飓风

【记】联想记忆：hurri(看做hurry匆忙)+cane → 来得很匆忙的风 → 飓风

【例】The *hurricane* flung their boat upon the rocks. 飓风将他们的船摔到了岩石上。

**\*hybrid** [ˈhaibrid] *n.* 混合物；*a.* 杂种的；混合的

【例】They suggest small low-emission cars for urban use and larger *hybrid* or lean-burn cars for use elsewhere. 他们建议在城市中使用低排量的汽车，而将那些烧混合燃料和劣质燃料的高排量车应用在其他地方。

**hypothesis** [haiˈpɔθisis] *n.* 假设，假说

【记】联想记忆：hypo(在…下面)+thesis(论点) → 非真正论点 → 假设，假说

【例】You have to discard or modify your *hypothesis* if shown not to be correct. 如果预言被证实不正确，你就必须放弃或修改你的假设。

**\*ID card** 身份证；标识符(=identity card)

【例】Students must have their student *ID cards* with them if they want to attend the conference. 学生必须携带学生证才能参加本次大会。

**ideal** [aiˈdiəl] *a.* 理想的；想象的；*n.* 理想；理想的东西(或人)

【记】联想记忆：i+deal(看做dear亲爱的) → 我亲爱的人是最理想、最完美的

【例】Although tapes seem *ideal* for individual children, I feel they're best suited for small group work. 虽然录音带对一个孩子来说看似很理想，但我觉得它们还是最适合小组合作。

【派】idealistic(*a.* 唯心论的，空想主义的)；ideally(*ad.* 理想地，完美地)

**\*identical** [aiˈdentikəl] *a.* 完全相同的，同一的

【例】Even among *identical* twins, one in six pairs will differ in their handedness. 即使在双胞胎中，平均六对中也会出现一对使用左右手习惯与其他双胞胎不一样。

**identification** [aiˌdentifiˈkeiʃən] *n.* 身份证明；证明

【记】来自identify(*v.* 鉴别)

【例】Give us the ship's name, its *identification* number and ocean region. 告诉我们这艘船的名字，它的登记号以及所处海域。

*identify [aiˈdentifai] *vt.* 认出，识别

【例】In 1986, American researchers *identified* the genetic defect underlying one type of muscular dystrophy. 1986年，研究人员发现了一种因肌肉营养失调导致的遗传缺陷。

【派】identifiable(*a.* 可辨认的，可确认的)

*identity [aiˈdentiti] *n.* 身份；特性；同一性

【记】联想记忆：i+dent(牙齿)+ity(表性质) → 通过牙齿来确定身份

【例】If people want to enter this building, their *identities* must be authenticated by an electronic scanner. 如果人们想进入这座大楼，需经电子扫描仪进行身份验证。

ignorance [ˈiɡnərəns] *n.* 无知，愚昧

【记】词根记忆：ig(不)+(g)nor(知道)+ance → 什么都不知道 → 无知

【例】Not *ignorance*, but the ignorance of ignorance, is the death of knowledge. 不是无知本身，而是对无知的无知，才是知识的死亡。

# Word List 19

| | | | |
|---|---|---|---|
| in- | 不 independence（n. 独立，自主） | in- | 进入 inject（vt. 注入） |
| cend- | 发光 incendiary（a. 燃烧的） | cid- | 落下 incident（n. 发生的事） |
| flamm- | 火 inflammable（a. 易燃的） | imit- | 相像 imitate（vt. 模仿） |
| lumin- | 光 illuminate（vt. 照亮） | mens- | 测量 immense（a. 巨大的） |
| migr- | 迁移 immigrant（n. 移民） | mun- | 公共 immune（a. 免疫的） |
| ped- | 脚 impede（v. 阻碍） | | |

**ignorant** ['ignərənt] *a.* 无知的

【例】She is very *ignorant* about her own job. 她对自己的工作很不了解。

**\*ignore** [ig'nɔː] *vt.* 不顾，忽视

【记】联想记忆：ig+nore（看做nose鼻子）→ 翘起鼻子不理睬 → 忽视

【例】If you *ignore* these instructions, this medicine could affect your heart rhythm. 如果你没有按说明服药，这种药可能会影响你的心率。

**illuminate** [i'luːmineit] *vt.* 照亮；启发

【记】词根记忆：il（加强）+lumin（光）+ate → 加强光亮 → 照亮

【例】The street was *illuminated* by fireworks. 这条街被焰火照得通明。

**illusion** [i'luːʒən] *n.* 幻觉；错觉

【记】联想记忆：il（不，无）+lus（看做lust光）+ion → 看到根本没有的光 → 幻觉

【例】He will be presenting his show of magic *illusion* and mystery at 9:30. 他将在9点30分表演神秘魔幻节目。

**illustrate** ['iləstreit] *vt.* （用图等）说明

【记】词根记忆：il+lust(光，照亮)+rate → 照亮(脑子) → 说明

【例】The diagram *illustrates* the information provided in paragraphs B-F of the reading. 该图说明了阅读材料中B-F段出现的信息。

**illustration** [ˌiləs'treiʃən] *n.* 说明，插图

【例】There is virtually no empirical evidence to support the use of *illustrations* in teaching reading. 事实上没有任何实证的经验能够支持在教阅读的时候使用插图。

**image** ['imidʒ] *n.* 形象；印象；图像

【例】Their *images* were always dry and dusty. 他们总是一副不修边幅、蓬头垢面的形象。

**imagination** [iˌmædʒi'neiʃən] *n.* 想象；想象出来的事物

【例】They need to train their innate powers of *imagination*. 他们需要训练自己天生的想象力。

**imaginative** [i'mædʒinətiv] *a.* 富有想象力的；爱想象的

【记】来自image(*v.* 想象)

【例】Hypotheses are *imaginative* and inspirational in character, and are adventures of the mind. 臆测让人充满想象并给人以灵感，它是思想的奇遇。

**\*imagine** [i'mædʒin] *vt.* 想象；猜想

【例】The children have no need to *imagine* anything when they read such books. 看这种书，孩子们根本不用发挥想象力。

【派】imagination(*n.* 想象，空想)；imaginable(*a.* 可想象的，可能的)；imaginative(*a.* 想象的，虚构的)

**imitate** ['imiteit] *vt.* 模仿；仿效

【记】联想记忆：im+it(它)+ate(吃) → 它照着别人的样子吃 → 模仿

【例】Children like to *imitate* adults. 儿童喜欢模仿成年人。

**imitation** [ˌimi'teiʃən] *n.* 模仿；仿造；仿制品

【例】Disillusionment at poor *imitations* of Modernist architecture led to interest in various styles from the past. 对现代建筑学拙劣模仿的失望使人们对过去各式各样的建筑风格产生了兴趣。

**\*immediately** [i'mi:diətli] *ad.* 立即，马上；直接地

【例】You go down to the end of this corridor and turn right. The computer lab is *immediately* on your right. 你走到走廊的尽头向右拐，右手边就是机房。

**\*immense** [i'mens] *a.* 巨大的，广大的

【记】词根记忆：im(不)+mens(测量)+e → 不能测量的 → 巨大的，广大的

【例】The scope of the problem facing the world's cities is *immense*. 全世界的城市面临很多方面的问题。

**immigrant** ['imigrənt] *n.* 移民；侨民

【记】词根记忆：im(在…内)+migr(迁移)+ant(人) → 向内迁移的人 → 移民；侨民

【例】This *immigrant* citizenship was revoked because he had concealed his criminal record. 这位移民因为隐瞒了犯罪事实而被取消了国籍。

**immune** [i'mju:n] *a.* 免疫的

【记】词根记忆：im(没有)+mune(公共) → 不得公共病 → 免疫的

【例】The viruses stimulated the *immune* system. 病毒刺激了免疫系统。

【派】autoimmune(*a.* 自体免疫的)

**\*impact** ['impækt] *n.* 影响，作用，冲击

【例】Cigarette smoke has the same *impact* on smokers as it does on non-smokers. 香烟的烟雾对吸烟者和不吸烟者的影响是一样的。

**impair** [im'peə] *vt.* 损害；减少

【记】词根记忆：im(使)+pair(坏) → 使…变坏 → 损害

【例】The performance of divers will be *impaired* if they work in cold water. 如果在冷水中工作，潜水员的工作效率会降低。

**impart** [im'pɑːt] *vt.* 告知

【例】He told me not to *impart* it to anyone without his own permission. 他告诉我，未经他允许不可以把此事透露给任何人。

**\*impede** [im'piːd] *v.* 阻碍，妨碍

【记】词根记忆：im(进入)+ped(脚)+e → 把脚放入 → 妨碍

【例】The lack of a common language can severely *impede* progress. 缺乏一种通用语言会严重阻碍发展的进程。

**implement** ['implimənt] *vt.* 使生效，实施；*n.* 工具

【记】词根记忆：im(使…)+ple(满)+ment → (使)圆满 → 使生效，实施

【例】Policy makers struggle to define and *implement* appropriate legislation. 政策的制定者们致力于规定和实施适当的法规。

【派】implementation(*n.* 实施，执行)

**implication** [ˌimpli'keiʃən] *n.* 含义；暗示；卷入

【记】词根记忆：im+pli(重)+cation → 有双重含义 → 含义，暗示

【例】What would be the *implications* if humanity were to understand, with precision, the genetic constitution. 如果人类准确地破译了基因的构成，那将意味着什么呢？

**impose** [im'pəuz] *vt.* 把…强加；征(税)

【记】词根记忆：im(使…)+pos(放)+e → 强行放置 → 征(税)

【例】I *imposed* certain constraints on them to keep things simple. 为了让事情简单起来，我对它们加了一些限制。

**\*impress** [im'pres] *vt.* 给…留下深刻印象；印

【记】词根记忆：im(进入)+press(压) → 压进去 → 印

【例】Those uniforms for the military were originally intended to *impress* and even terrify the enemy. 最初设计军装是为了给敌人留下深刻的印象，甚至威慑敌人。

**\*improve** [im'pru:v] *v.* 改善，改进

【例】In an English course with Atlas English Language College, you *improve* your language skills and make friends from all over the world! 在亚特兰斯英语学院的英语课堂，你可以提高自己的英语水平，同时结识来自世界各地的朋友！

**impulse** ['impʌls] *n.* 推动(力)，刺激；冲动

【记】词根记忆：im(使…)+puls(推)+e → 推动

【例】Mary bought the dress on *impulse*. 玛丽一时冲动买了这件衣服。

**\*in accordance with** 与…一致，依照

【例】The rights of children are protected *in accordance with* the law. 儿童的权利依法受到保护。

**\*in addition to** 除…之外

【例】*In addition to* its rings, Uranus has 15 satellites. 除了有自己的光环外，天王星还有15颗卫星。

**\*in addition** 另外；加之

【例】*In addition*, this drug may cause problems with vision and hair loss. 此外，这种药还会导致视力问题和脱发。

**in comparison with** 与…比较起来

【例】Fewer women apply for senior positions *in comparison with* men. 申请高级职位的女性数量比男性少。

**in favour of** 赞同，支持

【例】It is unrealistic to expect people to give up private cars *in favour of* mass transit. 期望人们放弃自己的私家车而选择公共交通工具是不现实的。

**\*in vain** 徒然，无效

【例】All our work was *in vain*. 我们的工作全都白干了。

**\*incendiary** [in'sendiəri] *a.* 放火的；燃烧的

【记】词根记忆：in(进入)+cend(=cand发白光)+iary → 发白光 → 燃烧的

【例】In the early nineteenth century the British began to experiment with *incendiary* barrage rockets. 19世纪初期，英国就开始试验燃烧式连珠火箭。

**incentive** [in'sentiv] *n.* 刺激；动机

【记】联想记忆：in+cent（分；分币）+ive → 用钱(分币)刺激 → 刺激

【例】Hypotheses provide the initiative and *incentive* for the inquiry. 假设促使人们主动去调查。

incentive

**incident** ['insidənt] *n.* 发生的事

【例】The most common type of road rage *incident* involves personal violence. 公路上因暴怒而发生的事故中，最常见的都会涉及个人暴力。

**inclination** [ˌinkli'neiʃən] *n.* 爱好；趋势；倾斜

【记】词根记忆：in(内向)+clin(倾斜)+ation → 趋势

【例】Developing photos require a darkroom and the time and *inclination* to handle the necessary chemicals. 冲洗照片需要一间暗室、一点时间并且愿意接触一些冲印过程中必需的化学药剂。

**\*incoming** ['inˌkʌmiŋ] *n.* 进来；[*pl.*] 收入；*a.* 进来的

【例】Telephones in this hall can only be used to call out; they will not receive *incoming* calls. 大厅里的电话只能打出，不能接听外面打进来的电话。

**incorporate** [in'kɔːpəreit] *vt.* 包含；把…合并

【记】词根记忆：in(进入)+corpor(团体)+ate → 进入团体 → 把…合并

【例】Cash dispensers in the future will *incorporate* face scanners. 未来的取款机将被嵌入面部扫描仪。

**incredible** [in'kredəbl] *a.* 不可信的；难以置信的

【记】词根记忆：in(不)+cred(相信)+ible(能…的)→不可信的

【例】The facts have been distorted to an *incredible* degree. 事实已被严重歪曲了。

**\*incur** [in'kəː] *v.* 招致，遭受

【记】词根记忆：in(进入)+cur(跑；发生)→使发生→招致，遭受

【例】Overdrafts usually *incur* charges, though some banks offer interest-free overdrafts to students. 尽管一些银行给学生们提供了免息透支的服务，但一般透支都是要付费的。

**\*independence** [ˌindi'pendəns] *n.* 独立，自主

【记】词根记忆：in(不)+depend(依靠)+ence→不依靠别人→独立

【例】With the *independence* of much of Asia and Africa after 1945, it was assumed that economic progress would rapidly lead to the disappearance or assimilation of many small-scale societies. 1945年后，随着亚洲和非洲的很多国家取得独立，人们推断经济进步将会很快导致小型社会的消失或者被同化。

**\*indicate** ['indikeit] *vt.* 标示；表示，表明

【记】词根记忆：in+dic(说)+ate(做)→说出→表示，表明

【例】Evidence gathered in recent years *indicates* that the region has supported a series of indigenous cultures for eleven thousand years. 近年来收集到的证据表明，这一地区出现过长达持续一万一千多年的土著文明。

【派】indicator(*n.* 指示器)；indication(*n.* 指示，标示)

**indication** [ˌindi'keiʃən] *n.* 指示

【例】Their failure to act is the *indication* of their lack of interest. 他们不行动表示他们缺乏兴趣。

**individual** [ˌindi'vidjuəl] *a.* 个别的；独特的；*n.* 个人

【记】in+divid(e)(分割)+ual→分割开的→个别的

【例】The number is your *individual* room number. 那个号码是你单人房的门牌号。

【派】individually(*ad.* 各自地；独特地)；individualistic(*a.* 个人主义的)

**\*induction** [in'dʌkʃən] *n.* 就职；归纳；感应

【记】来自induct(*v.* 感应)

【例】This mathematician got the result by means of *induction*. 这位数

学家通过归纳得出了结果。

**inductive reasoning** 归纳；推理

【例】Michael Cole and his colleagues demonstrated that adult performance on *inductive reasoning* tasks depends on features of the apparatus and procedure. 迈克尔·科尔和他的同事们证明，成人在归纳推理任务上的表现取决于设备和程序的特色。

**\*inductive** [in'dʌktiv] *a.*诱导的，归纳的

【例】The myth of scientific method is that it is *inductive.* 科学方法的神秘就在于它的归纳性。

**indulge** [in'dʌldʒ] *vi.*沉溺，纵情

【记】发音记忆："一打急"→太纵容孩子，一打就急→纵容→纵情

【例】Overseas visitors like to come to New Albion to *indulge* in one of Astoria's more famous agricultural products—wine. 外国游客喜欢到新英格兰尽情品尝这里的美酒，这是阿斯托里亚较出名的农产品之一。

**\*industrialise** [in'dʌstriəlaiz] *v.*(使)工业化

【例】The projects are part of a larger plan to *industrialise* northeastern Iceland. 这些项目只是冰岛东北部工业化总设计中的一部分。

【派】industrialization(*n.* 工业化，产业化)

**inescapable** [ˌini'skeipəbl] *a.*不可逃避的；难免的

【例】The role of governments in environmental management is difficult but *inescapable.* 政府在环境管理方面担负的任务很艰巨，但这是它们无法推卸的。

**infection** [in'fekʃən] *n.*传染，感染

【例】Are you taking oral medicines for fungal *infections*? 你在吃口服药治疗真菌感染吗?

**infer** [in'fəː] *vt.*推断，猜想

【记】词根记忆：in(进入)+fer(带来)→带进(意义)→推断，猜想

【例】I *infer* from your letter that you have not made up your mind yet. 我从你的信中推断出你还没下定决心。

**inference** ['infərəns] *n.*推论；推断

【例】If the evidence is true then by *inference* he is guilty. 如果证据确凿，就可以推断出他有罪。

**\*inferential** [infə'renʃəl] *a.*可以推断的

【记】来自infer(推断)+ential → 可以推断的

【例】For young children, the difficulty lies not in the *inferential* processes which the task demands, but in certain perplexing features of the apparatus and the procedure. 对于小孩子们来说，难点不在于任务所需的可推断的方法，而在于某些设备和过程的复杂性。

**\*inflammable** [inˈflæməbl] *a.* 易燃的；易怒的

【记】词根记忆：in(进入)+flamm(火)+able → 进入火 → 易燃的

【例】Impressed by the element's combustibility, several 17th century chemists used it to manufacture fire-lighting devices, but the results were dangerously *inflammable*. 受这种元素可燃性的启发，17世纪的一些化学家用它来制造点火装置，但结果却易产生危险性的燃烧。

**inflation** [inˈfleiʃən] *n.* 通货膨胀

【例】*Inflation* reduced the purchasing power of the families. 通货膨胀降低了家庭的购买力。

**\*influence** [ˈinfluəns] *n.* 影响力；产生影响力的人；*vt.* 影响

【例】What factors do you think *influence* these decisions? 你认为影响这些决定的因素有哪些？

**\*influenza** [ˌinfluˈenzə] *n.* 流行性感冒

【例】In 1990, smoking caused more than 84,000 deaths, mainly resulting from such problems as pneumonia, bronchitis and *influenza*. 在1990年，吸烟导致了84,000多人死亡，其中主要是由肺炎、支气管炎及流行性感冒等疾病引发。

**\*inform** [inˈfɔːm] *v.* 通知；向…报告

【记】词根记忆：in(进入)+form(形成) → 形成文字形式通知

【例】Fancy Foods wishes to *inform* the public that pieces of metal have been found in some jars of Fancy Foods Chicken Curry (Spicy). 美食公司希望告知大众，在一些美食生产的咖喱(辣)鸡块罐头中发现有金属碎片。

**\*infrastructure** [ˈinfrəˌstrʌktʃə] *n.* 基础结构，基础设施

【记】词根记忆：infra(在…下)+struct(结构，建造)+ure → 下面的结构 → 基础结构

【例】How does the port change a city's *infrastructure*? 港口是如何改变一个城市的基础结构的？

**inhabitant** [inˈhæbitənt] *n.* 居民；居住者

【记】词根记忆：in(使)+habit(居住)+ant(名词结尾) → 住在里面

的人 → 居住者

【例】The natural history of the Amazon is to a surprising extent tied to the activities of its prehistoric *inhabitants*. 亚马逊河的自然历史与居住在这里的史前居民的活动有着极为密切的关系。

**\*inhale** [in'heil] *v.* 吸(烟), 吸气

【记】词根记忆: in(进)+hale(气) → 吸气

【例】Sometimes people have to *inhale* others' smoke. 有时候, 人们不得不吸入二手烟。

【派】inhalation(*n.* 吸入, 吸入物)

**inherent** [in'hiərənt] *a.* 内在的; 生来就有的

【记】词根记忆: in(向内)+her(粘附)+ent(…的) → 内在的

【例】Women have an *inherent* love of beauty. 女人天生爱美。

**inherited** [in'heritid] *a.* 继承的; 遗产的

【记】词根记忆: in+her(继承)+it → 继承

【例】The human genome is the compendium of all these *inherited* genetic instructions. 人类基因组是所有这些遗传基因码的缩略。

【派】inheritance(*n.* 遗产, 遗传)

**inhibit** [in'hibit] *vt.* 妨碍; 抑制

【记】词根记忆: in(不)+hibit(拿住) → 不让拿住 → 妨碍

【例】Studies show that intake of carbon monoxide *inhibits* the flow of oxygen to the heart. 研究显示, 吸入一氧化碳会抑制氧气对心脏的供给。

**initial** [i'niʃəl] *a.* 最初的, 开始的

【记】词根记忆: init(开始)+ial(…的) → 开始的

【例】Interest will be charged after the *initial* 60-day interest-free period. 过了最初六十天的免息期后, 就要开始收取利息了。

【派】initially(*ad.* 最初, 开始)

**initiative** [i'niʃiətiv] *n.* 采取的行动措施; 主动性

【例】The major *initiative* by this car-manufacturing company was to adopt a totally multi-skilled workforce. 这家汽车制造商采取的主要措施就是只雇佣掌握多种技能的工人。

**inject** [in'dʒekt] *vt.* 注射; 注入

【记】词根记忆: in(进入)+ject(扔) → 扔到里面 → 注入

【例】By *injecting* lime into the land around the water and neutralizing the effects of acid, scientists have created conditions in which fish can survive. 通过对水域周围的土地注入石灰，中和当地的酸性效应，科学家已经创造出能让鱼存活的环境。

【派】injection(*n.* 注射)

inland ['inlənd] *a.* 内陆的；*ad.* 向内地(内陆)

【例】Today about 90 per cent of *inland* freight in the United Kingdom is carried by road. 现在，公路承担了英国90%的内陆运输。

inlet ['inlet] *n.* 入口；进(水)口，水湾

【记】联想记忆：in(进入)+let(让) → 让…进入的地方 → 入口

【例】There are a thousand little *inlets* and backwaters all through here. 这里有上千个小水湾和死水潭。

# Word List 20

词根词缀预习表

| inter- | 在…之间 interact（vi. 相互作用） | ir- | 不 irrelevant（a. 不相关的；离题的） |
|---|---|---|---|
| insul- | 岛 insulate（vt. 隔离） | integr- | 完整 integrate（v.（使）成整体） |
| noc- | 伤害 innocent（a. 天真的） | nov- | 新 innovation（n. 创新） |
| sert- | 插入 insert（v. 插入） | sol- | 孤独 isolate（vt. 使孤立） |
| spect- | 看 inspect（vt. 检查） | stitut- | 建立 institute（vt. 建立） |
| -tact | 接触 intact（a. 完整无缺的） | tend | 伸展 intend（vt. 打算） |
| -ify | （动词后缀）使…intensify（vt. 使增强） | | |

**innocent** ['inəsənt] a. 天真的；清白的

【记】词根记忆：in（不）+noc（伤害）+ent（…的）→ 不曾受过伤的心灵 → 幼稚的

【例】Seeing these *innocent* children, I can't help recalling my own childhood. 看到这些天真无邪的孩子，我不禁想起了自己的童年。

**innovation** [ˌinəu'veiʃən] n. 革新，创新

【记】词根记忆：in（进入）+nov（新的）+ation → 革新

【例】The *innovation* of match-making technology made the waterproof possible. 火柴制造技术的革新使人们生产出防水火柴。

**\*input** ['input] n. 投入，输入；输入的数据；vt. 把…输入计算机

【记】来自词组put in进入；输入

【例】The intensity of farming in the rich world should decline, and the use of chemical *inputs* will diminish. 在富裕的国家，农业生产的密度应降低，化学药品的使用将减少。

**\*insecure** [ˌinsi'kjuə] a. 不安全的，不可靠的

【记】词根记忆：in（不）+secure（安全的）→ 不安全的

【例】The current trend towards blurring these roles in dress is probably

190

probably democratic, but it also makes some people very *insecure*. 使
服饰角色标志淡化的趋势或许比较民主，但同时也让一些人觉得
很不安全。

【派】insecurity(*n.* 不安全，不安全感)

**insert** [inˈsəːt] *v.* 插入，嵌入

【记】词根记忆：in(进入)+sert(插，放)→插进去→插入，嵌入

【例】To prevent the queen from crawling up to the top and laying
eggs, a screen can be *inserted* between the brood chamber and the
supers. 为了防止蜂王爬到蜂房顶端产卵，就必须在蜂箱和蜂房上
层活动架中间插入一个隔板。

**insight** [ˈinsait] *n.* 洞察力，深刻的了解

【记】联想记忆：in+sight(眼光)→眼光深入→深刻的见解

【例】The application of our new *insights* into the Amazonian past
would change present policies on development in the region. 我们对
亚马逊人的过去有了新的了解，这会改变我们目前针对这一地区
的开发政策。

**\*insignificant** [ˌinsigˈnifikənt] *a.* 无关紧要的，无意义的

【记】词根记忆：in+significant(有意义的，重要的)→无关紧要的，
无意义的

【例】The consequences are *insignificant* compared to this great idea.
同这种伟大的思想相比，结果并不重要。

**\*insist** [inˈsist] *v.* 坚持，坚决认为；定要

【记】词根记忆：in(里面)+sist(站)→一直站在里面→坚持

【例】We do not *insist* on any prerequisites for this course. 对于这一课
程，我们不一定需要什么先决条件。

**inspect** [inˈspekt] *vt.* 检查，检阅

【记】词根记忆：in(进入)+spect(看)→进去看→检查，检阅

【例】The general *inspected* the troops. 将军检阅了军队。

【派】inspector(*n.* 检查员)；inspection(*n.* 检查，视察)

**inspiration** [ˌinspəˈreiʃən] *n.* 灵感；鼓舞人心的人(或事物)

【记】词根记忆：in(进入)+spir(呼吸)+ation→呼吸进灵气→灵感

【例】Hypotheses arise by guesswork, or by *inspiration*. 假说由人们
的猜测或灵感引起。

【派】inspirational(*a.* 鼓舞人心的；受灵感支配的)

**\*install** [inˈstɔːl] *vt.* 安装，设置；任命

【记】词根记忆：in(进入)+stall(放)→放进去→安装，设置

【例】In the noisiest areas, mechanical ventilation will have to be *installed* in the exterior walls. 在最喧闹的地区，其外墙上必须安装机械通风装置。

**installment** [in'stɔ:lmənt] *n.* 分期付款；(连载或连播的)一集

【例】Each *installment* costs $1, and site visitors are given three options. 每一集需付费1美元，网上游览者可以通过三种方式支付。

**instinct** ['instiŋkt] *n.* 本能，直觉

【记】词根记忆：in(内)+stinct(刺激)→内在的刺激→本能，直觉

【例】It is *instinct* that makes salmon swim upstream to lay eggs. 大马哈鱼洄游产卵是出于本能。

**institute** ['institju:t] *n.* 研究所，学院；*vt.* 建立，设立

【记】词根记忆：in+stitute(建立)→建立，设立

【例】The Language *Institute* provides student support, welfare and activities services. 语言学院为学生提供资助、福利和活动服务。

**institution** [ˌinsti'tju:ʃən] *n.* (行业)协会；机构；制度；习俗；团体

【例】Such a record will allow you to present your linguistic credentials to academic *institutions*. 这份记录将可作为你的语言证书呈递给学术机构。

**instruct** [in'strʌkt] *vt.* 教导；指示，通知

【记】词根记忆：in+struct(建筑)→指示人如何建筑→教导；指示

【例】PE Teachers *instruct* students how to exercise, play sport, and do other recreational activities correctly and safely. 体育老师指导学生们如何安全正确地锻炼、做运动及进行其他娱乐活动。

**instrument** ['instrumənt] *n.* 仪器；手段；工具

【例】We use questionnaires as our main research *instrument*. 我们将问卷调查作为研究的主要手段。

**instrumental** [ˌinstru'mentəl] *a.* 起作用的；用乐器演奏的

【记】来自instrument(*n.* 手段；器具)

【例】Doctors have been *instrumental* in improving living standards in Western society. 在西方社会，医生在提高人们生活质量方面一直发挥着重要作用。

**insulate** ['insjuleit] *vt.* 使绝缘；隔离

【记】词根记忆：insul(岛)+ate(使…)→成为孤岛→隔离

【例】The familiar native-style hotels could *insulate* the tourist from the strangeness of the host environment. 这种类似本土风格的旅馆能够避免游客在新的环境里感到陌生。

**insurance** [ɪnˈʃuərəns] *n.* 保险，保险费
【记】来自insure(*vt.* 给…保险)
【例】I'd like to get *insurance* for the contents of my home. 我想给我家的财物上保险。

**intact** [ɪnˈtækt] *a.* 完整无缺的；未被碰过的
【记】词根记忆：in(不)+tact(接触) → 未经触动的 → 完整无缺的
【例】She hopes that her honor could remain *intact*. 她希望自己的名誉能保持得完好无损。

**integral** [ˈɪntɪɡrəl] *a.* 构成整体所必需的；完整的
【记】词根记忆：integr(整体)+al(…的) → 构成整体所必需的；完整的
【例】This kind of beetle has become an *integral* part of the successful management of dairy farms in Australia over the past few decades. 在过去的几十年里，这种甲虫已成为澳大利亚乳牛场成功管理必不可少的一部分。

**\*integrate** [ˈɪntɪɡreɪt] *v.* (使)成整体，(使)成为一体
【记】词根记忆：integr(完整)+ate → 完整化 → 成整体
【例】The researchers don't know how to *integrate* the two actions. 研究者不知该如何将这两种行为融为一体。
【派】integration(*n.* 结合，综合); disintegrate(*vt.* 使分解，使碎裂)

**intellectual** [ˌɪntɪˈlektjuəl] *n.* 知识分子; *a.* 智力的; 有智力的
【记】词根记忆：intel(中间)+lect(选择)+ual → 能从中选择的 → 智力的
【例】The development of literacy has far-reaching effects on general *intellectual* development. 文化素质的提高对于人类整体智力的发展有着深远的影响。

**\*intelligence** [ɪnˈtelɪdʒəns] *n.* 智力，理解力；情报
【记】来自intelligent(*a.* 聪明的，理智的)
【例】The scientists are using genetics to improve *intelligence* of mice. 科学家们正在利用基因提高老鼠的智力。

**\*intelligent** [ɪnˈtelɪdʒənt] *a.* 聪明的，理智的
【记】词根记忆：intel(在…之间)+lig(选择)+ent(…的) → 能在不同事物之间做出选择的 → 聪明的，理智的

【例】The most *intelligent* students do additional reading to supplement the material in the textbook. 最聪明的学生通过增加阅读量来补充课本的内容。

**intelligible** [inˈtelidʒəbl] *a.* 可理解的；清楚的
【记】来自intellect(*n.* 理解力)
【例】I have failed to make the sentence *intelligible*. 我没能把这个句子弄清楚。

**intend** [inˈtend] *vt.* 想要，打算
【记】联想记忆：in(使)+tend(趋向) → 趋向做 → 想要，打算
【例】I *intend* to prove to you why those people were mistaken. 我要证明给你看为什么这些人错了。

**intense** [inˈtens] *a.* 强烈的；紧张的；认真的
【记】联想记忆：in(在…之中)+tense(紧张) → 处在紧张之中 → 紧张的
【例】Large thunderclouds generate the *intense* electrical fields that cause lightning flashes. 巨大的雷雨云产生极强的电磁场，从而产生了闪电。

**intensify** [inˈtensifai] *vt.* 使增强；使加剧
【记】词根记忆：in+tens(伸展)+ify(使…) → 使…伸展 → 使增强
【例】The strong wind seemed to *intensify* the cold. 狂风似乎使天气更加寒冷了。

**intensity** [inˈtensəti] *n.* 强烈，剧烈；强度
【记】不要和density(*n.* 密度)弄混
【例】The pulse laser is increasing its *intensity*. 激光脉冲的强度在不断增加。

**intensive** [inˈtensiv] *a.* 加强的；密集的
【记】来自intense(*a.* 强烈的)
【例】*Intensive* English classes are taught in four-week blocks throughout the year. 强化英语班全年授课，四周为一期。

**intent** [inˈtent] *n.* 意图；*a.* 专注的；急切的
【记】联想记忆：in(向内)+tent(帐篷) → 深夜摸进帐篷，意欲何为？ → 意图
【例】He came with intent to defraud. 他怀着诈取钱财的目的而来。

**intention** [inˈtenʃən] *n.* 意图，目的
【记】词根记忆：in(进入)+tent(张开)+ion → 进入扩张的状态 →

意图，目的

【例】We all listened carefully as the director outlined his *intentions*. 我们都认真聆听了导演概述他的意图。

**interact** [ˌɪntərˈækt] *vi.* 相互作用；相互影响

【记】词根记忆：inter(在…之间)+act(行动) → 互动 → 相互作用

【例】Group work can give employees a chance to *interact* and to share ideas. 分组工作可以给员工一个相互协作和交流的机会。

【派】interaction(*n.* 相互作用)

**\*interdependent** [ˌɪntəːdɪˈpendənt] *a.* 互相依赖的，互助的

【记】词根记忆：inter(相互)+dependent(依赖的) → 互相依赖的

【例】The society, economy and environment are interacting and *interdependent*. 社会、经济和环境相互作用，互为依赖。

**\*interest** [ˈɪntrɪst] *n.* 兴趣；利息；利益；*vt.* 使感兴趣

【例】Many young people are showing less *interest* in higher education. 很多年轻人对高等教育不感兴趣。

**\*interfere** [ˌɪntəˈfɪə] *vi.* 干涉，干扰，妨碍

【记】词根记忆：inter(在…之间)+fer(带来)+e → 来到中间 → 干涉，干扰

【例】Carbon monoxide may *interfere* with the blood's ability to deliver oxygen to the heart. 一氧化碳会妨碍血液向心脏供氧。

**\*interior** [ɪnˈtɪərɪə] *a.* 内的，内地的；*n.* 内部

【记】词根记忆：inter(在…之间)+ior → 内的

【例】The secret of the versatility of glass lies in its *interior* structure. 这种多功能玻璃的奥秘就在于它的内部结构。

**\*intermediate** [ˌɪntəˈmiːdɪət] *a.* 中间的，中级的

【记】词根记忆：inter(在…之间，相互)+medi(中间)+ate(具有…的) → 中间的

【例】Students who have reached an *intermediate* level benefit from learning general English skills. 那些英文达到中级水平的学生从学习综合英语技能中受益。

**internal** [ɪnˈtɜːnl] *a.* 内部的；国内的

【例】The theory lacks *internal* consistency. 这种理论缺乏内在的统一性。

**\*internationalist** [ˌɪntəˈnæʃnəlɪst] *n.* 国际主义者；*a.* 国际主义的

【记】来自international(*a.* 国际的，世界的)

【例】We establish links and access to the *internationalist* organisations and their resources. 我们与国际主义组织联手，并有权使用他们的资源。

*interplay [ˈintə(ː)ˈplei] *v. /n.* 相互作用，相互影响

【记】inter(在…之间)+play(起作用) → 相互作用

【例】Social factors have *interplayed* with one another over the past hundred years and made the middle east what it is today. 在过去的一百年中，诸多社会因素的相互影响造成了今天的中东局势。

* interrelationship [ˌintəriˈleiʃənʃip] *n.* 相互关系，相互影响

【例】This study examined the *interrelationship* between environment and human behavior. 这项研究考察了环境和人类行为的相互影响。

intersection [ˌintəˈsekʃən] *n.* 道路交叉口，十字路口

【记】词根记忆：inter(在…中间)+sect(切割)+ion → 在路面中间切割 → 十字路口

【例】The *intersections* of these streets with Main Street will not be affected. 这些道路与主干道的交叉口将不会受到影响。

interval [ˈintəvəl] *n.* 间隔，幕间休息；间距

【记】词根记忆：inter(在…之间)+val(表名词) → 处在两者之间的 → 间距

【例】The discussion was so prolonged and exhausting that at *intervals* the speakers stopped for refreshment. 讨论冗长乏味以致于发言人不时要停下来休息。

intervene [ˌintəˈviːn] *vi.* 干涉，干扰；介于其间

【记】词根记忆：inter(在…之间)+ven(来)+e → 来到中间 → 干涉

【例】The bank *intervened* with a large dollar purchase. 那家银行以大量购进美元来进行干预。

intimate [ˈintimit] *a.* 亲密的；个人的

[ˈintimeit] *vt.* 暗示

【记】词根记忆：in(不)+tim(害怕)+ate → 因为亲密而不害怕

【例】The dance studio provides a smaller, more *intimate* space, which we use for ballet, modern dance and martial arts. 舞蹈室为我们练习芭蕾、现代舞和武术提供了较小但较多的个人空间。

*intrusion [inˈtruːʒən] *n.* 闯入；打搅；侵扰

【例】In fact, there are people who dislike any kind of perfume and think it's an *intrusion*. 实际上，有些人讨厌所有香水的气味，并认为别人使用香水是对自己的侵犯。

**\*invader** [in'veidə] *n.* 入侵者

【记】来自invad(e)(侵犯，侵入)+er → 侵入者

【例】Their way of life was destroyed by *invaders*. 他们的生活方式遭到了入侵者的破坏。

**invalid** [in'vælid] *a.* 无效的

[ 'invəlid] *a.* 残废的

【记】词根记忆：in(无)+val(价值)+id → 无价值的 → 无效的

【例】The judge declared Tom's marriage *invalid*. 法官宣布汤姆的婚姻无效。

**invaluable** [in'væljuəbl] *a.* 无价的

【记】词根记忆：in(无)+valuable(有价值的) → 无价的

【例】Newspapers have become an *invaluable* way of informing people of the latest news around the world. 报纸已成为人们了解世界最新动态的重要手段。

**\*invasion** [in'veiʒən] *n.* 入侵，侵略

【记】词根记忆：in(进入)+vas(走)+ion → 走进来 → 侵略

【例】The freedom from foreign *invasion* enables a country to develop its natural resources steadily. 不受外国侵略可以使国家的自然资源得到稳定的开发。

**inventory** [ 'invəntəri] *n.* 目录；存货

【记】词根记忆：in(进来)+vent(来)+ory(物) → 进来对库存货物清查 → 目录

【例】Managing agents can offer a total service from reliable sourcing managing *inventory* to budget control and distribution. 运营代理商可以提供从可靠资源获取、库房存货管理以及从预算控制到商品分销的全套服务。

**\*inversion** [in'və:ʃən] *n.* 倒置，颠倒；转位

【记】来自invers(e)(倒转的，反转的)+ion → 倒转 → 转位

【例】an *inversion* of word order 词序的倒装

**\*invert** [in'və:t] *v.* (使)倒转，(使)颠倒

【记】词根记忆：in(进入)+vert(转向) → (使)倒转

【例】Should the image formed on the retina be *inverted*? 在视网膜上形成的图像应该是颠倒的吗？

**\*invest** [in'vest] *v.* 投资；投入；授予

【例】Supermarkets are able to *invest* millions of pounds in powerful computers which tell them what sells best. 超市可投资数百万英镑购买功能强大的计算机，通过计算机他们能知道什么最畅销。

**investigate** [in'vestigeit] *v.* 调查

【记】联想记忆：invest(投资)+i+gate(大门) → 想投资，打开大门做调查

【例】We must *investigate* and understand the link between environment and health. 我们必须研究并了解环境与健康之间的联系。

**invisible** [in'vizəbl] *a.* 看不见的，无形的

【记】词根记忆：in(不)+vis(看见)+ible(可…的) → 看不见的

【例】Could there be another planet there, essentially similar to our own, but always *invisible*? 在那里会不会有另外一个星球和我们的星球很相似，但我们却一直看不见呢？

**\*invoice** ['invɔis] *n.* 发票；*v.* 给开发票

【记】联想记忆：in+voice(声音) → 大声把人叫进来开发票

【例】The manufacturer *invoiced* me for two computers. 厂商给我开了一张两台电脑的发票。

**\*involve** [in'vɔlv] *vt.* 使卷入，牵涉；包含

【记】词根记忆：in(使…)+volve(卷) → 使卷入

【例】No city can be simply a port but must be *involved* in a variety of other activities. 没有哪个城市能够单纯作为港口，它必然还涉及到其他多种领域。

【派】involvement(*n.* 包含，连累)

**\*ion** ['aiən] *n.* 离子

【记】联想记忆：i+on → 我就像这世上的一颗离子

【例】The *ion* propulsion system was first activated. 这一离子推进系统首次被激活。

【派】ionizer(*n.* 离子发生器)

**\*iris** ['aiəris] *n.* (*pl.* irises, irides)虹；(眼球的)虹膜

【记】本身为词根，意为：彩虹；虹膜

【例】Systems using fingerprints, hands, voices, *irises*, retinas and faces are already on the market. 使用指纹、手掌、声音、虹膜、视网膜以及面部进行识别的系统都已上市。

**\*irony** ['aiərəni] *n.* 反话，讽刺；出人意料的事情

【记】联想记忆：iron(铁)+y → 像铁一样冷冰冰的话 → 反话，讽刺

【例】It reveals the power of the pauses and noises we use to play for time, convey emotion, doubt and *irony*. 这显露出停顿和噪音的力量，我们可以用来拖延时间，表达情感、疑惑和讽刺。

【派】ironically(*ad.* 讽刺地；嘲讽地)

*irregularity [iˌregjuˈlærɪti] *n.* 不规则，无规律

【例】To date, the most widely used commercial biometric system is the handkey, a type of hand scanner which reads the unique shape, size and *irregularities* of people's hands. 迄今为止，在商业生物测定系统中应用最广泛的是掌形识别仪，这是一种读取人们手掌独有的形状、大小和不规则性的手掌扫描仪。

*irrelevant [iˈreləvənt] *a.* 不相关的；离题的

【记】词根记忆：ir+relevant(有关的) → 无相关的

【例】What you wrote is almost *irrelevant* to the topic. 你写的文章和主题几乎是不相关的。

*irrevocable [iˈrevəkəbl] *a.* 无法取消的，不能改变的

【记】词根记忆：ir+revocable(可取消的) → 无法取消的

【例】The powers given to these agents are *irrevocable*. 下放给这些代理商的权力是不可改变的。

irrigation [ˌiriˈgeiʃən] *n.* 灌溉

【记】词根记忆：ir(进入)+rig(水)+ation → 把水引进 → 灌溉

【例】The sea water is too salty to be used for the *irrigation* of crops. 海水太咸了，不能用于农作物灌溉。

irritate [ˈiriteit] *vt.* 使烦躁；使疼痛

【例】Foul smelling chemicals are often used to *irritate* the bees and drive them down into the hive's bottom boxes. 气味难闻的化学物质常用来刺激蜜蜂并把它们赶到蜂箱底部。

isle [ail] *n.* 小岛，岛

【记】和island(*n.* 岛)一起记

【例】The newly established Dinosaur Museum is located on the *Isle* of Wight. 新建的恐龙博物馆位于怀特岛。

*isolate [ˈaisəleit] *vt.* 使隔离，使孤立

【记】词根记忆：i+sol(孤独的)+ate(做) → 使孤立

【例】Reasons for higher success rates among women are difficult to *isolate*. 我们很难把造成女性(求职)成功率较高的原因孤立出来看。

# Word List 21

**词根词缀预习表**

| | | | |
|---|---|---|---|
| **journ-** | 日 journal（n. 日报） | **judg-** | 判断 judgment（n. 判断） |
| **junct-** | 连接 junction（n. 连接） | **juven-** | 年轻 juvenile（a. 少年的） |
| **lat-** | 宽 latitude（n. 纬度） | **later-** | 侧面 lateral（a. 侧面的） |
| **lav-** | 洗 lavatory（n. 盥洗室） | **leas-** | 松开 lease（vt. 出租） |
| **lect-** | 讲 lecture（n. 演讲） | **leth-** | 死 lethal（a. 致命的） |
| **-scape** | （名词后缀）外部景观 landscape（n. 风景） | | |
| **-ship** | （名词后缀）身份 leadership（n. 领导） | | |
| **-ward** | （形容词后缀）向…得 landward（a. 向陆的） | | |

*issue [ˈiʃjuː] n. 问题；发行；v. 发行；发出

【例】They care about environmental *issues* but their concern does not affect their spending habits. 他们关心环境问题，但这种关心并没有影响他们的消费习惯。

*item [ˈaitəm] n. 条款，项目；(新闻等)一则

【例】You should pay for each *item* the doctor has prescribed. 你需要为医生列出的各项处方付款。

*jaw [dʒɔː] n. 颌；颚

【记】发音记忆："嚼" → 他下颌脱臼了，没法嚼东西

【例】Necrosis of the mouth is a disease that eats away the *jaw*. 口腔坏死性疾病是一种腐蚀颚骨的疾病。

jealous [ˈdʒeləs] a. 妒忌的；猜疑的

【例】Tom is *jealous* of anyone who talks to his girlfriend. 汤姆对每个和她女友说话的人都心存妒忌。

jealous

joint [dʒɔint] n. 接头；关节；a. 连接的；联

合的

【记】词根记忆：join(结合，连接)+t → 接头，关节

【例】The Universities of Oxford and Cambridge recently held *joint* conferences to discuss the rapid decline in literacy among their undergraduates. 牛津大学和剑桥大学近日召开联合会议，讨论两校大学生文化素养迅速下降的问题。

**\*jostle** [ˈdʒɒsl] *v.* 推挤；挤开通路

【例】In a port city, races, cultures, and ideas, as well as goods from a variety of places, *jostle*, mix and enrich each other. 在港口城市，种族、文化和理念就如那些来自四面八方的货物一样，推挤、混合又互为补充。

**\*journal** [ˈdʒɜːnl] *n.* 杂志；日报；日志

【记】词根记忆：journ(日)+al → 日报，日志

【例】We are grateful to the author and the Asia Pacific *Journal of Human Resources* for allowing us to use the material. 我们感激作者及《亚太人力资源》杂志允许我们使用这些材料。

**journalist** [ˈdʒɜːnəlist] *n.* 新闻工作者

【例】I'm a *journalist* who specializes in travel. 我是旅游方面的专项记者。

**judgment** [ˈdʒʌdʒmənt] *n.* 意见；审判；判断

【例】The lawyer is a man of good *judgment*. 那位律师是个判断力极强的人。

**\*judicious** [dʒuːˈdiʃəs] *a.* 明智的；有见识的

【记】词根记忆：judic(判断)+ious → 判断力强的 → 明智的，有见识的

【例】Archaeology makes clear that with *judicious* management selected parts of the region could support more people than anyone thought before. 考古学解释说，利用明智的管理方法，所选地区能够养活的人数能比以前任何人所能想象的都多。

**junction** [ˈdʒʌŋkʃən] *n.* 连接；联结点；交叉路口

【记】词根记忆：junct(连接)+ion → 连接；联结点

【例】The power station was built at the *junction* of two rivers. 那座发电站就建在两河的交汇处。

**jungle** [ˈdʒʌŋgl] *n.* 丛林

【例】They ventured deep into the *jungle* and sought out an isolated tribe. 他们进入丛林深处探险，找到了一个与世隔绝的部落。

**justice** [ˈdʒʌstis] *n.* 正义，公正；司法

【记】词根记忆：just(正义的)+ice → 正义，公正

【例】Where might is master, *justice* is servant. 有强权，就没有正义。

**justify** [ˈdʒʌstifai] *vt.* 证明…正当的；为…辩护

【记】词根记忆：just(正确)+ify(使…) → 证明…正当的

【例】To *justify* this claim, the arguer provided a lot of evidence. 为了证明这个要求是正当的，争辩者提供了许多证据。

**juvenile** [ˈdʒuːvənail] *a.* 少年的；幼稚的；*n.* 未成年人

【记】词根记忆：juven(年轻)+ile(…的) → 少年的；幼稚的

【例】*Juvenile* delinquency has increased remarkably in the last decade. 在过去的十年里，未成年人犯罪有明显的增加。

**keen** [kiːn] *a.* 热心的；喜爱…的；敏锐的；激烈的

【例】I'm not very *keen* on westerners, although my father likes them. 我不是很喜欢西部人，尽管父亲很喜欢他们。// The dog had a *keen* sense of smell. 狗的嗅觉很灵敏。

**kidney** [ˈkidni] *n.* 肾，肾脏

【例】The doctor asked Mark whether he had ever suffered from any liver, *kidney* or heart disease. 医生问马克以前是否得过肝、肾或是心脏方面的疾病。

**kit** [kit] *n.* 成套工具；*vt.* 装备

【例】The plumber reached into his tool *kit* for a wrench. 水管工人伸手从他的成套工具中拿出一个扳手。// They all were *kitted* out for skiing. 他们全都配齐了滑雪的必需品。

**kneel** [niːl] *vi.* 跪

【例】Mary *kneels* down to examine the damage to her car. 玛丽跪下来仔细查看她汽车的受袭情况。

**knob** [nɔb] *n.* 球形把手；(机器等)旋钮

【记】联想记忆：没有门把手(knob)，于是只能敲门(knock)

【例】This machine has lots of *knobs* on it. 这台机器有许多旋钮。

**\*Kung Fu** [ˈkuŋ ˈfuː] *n.* 功夫

【例】A lot of people in the U.S. complained that Chinese *Kung Fu* films were particularly violent. 很多美国人抱怨说中国功夫片太暴力了。

**\*label** [ˈleibəl] *n.* 标签，标记；称号；*v.* 贴标签于；把…称为

【记】联想记忆：lab(实验室)+el → 实验室里的试剂瓶上贴有标签
【例】I think we should *label* the lid itself and say that it constitutes twenty-five percent of the total weight. 我认为我们应该在盖子上贴上标签，注明它占总重的25%。

**laboratory** [ləˈbɔrətəri] *n.* 实验室，研究室
【记】联想记忆：labor(工作)+at(在)+ory(地点) → 工作的地方 → 实验室
【例】Do you have a Computer *Laboratory*? 你们有计算机室吗？

*labour [ˈleibə] *n.* 劳动；劳动力；*v.* 劳动；努力
【记】发音记忆："累伯" → 农民伯伯劳动很辛苦，很累
【例】As a result, 51% of all women aged 14 to 64 are now economically active in the *labour* market. 结果表明，劳务市场上年龄在14到64岁之间的所有女性中，51%的人在经济方面很活跃。

*lag [læg] *v.* 走得慢；落后；*n.* 滞后
【记】联想记忆：leg(腿)中间的零件e换a了 → 腿坏了 → 走得慢
【例】America *lagged* behind Europe in match technology and safety standards. 美国在火柴技术和安全标准上落后于欧洲。

*landfill [ˈlændfil] *n.* 垃圾堆；废渣埋填地
【例】Sand was driven into the seabed to strengthen it before the *landfill* was piled on top. 沙子被运到海床，在垃圾被堆在海床上之前对其进行加固。

*landmark [ˈlændmɑːk] *n.* 路标，地标
【记】组合词：land(陆地)+mark(标志) → 路标
【例】In fact, I'd just like to spend a few minutes pointing out some of the *landmarks* that can be seen from here. 事实上，我只是想花几分钟时间指出从这能看到的一些地标。

**landscape** [ˈlændskeip] *n.* 风景；*vt.* 美化…的景观
【例】The *landscape* on the altiplano is the most beautiful I've ever seen. 高原上的风景是我见过的最美的景色。

*landward [ˈlændwəd] *a.* 向陆的，近陆的
【例】It is *landward* access, which is productive of goods for export and which demands imports, that is critical. 这个近陆的入口非常重要，它既能够生产出口货物，对进口也有需求。

*lane [lein] *n.* 小巷；行车道
【记】联想记忆：小巷(lane)可作为一条行车路线(line)

【例】Vehicles carrying more than one person can use special priority *lanes,* which means they can travel more quickly. 载有一位以上乘客的车辆可以使用特殊的优先级车道，这就意味着他们能行驶得更快。

lane

**\*large-scale** [lɑːdʒ'skeil] *a.* 大规模的，大范围的

【例】The tropical forest has been depicted as ecologically unfit for *large-scale* human occupation. 从生态的角度，热带森林被描述成是不适合人类大规模居住的地方。

**\*larvae** [ˈlɑːviː] *n.* (larva的复数)幼虫，幼体

【例】Once the beetle *larvae* have finished pupation, the residue is a first-rate source of fertiliser. 一旦甲虫的幼虫完成了化蛹过程，残留物就是最好的肥料资源了。

**laser** [ˈleizə] *n.* 激光

【记】发音记忆："镭射"→激光

【例】The bar codes on the products are read by *lasers.* 产品上的条形码是用激光读取的。

**\*lateral** [ˈlætərəl] *a.* 侧面的，旁边的

【记】词根记忆：later(侧面)+al→侧面的

【例】Not even our closest relatives among the apes possess such decided *lateral* asymmetry, as psychologists call it. 正如心理学家所认为的那样，即便是和我们有着最近的血缘关系的猿类也不具备这样明显的侧向不对称性。

【派】lateralize(*vt.* 把…移到一侧)

**latitude** [ˈlætitjuːd] *n.* 纬度；[*pl.*] 纬度地区

【记】和attitude(*n.* 态度)一起记

【例】Our position is *latitude* 40 degrees south. 我们的位置是南纬40度。

**launch** [lɔːntʃ] *v.* 推出(产品)；发射；*n.* 发射；(新产品)投产

【记】和lunch(*n.* 中餐)一起记

【例】They set about devel/ping a new camera model, which was *launched* in June 1888. 他们开始着手研发新的相机款式，并于1888年6月推出。

【派】launcher(*n.* 发射器，发射台)

**\*laundry** [ˈlɔːndri] *n.* 洗衣房；待洗衣服

【记】联想记忆：laun(看做lau洗)+dry(干) → 干洗店 → 洗衣房

【例】You should pay a *laundry* fee which covers the cleaning of bed linen and towels. 你必须支付包括清洗被单、枕套和毛巾在内的所有洗衣费用。

**\*lava** [ˈlɑːvə] *n.* 岩浆，熔岩

【记】联想记忆：幼虫(larva)在岩浆(lava)中熔化

【例】*Lava* domes have formed inside the new crater and have periodically burst. 熔岩穹丘已在新的火山口形成并周期性地爆发。

**lavatory** [ˈlævətəri] *n.* 盥洗室，厕所

【记】词根记忆：lav(洗)+at+ory(表地点) → 盥洗室

【例】Could you tell me the way to the *lavatory*, please? 请问去盥洗室怎么走？

**lawsuit** [ˈlɔːsjuːt] *n.* 诉讼

【记】组合词：law(法律)+suit(起诉，诉讼) → 诉讼

【例】The *lawsuit* is very much on the lawyer's mind. 律师的脑子里一直浮想着这宗诉讼。

**layer** [ˈleiə] *n.* 层，层次

【记】来自lay(层面)+er → 层，层次

【例】Between the islands there was a *layer* of soft mud. 在小岛之间有一层软泥。

**layout** [ˈleiaut] *n.* 布局，安排，设计

【记】来自词组lay out布置，安排

【例】The noise factor will have to be taken into consideration with the *layout* of the houses. 噪音因素必须纳入房屋设计的考虑范围内。

**lead to** 导致，通向

【例】It was assumed that economic progress would rapidly *lead to* the disappearance or assimilation of many small-scale societies. 有人认为，经济发展会很快导致小规模社会的消失或被同化。

**\*lead** [liːd] *v.* 指引；领导；致使

[led] *n.* 铅

【例】The road will *lead* you into the college grounds. 这条路通向学院校区。

**\*leadership** [ˈliːdəʃip] *n.* 领导，领导层；领导能力

【记】来自leader(领导者)+ship(表身份) → 领导，领导层

【例】Last week we talked about the most effective ways of leading meetings, and the advantages and disadvantages of different *leadership* styles. 上周，我们讨论了主持会议最有效的方法以及不同主持风格的利弊。

**leaflet** [ˈliːflit] *n.* 传单；小叶

leaflet

【记】联想记忆：leaf(页，树叶)+let(排放) → 大街上发放的传单如落叶般铺天盖地

【例】You can find exact information about a patient on the patient information *leaflet*. 你可以在病人信息表中找到有关病人的详细信息。

**\*leak** [liːk] *v.* (使)漏，(使)渗出；*n.* 泄露

【记】联想记忆：湖(lake)面上的小舟沉没了，因为船漏了(leak)

【例】If there were a gas *leak* in this room, the average person would notice fairly quickly. 如果房间发生煤气泄漏，一般人很快就会觉察到。

**\*leap** [liːp] *v.* 跳；冲；*n.* 跳跃；激增

【例】The athlete tensed his muscles for the *leap*. 运动员绷紧肌肉准备跳跃。

**lease** [liːs] *n.* 租约；*vt.* 出租，租有

【记】联想记忆：l+ease(安心) → 有了租约才安心

【例】Could I ask how long is the *lease*? 我能问一下租期是多久吗？

**leather** [ˈleðə] *n.* 皮革，皮革制品

【记】联想记忆：天气(weather)对皮革(leather)的保存有影响

【例】Garfield lounged in the capacious *leather* chair, watching TV. 加菲猫懒洋洋地躺在宽大的皮椅上看电视。

**\*lecture** [ˈlektʃə] *n.* 演讲，讲课

【记】词根记忆：lect(讲)+ure → 讲课

【例】I am giving you the *lectures* on Environmental Noise this term. 这个学期由我来给你们上环境噪声课。

【派】lecturer(*n.* 讲师)

**\*legacy** [ˈlegəsi] *n.* 遗产；遗赠

【记】词根记忆：leg(送)+acy → 送的东西 → 遗产，遗赠

【例】Mary received this house as a *legacy* from her uncle. 玛丽从叔叔

那里继承了这所房子。

*legal [ˈliːgəl] *a.* 法律的；合法的

【记】词根记忆：leg(法律)+al → 法律的

【例】The Union has its own officers who can give advice on *legal* problems. 该协会拥有自己的人员，负责给法律事务提供建议。

*leisure [ˈleʒə] *n.* 空闲时间，悠闲

【例】Some people believe that children's *leisure* activities must be educational, otherwise they are a complete waste of time. 一些人认为，孩子们的休闲活动必须具有教育意义，否则纯粹是浪费时间。

*lens [lenz] *n.* 透镜；镜片；镜头

【记】联想记忆：借(lend)给你透镜(lens)看

【例】The Ancient Greeks used *lenses* to concentrate the sun's rays. 古希腊人利用透镜来聚集太阳光。

*leopard [ˈlepəd] *n.* 豹，美洲豹

【记】联想记忆：leo(狮子座)+pard(豹) → 狮子座的豹 → 美洲豹

【例】One such weapon was the "basket of fire" or, as directly translated from Chinese, the "arrows like flying *leopards*". 这种武器就是"火球箭"，直接从中文翻译过来就是"飞行如飞豹般的箭"。

*less than 小于，少于

【例】Each page takes *less than* a minute to produce. 每页的制作时间不到一分钟。

*lethal [ˈliːθəl] *a.* 致命的，毁灭性的；有害的

【记】词根记忆：leth(死，僵)+al → 致死的 → 致命的

【例】Bugs and weeds become resistant to poisons, so next year's poisons must be more *lethal*. 臭虫和野草对农药产生了抗性，所以来年农药的杀伤力就需要再强一些。

*leukaemia [ˌljuːˈkiːmiə] *n.* 白血病

【例】Latency periods for *leukaemia* average about five years. 白血病的潜伏期平均约为五年。

*level [ˈlevəl] *n.* 高度；水平，等级

【例】The noise *levels* at the site can reach 45 decibels. 在这种场所，噪声值可达45分贝。

lever [ˈliːvə] *n.* 杠杆；*vt.* (用杠杆)撬动

【记】词根记忆：lev(举起，变轻)+er → 用来举起东西的工具 → 杠杆

**雅思词汇词根 + 联想记忆法**

【例】He *levered* a box open to reveal an antique vase. 他撬开箱子，里面露出一个古董花瓶。

**\*lexicographer** [ˌleksiˈkɔɡrəfə] *n.* 词（字）典编纂者
【记】词根记忆：lexico(=lexicon词典)+graph(写)+er → 写词典的人 → 词（字）典编纂者
【例】The reform has transformed the way *lexicographers* work. 这种改革改变了词典编纂者的工作方法。
【派】lexicographical(*a.* 词典编纂的)

**\*liberty** [ˈlibəti] *n.* 自由；许可；放肆
【例】You have *liberty* to use all the library facilities. 你们可以使用图书馆中的所有设施。

**license** [ˈlaisəns] *n.* 许可（证），执照；*vt.* 准许
【例】They all have gone through a very tough training period to get a special taxi driving *license*. 他们都经历了一段非常严格的训练才获得了专门的出租车驾驶执照。

**likelihood** [ˈlaiklihud] *n.* 可能；可能性
【记】联想记忆：likeli(看做likely很可能)+hood(表性质) → 可能性
【例】The *likelihood* that animals living in forests will become extinct is increased when the forests are cut down. 砍伐森林会增加生活在森林中的动物灭绝的可能性。

**limb** [lim] *n.* 肢，臂；树枝
【记】如果手臂(limb)没有(c)就不能爬(climb)了
【例】The body is pretty good at self-repair. A strain to a *limb*, though painful at the time, generally resolves itself. 身体的自我修复功能很好。手臂扭伤时虽然有些疼，但疼痛一般都可自己消退。

**\*lime** [laim] *n.* 石灰
【记】联想记忆：石灰(lime)需要时间(time)来锤炼
【例】Countries use *lime* filtering to reduce the amount of chemical pollutant released into the atmosphere. 一些国家用石灰过滤法来减少排放到大气中的化学污染物。

**\*limestone** [ˈlaimstəun] *n.* 石灰石，石灰岩
【记】组合词：lime(石灰)+stone(石头) → 石灰石，石灰岩
【例】The *limestone* has to be dug out of the mine and transported to the power station. 石灰石从矿山挖出，然后被运往发电站。

**\*limitation** [ˌlimiˈteiʃən] *n.* 限制；局限

208

【例】There is no *limitation* in the game, and you can use anything you want. 比赛没有什么限制，你可以使用任何你想用的东西。

*limited [ˈlimitid] *a.* 有限的

【例】Some banks open for a *limited* time on Saturdays. 一些银行在周六限时开放。

# Word List 22

**词根词缀预习表**

| | | | |
|---|---|---|---|
| **lingu-** | 语言 linguistic（a. 语言的） | **liqu-** | 液体 liquor（n. 酒） |
| **loc-** | 地方 location（n. 位置） | **lun-** | 月亮 lunar（a. 月的；月亮的） |
| **machin-** | 机械 machinery（n. [总称]机械） | **magn-** | 大 magnify（v. 放大） |
| **maj-** | 大 major（a. 主要的） | **mani-** | 手 manipulate（vt. 操作） |
| **mari-** | 海 maritime（a. 海的） | **max-** | 大，高 maximum（n. 最大量） |
| **-hood** | （名词后缀）性质，状态 livelihood（n. 生活） | | |

*limp ［limp］a. 软的；无力的

【记】发音记忆："邻婆" → 邻家老婆婆 → 软的；无力的

【例】Some of you may come from cultures that accept *limp* hands-hakes as normal. 以你们有些人的文化习俗，可能认为无力的握手很正常。

linen ［'linin］n. 亚麻织品；亚麻布

【记】联想记忆：line（绳）+n → 亚麻编的绳 → 亚麻织品

【例】All bed *linen* and towels are clearly embossed with the name of the manufacturer. 所有的被单、枕套和毛巾上都清楚地绣有生产商的名字。

*linger ［'liŋgə］v. 继续逗留；缓慢消失

【例】The children lingered at the Zoo until closing time. 动物园关门时孩子们才恋恋不舍地离去。

*linguistic ［liŋ'gwistik］a. 语言的，语言学的

【记】词根记忆：lingu（语言）+istic → 语言的

【例】Industrial training schemes have promoted an increase in *linguistic* and cultural awareness. 工业培训计划促进了语言和文化知晓度方面的进步。

*link [liŋk] *n.* 联系，纽带；*v.* 连接，联系

【例】Benefits and hours spent on the job are not *linked*. 工作所得与所付出的时间无关。

liquor [ˈlikə] *n.* 酒，烈性酒；汁水，液体

【记】词根记忆：liqu(液体)+or(物) → 液体 → 酒

【例】David got hooked on hard *liquor*. 大卫喝烈酒成瘾。

*literacy [ˈlitərəsi] *n.* 有文化；有教养

【记】词根记忆：liter(文字)+acy → 有文化

【例】There is a great concern in many nations about declining standards of *literacy* in schools. 学校文化教育标准的衰落令许多国家十分担心。

【派】illiteracy(*n.* 文盲)

literal [ˈlitərəl] *a.* 照字面的；逐字的

【记】词根记忆：liter(文字)+al(…的) → 照字面的

【例】The *literal* meaning of the phrase "say what you like" is "feel free to say anything you want". "say what you like"这个短语的字面意思是"说你想说的，不用拘束"。

【派】literally(*ad.* 逐字地；实际上)

literature [ˈlitərətʃə] *n.* 文学(作品)；文献

【记】词根记忆：liter(文字)+ature(表状态) → 文学

【例】Jane taught English *Literature* at my old high school. 简在我的中学母校教英国文学。

litter [ˈlitə] *vt.* 使乱七八糟；乱扔；*n.* 废弃物

【记】联想记忆：把little的"l"乱丢，错拿成"r" → 乱扔

【例】Cow pats would *litter* pastures, making grass inedible to cattle and depriving the soil of sunlight. 牛粪在草场上随处可见，使得牛群吃不到草，也使土壤得不到阳光的照射。

*livelihood [ˈlaivlihud] *n.* 生活，生计

【例】We understand a port as a centre of land-sea exchange, and as a major source of *livelihood* and a major force for cultural mixing. 我们把港口当作是一个海陆交流的中心，当作是人们赖以生存的重要资源，当作是文化融合的主要推动力量。

liver [ˈlivə] *n.* 肝

【记】联想记忆：没有肝(liver)，人便无法生存(live)

【例】Some scientists think that the condition of your *liver* determines

211

how the perfume will smell on you. 一些科学家认为，人体肝功能的状态决定香水在其身上的味道。

**livestock** [ˈlaivstɔk] *n.* [总称]家畜，牲畜

【记】组合词：live(活)+stock(东西)→家畜

【例】The country banned the import of all ruminant *livestock* from Europe. 该国禁止从欧洲进口任何反刍类家畜。

**load** [ləud] *n.* 负荷；装载；*v.* 装载；装(胶卷、弹药等)

【例】Our camera could be *loaded* in daylight. 我们的相机可以在日光下装胶卷。

**\*loan** [ləun] *n. / vt.* 贷款，借

【记】发音记忆："漏"→账本有漏洞，因为把钱借出去了

【例】Does this mean I'm not eligible for a student *loan*? 这是不是意味着我不符合学生贷款的条件？

loan

**lobby** [ˈlɔbi] *n.* 大厅；游说团；*v.* 游说议员

【例】They were *lobbying* for stronger environmental protection. 他们在为加强环境保护而游说议员。

**locality** [ləuˈkæləti] *n.* 位置；地区

【记】来自local(*a.* 地方的)

【例】A species may have more chances to survive if the individuals do not gather in a single *locality*. 如果某一物种的个体不集中在某个单独的地区，那么该物种就有了更多的生存机会。

**\*locate** [ləuˈkeit] *vt.* 找到；位于

【记】词根记忆：loc(地点)+ate(做)→发现地点→找到

【例】The college is *located* at London Road. 这所大学位于伦敦路上。

**location** [ləuˈkeiʃən] *n.* 位置，场所；(电影的)外景拍摄地

【例】Which picture shows the correct *location* of the administration office? 哪一幅图显示的是管理处的正确位置？

**log** [lɔg] *n.* 原木；航海日志；*vt.* 记录

【例】The earliest peoples probably stored fire by keeping slow burning *logs* alight. 早期的人类可能通过让燃烧缓慢的原木保持燃烧状态来保存火种。

**logic** [ˈlɔdʒik] *n.* 逻辑，逻辑性

【记】词根记忆：log(言语，思维)+ic → 说话需要逻辑性

【例】Miranda holds the belief that science and *logic* will unlock the mysteries of the plague. 米兰达坚信科学和逻辑学会解开这一瘟疫之谜。

*longitudinal [ˌlɔndʒiˈtjuːdinəl] *a.* 经度的；纵向的

【记】参考：latitudinal(*a.* 纬度的)

【例】A *longitudinal* study of nurses working in two Canadian hospitals examined the reasons why nurses took absence from work. 在对两家加拿大医院的护士进行了纵向调查后，他们发现了护士旷工的原因。

*long-term [lɔŋ ˈtəm] 长期的

【例】The smoke may be doing you quite serious *long-term* damage. 吸烟可能会对你的身体造成长期严重的损害。

*loop [luːp] *n.* 圈；*v.* (使)成环，(使)成圈

【例】These tunnels must *loop* around and connect. 这些隧道一定是成环状的而且是相通的。

loose [luːs] *a.* 松的；不精确的；散漫的

【记】和lose(*v.* 失去)一起记

【例】The soil in which coffee is grown must be rich, moist and sufficiently *loose* to allow rapid drainage. 种植咖啡的土壤必须肥沃、潮湿且土质十分疏松以便迅速排水。

【派】loosen(*vt.* 解开，放松)

*lower [ˈləuə] *a.* 较低的；下面的；*vt.* 放下，降低

【例】The *lower* end of the valley has become one huge camp site. 这条河谷下游的出口处已经变成了一个巨大的营地。

*luggage [ˈlʌgidʒ] *n.* 行李

【例】The guys are here to take you and your *luggage* to the cabins. 这几个人会带你去房间，并帮你把行李拿过去。

lull [lʌl] *n.* 间歇，暂停；平静期

【例】In April a slight *lull* ensued, but the volcanologists remained pessimistic about this volcano. 四月出现了短暂的平静期，但是火山学家对此并不乐观。

**lunar** [ˈluːnə] *a.* 月的；月亮的

【例】The Human Genome Project will take longer to accomplish than the *lunar* missions. 完成人类基因工程的耗时将比人类成功登月花费的时间还要长。

**\*luxury** [ˈlʌkʃəri] *n.* 豪华(品)；奢侈(品)；*a.* 奢华的

【记】词根记忆：luxur(丰富，精美)+y → 奢侈品

【例】He saved some money for *luxuries* such as fine paintings. 他积攒了一些钱，为的是想买几幅精品油画之类的奢侈品。

【派】luxuriant(*a.* 繁茂的；肥沃的)

**\*machinery** [məˈʃiːnəri] *n.* [总称]机械；机构

【记】词根记忆：machin(机械)+ery → 机械

【例】The new mayor reformed the *machinery* of the government. 新市长对市政府机构进行了改革。

**magic** [ˈmædʒik] *n.* 魔法；魅力；*a.* 有魔力的

【记】联想记忆：mag（看做magnet磁铁）+ic → 像磁铁一样吸引人 → 有魔力的

【例】There's no real *magic* in the world. 这世界上没有真正的魔法。

magic

**magma** [ˈmægmə] *n.* 岩浆

【例】The molten rock within was released in a jet of gas and fragmented *magma*. 内部的熔岩伴随着喷射的气体和碎裂的岩浆喷涌出来。

**magnetic** [mægˈnetik] *a.* 磁的；有吸引力的

【例】The electric and *magnetic* fields are formed due to a passing wave oscillating at a regular frequency. 电场和磁场是由振波以固定频率振荡而形成的。

**magnify** [ˈmægnifai] *vt.* 放大；扩大

【记】词根记忆：magn(大)+ify(使…) → 使…大 → 放大

【例】This microscope can *magnify* an object 100,000 times. 这个显微镜可将物体放大10万倍。

**magnitude** [ˈmægnitjuːd] *n.* 重要性；大小

【记】词根记忆：magn(大)+itude(表状态) → 大小

【例】Stargazers were struck by the uncommon *magnitude* of the newly discovered comet. 这颗新发现的彗星非常大，令天文学家们很是吃惊。

**\*mainly** ['meinli] *ad.* 大体上，主要地

【例】The weather is *mainly* cold and wet in England. 英国的天气以阴冷为主。

**\*mainstream** ['meinstri:m] *n.* 主要趋势，主流

【记】组合词：main(主要的)+stream(溪，流) → 主流

【例】His radical views place him outside the *mainstream* of American politics. 他的激进观点使他脱离了美国国政。

**\*maintain** [mein'tein] *vt.* 保持；维修；主张

【记】词根记忆：main(主要)+tain(保持) → 保持大体上的完好 → 维修

【例】Health promotion programs and policies would help people *maintain* healthy behaviors and lifestyles. 健康促进计划和方针能够帮助人们保持健康的生活习惯和生活方式。

**\*maintenance** ['meintənəns] *n.* 维持；保养；抚养费

【例】The school pays for heating and the *mointenance* of the buildings. 学校负担这些大楼的供热和维修费用。

**\*major** ['meidʒə] *a.* 主要的；*n.* 专业(学生)；*vi.* 主修，专攻

【记】词根记忆：maj(大)+or → 较大的 → 主要的

【例】In Mexico city, vehicle pollution is a *major* health hazard. 在墨西哥城，交通污染是对人们健康的一个主要威胁。

**\*majority** [mə'dʒɔrəti] *n.* 多数，大多数

【例】This treatment is not available in the vast *majority* of hospitals. 绝大部分医院都不提供这种治疗。

**mall** [mɔ:l] *n.* 购物中心

【例】Underground shopping *malls* are already common in China. 地下购物中心在中国已经极为普遍。

**\*management** ['mænidʒmənt] *n.* 管理(部门、人员)；处理

【记】联想记忆：man(人)+age(年纪)+ment → 一般管理人员都是有一定年龄，富有经验的人

【例】Why do you think national revenue *management* has come about? 你为什么会认为国家税收管理发生了改变呢?

**\*mandarin** ['mændərin] *n.* [M-]普通话

【记】词根记忆：mand(命令)+arin → 命令全国都要讲的 → 普通话

【例】Which language would you like to learn? We offer French, Italian, Cantonese, *Mandarin*, Spanish and Portuguese. 您想学习哪种语言？我们提供法语、意大利语、广东话、普通话、西班牙语和葡萄语的学习。

**manipulate** [mə'nipjuleit] *vt.* 影响；操作，使用
【记】词根记忆：mani(手)+pul(看做pull拉)+ate → 用手拉 → 操作
【例】Computers are very efficient at *manipulating* information. 计算机在处理信息方面效率极高。

**manor** ['mænə] *n.* 领地，庄园
【记】联想记忆：man(手)+or(物) → 靠自己的双手建立起来的 → 领地
【例】Within the grounds are a Georgian mansion, an Elizabethan dairy and the tower of a medieval *manor*. 这片校区，有一所乔治时期的住宅，一座伊丽莎白时期的牛奶场，还有一座中世纪庄园的塔楼。

**mansion** ['mænʃən] *n.* 大厦；(豪华的)宅邸
【记】联想记忆：man(人)+sion → 住人的地方 → 宅邸
【例】Mary and her family lived in a *mansion*. 玛丽一家住在一座大房子里。

**mantle** ['mæntl] *n.* 地幔
【例】Magma surged into the volcano from the Earth's *mantle*. 岩浆从地球的地幔涌入火山。

**manufacture** [ˌmænju'fæktʃə] *vt.* (大量)制造，生产；*n.* 制造，制造业
【记】词根记忆：manu(手)+fact(制作)+ure → 用手制作 → 制造
【例】Many automobile makers no longer *manufacture* cheap models. 很多汽车制造商不再生产低价位车型。

**manufacturer** [ˌmænju'fæktʃərə] *n.* 制造商，制造厂
【例】*Manufacturers* must sell these cleaner cars. 制造商必须把这些清洁车卖掉。

**marble** ['mɑːbl] *n.* 大理石；弹子；[*pl.*] 弹子游戏
【记】联想记忆：mar(看做Mar三月)+ble → 大理三月好风光 → 大理石
【例】In this game, you can insert a *marble* into a small hole to open the door. 在这个游戏中，你可以往一个小洞里塞入一个弹子来把门打开。

**maritime** ['mæritaim] *a.* 海的，海事的；海运的

【记】联想记忆：mari(海)+time(时间) → 海上的时间 → 海的，海事的

【例】You can call or send a message to someone aboard a ship by using our *Maritime* Services. 你可以通过我们的海运服务给船上的人打电话或发信息。

**marker** ['mɑːkə] *n.* 标记，标志

【例】Travel is a *marker* of status in modern societies. 旅行是现代社会中一种身份标志。

**\*marketplace** ['mɑːkitpleis] *n.* 市场

【记】组合词：market(市场)+place(地点，地方) → 市场

【例】Japan is the world's biggest *marketplace* for perfume. 日本是世界上最大的香水市场。

**marsh** [mɑːʃ] *n.* 沼泽；湿地

【记】联想记忆：mars(火星)+h → 火星上可能会有沼泽

【例】When they tried to cross the *marsh*, their cannons sank into the soft ground. 当他们设法穿过湿地时，他们的大炮陷进了软地。

**\*marsupial** [mɑːˈsjuːpiəl] *n. / a.* 有袋动物(的)

【记】发音记忆："马修皮" → 马多修了一张皮，动物多了一张皮做口袋 → 有袋动物

【例】Arboreal *marsupials* may not recover to pre-logging densities. 树袋动物的密度可能无法恢复到伐木以前了。

**mass** [mæs] *n.* 块；大量；[*pl.*] 群众；*a.* 大量的；*v.* 聚集

【记】联想记忆：和less(*a.* 少的)相反

【例】*Mass* use of motor vehicles has killed or injured millions of people. 机动车的大量使用已造成数百万人伤亡。

**massive** ['mæsiv] *a.* 大的；大量的，大规模的

【例】In Tokyo builders are planning a *massive* underground city to be begun in the next decade. 在东京，建筑者们正计划在接下来的十年里建造一个大型的地下城。

**\*Mastercard** 万事达信用卡

【例】Have you got a Visa card or a *Mastercard*? 你有维萨卡或者万事达信用卡吗？

**\*mastery** ['mɑːstəri] *n.* 精通，熟练；控制

【记】来自master(精通)+y → 精通，熟练

【例】A frequent change of role is the training requisite for a *mastery* of the actor's art. 频繁地转换角色是掌握表演技能的必要训练。

**\*mate** [meit] *n.* 配偶；伙伴；*v.* 交配，配种

【记】联想记忆：配偶(mate)相互为对方铺垫子(mat)

【例】The scientist observed the rabbits as they *mated*. 科学家观察兔子们交配。

**\*material** [mə'tiəriəl] *n.* 材料；素材；*a.* 物质的；重要的

【例】Glass is the great building *material* of the future. 玻璃是未来最主要的建筑材料。

**\*materialistic** [mə,tiəriə'listik] *a.* 唯物主义(者)的；实物主义(者)的；物质享乐主义的

【记】来自material(*a.* 物质的)

【例】Modern society is often called *materialistic*. 现在社会通常被称为是"唯物主义的"。

**\*mattress** ['mætris] *n.* 床垫，空气垫

【例】A good *mattress* is a wise investment for people who want to avoid headaches. 对于那些想避免头疼的人来说，买一张好的床垫不失为聪明的投资。

**mature** [mə'tjuə] *a.* 成熟的；深思熟虑的；*vt.* 使成熟

【记】联想记忆：自然(nature)中的n更换成m就是成熟的(mature)

【例】Jane is very *mature* for her age. 简年龄不大，却很成熟。

**\*maximum** ['mæksiməm] *n.* 最大量；*a.* 最大的，最高的

【记】词根记忆：max(大，高)+imum → 最大的，最高的

【例】Students on a visitor visa or work permit may study for a *maximum* of 3 months. 持旅行签证或工作许可证的学生最多可有三个月的学习时间。

**meadow** ['medəu] *n.* 草地

【记】联想记忆：mea(看做meal美餐)+dow → 牛、羊美餐的地方 → 草地

【例】In order to protect the ecosystem, the country determined to convert 11 percent of its cropped land to *meadow* or forest. 为了保护生态系统，该国决定将11%的农耕地变为草场或是森林。

**\*meaningful** ['mi:niŋful] *a.* 有目的的；有意义的

【记】来自meaning(含意，意义)+ful → 有目的的

【例】a *meaningful* experience 一次有意义的经历

**meantime** ['miːntaim] *n.* 其时，其间

【例】The country was urgently calling for peace while in the *meantime* secretly doing nuclear tests. 该国急切呼吁和平的同时却又在秘密进行核试验。

# Word List 23

| | | | |
|---|---|---|---|
| **cosm-** | 宇宙，世界 microcosm（n. 微观世界；缩影） | | |
| **ev-** | 时代 medieval（a. 中世纪的） | | |
| **medi-** | 中间 medium（n. 媒介） | **memor-** | 记忆 memorable（a. 难忘的） |
| **ment-** | 思考 mental（a. 心理的） | **meta-** | 变化 metaphor（n. 隐喻） |
| **micro-** | 微小 microbiology（n. 微生物学） | **milit-** | 军事，打斗 militant（a. 好战的） |
| **mini-** | 小 minimize（v. 最小化） | **mir-** | 惊奇 miracle（n. 奇迹） |
| **mod-** | 方式 modify（vt. 更改） | **mono-** | 单个 monopoly（n. 垄断） |
| **-scope** | 观察，镜 microscope（n. 显微镜） | | |

**meanwhile** ［ˈmiːnwail］ad. 与此同时

【例】Tina's due to arrive on Sunday. *Meanwhile*, what do we do? 蒂娜预定星期天到，这期间我们做什么呢？

**mechanic** ［miˈkænik］n. 机修工；［-s］力学，机械学

【记】来自 mechan（机械）+ic（人）→ 修机器的人 → 机修工

【例】The article gave the readers a summary of the life of a *mechanic*. 这篇文章向读者简略介绍了一个机修工的生活。

***mechanical** ［miˈkænikəl］a.（行动等）机械的，呆板的

【例】Practise that stop until it becomes *mechanical*. 练习那种步法直到习惯成自然。

**mechanism** ［ˈmekənizəm］n. 机械装置；机制；办法

【例】Tom replaced the button *mechanism* in the machine. 汤姆换掉了机器上的按钮装置。

**medieval** ［ˌmediˈiːvəl］a. 中世纪的；中古（时代）的

【记】词根记忆：medi（中间）+ev（时代）+al → 中世纪的

【例】The tourists were shut in the tower of a *medieval* manor by the kidnappers. 游客被绑架者关在一座中世纪庄园的塔楼里。

*mediocre [ˌmiːdiˈəukə] a. 平庸的, 平凡的

【记】词根记忆: medio( 中间 )+cre → 中间状态 → 平庸的

【例】I thought the play was only mediocre. 我认为这部戏剧只是平庸之作。

*Mediterranean [ˌmeditəˈreinjən] a. 地中海(式 )的

【记】词根记忆: medi( 中间 )+terr(地球, 土地)+anean → 在地球中间的 → 地中海

【例】We enjoyed such Mediterranean climate very much. 这种地中海式气候带给我们很大享受。

medium [ˈmiːdiəm] n. 媒质, 媒介; a. 中等的

【记】词根记忆: medi( 中间 )+um → 中间的 → 中等的; 媒介

【例】Mary uses the medium of poetry to make her ideas known. 玛丽使用诗歌来表达思想。 // Tom got a job in a medium-sized firm. 汤姆在一家中等商行里找到了一份工作。

*melatonin [ˌmeləˈtəunin] n. 褪黑激素

【例】Some scientists think that melatonin plays an important part in the seasonal behaviour of certain animals. 一些科学家认为褪黑激素在某些动物季节性特征的产生过程中起着重要作用。

melt [melt] v. (使)融化; (使)消散

【例】Salt helps melt ice. 盐作用于冰使其融化。

【派】melting(a. 熔化的, 融化的 )

membership [ˈmembəʃip] n. 会员身份; 全体会员

【例】You can pay the membership fee by cheque. 你可以用支票交会员费。

*memorable [ˈmemərəbl] a. 容易记住的; 难忘的

【记】词根记忆: memor(记忆)+able(可…的 ) → 可记忆的 → 容易记住的

【例】The trip to that village was memorable for us. 去那个村庄旅游是我们难忘的一次经历。

memorandum [ˌmeməˈrændəm] n. 备忘录, 摘要

【记】词根记忆: memor(记忆)+and+um → 记忆的东西 → 备忘录

*mental [ˈmentəl] a. 心理的, 精神的; 智力的

【记】词根记忆: ment(想, 心智)+al(…的 ) → 心理的, 精神的

【例】Health is a complete state of physical, *mental* and social well-being. 健康是生理、心理以及交际情况的一种整体良好状态。

\*\***mention** [ˈmenʃən] *n. /vt.* 提及，说起

【记】词根记忆: ment(想)+ion(人，物)→想到了就说→提及，说起

【例】He *mentioned* in his letter that he might be moving abroad. 他在信中提到他可能要移居国外。

\***merchandising** [ˈməːtʃəndaiziŋ] *n.* 销售规划；新产品计划和开发

【例】Their activities of merchandising did not provide sufficient funds for them. 他们的销售活动并没有给他们带来足够的资金。

**mercury** [ˈməːkjuri] *n.* 水银

【例】The *mercury* in the thermometer rose to 35℃ yesterday. 昨天温度计的水银柱升到摄氏35度。

**mere** [miə] *a.* 仅仅的；纯粹的

【记】联想记忆: 仅仅(mere)在这儿(here)徘徊是不行的

【例】*Mere* denunciation will not solve this great problem. 仅仅靠指责是解决不了这个大问题的。

\***merely** [ˈmiəli] *ad.* 仅仅，只不过

【例】You don't have to be present. *Merely* send a letter of explanation. 你不一定要出席，只要寄封信去说明一下就可以了。// I meant it *merely* as a joke. 我只不过是开个玩笑。

**merge** [məːdʒ] *v.* (使)结合

【记】联想记忆: merg(沉没)+e→沉没其中→结合

【例】Fact and fiction *merge* together in his latest thriller. 在他最近的惊险小说中，真实和虚构交织一起。

**mess** [mes] *n.* 凌乱；*vt.* 弄糟，搞乱

【例】All of the celebration locales are abandoned *messes*. 所有欢庆场地一片狼藉。// The wind *messed* up our hair. 风弄乱了我们的头发。

\***metaphor** [ˈmetəfə] *n.* 隐喻，暗喻

【记】词根记忆: meta(变化)+phor(带有)→以变化的方式表达→隐喻

【例】In literature the dove is often a *metaphor* for peace. 在文学作品中鸽子通常是和平的象征。

【派】metaphorical(*a.* 隐喻的，比喻的)

\***meteorology** [ˌmiːtiəˈrɔlədʒi] *n.* 气象学

【记】词根记忆：meteor(陨石；天气)+ology(学科)→古代根据流星判断天气

【例】The diagram shows how the Australian Bureau of *Meteorology* collects up-to-the-minute information on the weather. 该图表显示了澳大利亚气象局如何收集最新天气信息。

\*methane [ˈmiːθein] *n.* 甲烷，沼气

\*metro [ˈmetrəu] *n.* 地下铁路

【例】The cinema is in the main square, just two minutes' walk from the *Metro*. 电影院在主广场上，离地铁仅仅两分钟的步行路程。

\*microbiology [ˌmaikrəubaiˈɔlədʒi] *n.* 微生物学

【例】The *microbiology* lecture goes for one hour, and then it's followed immediately by a lab. 微生物课持续一个小时，然后学生们直接进试验室做试验。

\*microcosm [ˈmaikrəukɔzəm] *n.* 微观世界；缩影

【记】词根记忆：micro(微，小)+cosm(宇宙，世界)→微观世界

【例】Malaysia's universities have always been a *microcosm* of Malaysian society. 马来西亚的大学往往是整个马来西亚社会的缩影。

\*microprocessor [ˌmaikrəuˈprəusesə] *n.* 微处理器

【记】micro(微)+processor(处理器)→微处理器

【例】Now not even the humblest household object is made without a *microprocessor*. 现在即便是最简陋的家居用品在制造时也离不开微处理器。

microscope [ˈmaikrəskəup] *n.* 显微镜

【记】组合词：micro(小)+scope(看，视野)→用来看很小的东西→显微镜

【例】A *microscope* can magnify these germs. 显微镜可以将这些细菌放大。

midst [ˈmidst] *n.* 中间

【记】词根记忆：mid(中部的)+st→中间

【例】In the *midst* of a glade were several huts. 林中的空地中间有几间小木屋。

migrant [ˈmaigrənt] *n.* 移居者；候鸟

【记】词根记忆：migr(移动)+ant(人或物)→移居者

【例】The *migrants* fly to the south before winter. 候鸟在冬天来临之前飞往南方。

**\*migrate** [mai'greit] *vi.* (候鸟等)迁徙;移居

【记】词根记忆:migr(移动)+ate → 迁徙,移居

【例】About half the nation's 2,000 beekeepers *migrate* north to find more flowers for their bees. 在这个国家的2000个养蜂人中,约半数人为给蜜蜂找到更多的花而北迁。

【派】migratory(*a.* 迁徙的,流浪的)

**\*mild** [maild] *a.* 温柔的;温暖的;轻微的

【记】联想记忆:温柔(mild)的m颠倒过来就是野蛮(wild)

【例】She is the *mildest* woman you could wish to meet. 她是你想见到的最温柔的女人。// The thief just got a *mild* punishment. 小偷只受到了轻微的惩罚。

**milestone** ['mailstəun] *n.* 里程碑;转折点

【记】组合词:mile(英里)+stone(石头) → 标记英里数的石碑 → 里程碑

【例】This theory represents one of the great *milestones* in the history of scientific thought. 这一理论代表科学思潮史上一个伟大的里程碑。

**\*militant** ['militənt] *a.* 好战的;暴力的;*n.* 激进分子

【记】词根记忆:milit(军事,打斗)+ant → 好战的

【例】One *militant* group warned the government to take notice. 一个暴力团体警告政府要注意。

**military** ['militəri] *a.* 军事的;*n.* [the ~]军队

【记】词根记忆:milit(军事)+ary → 军事的

【例】The gizmo is called the Army Flashlight because it was developed initially for *military* use. 这种小发明被称为“军队闪光灯”,因为它最初研制出来是应用于军事目的的。

**\*mime** [maim] *v.* 模拟,模仿;*n.* 哑剧表演;哑剧(演员)

【记】词根记忆:mim(假正经的)+e → 假正经,装模作样 → 模拟,模仿

【例】The naughty boy *mimed* his old grandfather. 这个淘气的孩子模仿他的老爷爷。// Several French *mime* artists will give some lectures this afternoon. 几位法国哑剧表演艺术家将在今天下午做几场讲座。

**mineral** ['minərəl] *n.* 矿物,矿石

【记】来自mine(矿)+ral → 矿物,矿石

【例】Topaz is a hard and transparent *mineral*. 黄玉是一种坚硬透明的矿石。

mingle ['miŋgl] v. (使)混合；相往来

【记】和single(a. 单一的)一起记

【例】The waters of the two streams *mingled* to form one river. 两股溪水汇成了一条河流。

minimal ['miniməl] a. 最小的，最低限度的

【记】词根记忆：mini(小)+mal → 最小的

【例】The new couple stayed with their parents, so their expenses were *minimal*. 新婚夫妇和父母住在一起，所以他们的花费最少。

minimize ['minimaiz] vt. 使减到最低限度；最小化

【记】词根记忆：mini(小)+mize → 最小化

【例】The adoption of clean energy will help *minimize* air pollution. 采用清洁能源有助于将空气污染减小到最低程度。

minimum ['miniməm] n. 最低限度；a. 最低的，最小的

【记】词根记忆：mini(小)+mum → 最小的

【例】The *minimum* speed on the freeway is 45 kms per hour. 这条高速公路上的最低时速为45公里。

*minister ['ministə] n. 部长；外交使节；牧师

【例】The Prime *Minister* has promised to help the drought-stricken farmers in the northern part of the country. 首相已经承诺帮助本国北部地区遭受旱灾袭击的农民。

ministry ['ministri] n. (政府的)部

【例】People can call the *ministry* of justice for free legal advice. 人们可以打电话到司法部进行免费的法律咨询。

*minority [mai'nɔrəti] n. 少数，少数民族

【例】Human beings are in the *minority* as much of the work is done by automated machines controlled by computers. 当许多工作被电脑控制的自动化机器完成时，人力就占少数了。

miracle ['mirəkl] n. 奇迹，奇事

【记】词根记忆：mir(惊奇)+acle(物) → 奇迹，奇事

【例】The doctor said that Mary's recovery was a *miracle*. 医生说玛丽能够康复是个奇迹。

miserable ['mizərəbl] a. 痛苦的；令人难受的

【记】来自misery(n. 痛苦)，mis(坏)+ery(表状态) → 碰上坏事 → 痛苦的

【例】Many women patients have completely given up exercise because the pain makes them so *miserable*. 很多女病人已经完全放弃了锻炼，因为病痛让她们很痛苦。

*misjudge [ˌmisˈdʒʌdʒ] *v.* 判断错误

【记】词根记忆：mis+judge(判断)→判断错误

【例】Politicians have *misjudged* the public mood. 政客们对公众的情绪判断失误。

*missile [ˈmisail] *n.* 发射物；导弹，飞弹

【记】词根记忆：miss(发送)+ile(物体)→发送出去的东西→发射物

【例】A *missile* struck a closed shopping mall in Kuwait City. 一枚导弹击中了科威特城一家关闭的购物中心。

mission [ˈmiʃən] *n.* 使命，任务；使团

【记】电影《碟中碟》*Mission Impossible*，直译：《不可能完成的任务》

【例】The forces were sent to complete a secret *mission* in a uncharted place. 这些军队被派遣到地图上未标明的地方去执行一项秘密的任务。

*mite [mait] *n.* 极小量；小虫

【记】联想记忆：天上的风筝(kite)像小虫(mite)；mite原意为"螨虫"

【例】The hives will be replaced because of *mites* or an ageing or dead queen. 蜂箱会因为虫害或者蜂后的衰老或死亡等情况而被更换。

mixture [ˈmikstʃə] *n.* 混合(物)

【记】词根记忆：mix(混合)+ture(状态)→混合

【例】Today, scientists continue to experiment with new glass *mixtures*. 如今，科学家们继续对新型的玻璃混合物进行试验。

*modem [ˈməudem] *n.* 调制解调器

【例】This *modem* is on-line with the computer. 这个调制解调器与计算机相连接。

moderate [ˈmɔdərət] *a.* 温和的；适度的；*v.* (使)减轻

【记】词根记忆：mod(方式)+er+ate(具有…的)→有方式的→不过分的→适度的

【例】The people can bear *moderate* price increases in the market. 人们可以忍受市场上适度的涨价。// The wind has *moderated*. We can sail now. 风小了，我们现在可以启航了。

*modernism [ˈmɔdənizəm] *n.* 现代主义

【例】Many architects contributed to the development of *Modernism* in the first half of the century. 本世纪上半叶许多建筑师为现代主义的发展作出了贡献。

【派】modernist(*n.* 现代主义者，现代人)

**modify** ['mɔdifai] *vt.* 更改，修改；(语法上)修饰

【记】词根记忆：mod(尺度)+ify(使…)→使…调整尺度→更改，修改

【例】The construction of the houses has to be somewhat *modified* from houses in most areas. 这些房屋的结构应该根据大多数地区房屋的样式稍事修改。

**module** ['mɔdjuːl] *n.* 组件；模式；单元

【记】和model(*n.* 模型)一起记

【例】The school offers you 10-week *modules* of English courses. 该学校为你提供10周的英语课程单元。

**moist** [mɔist] *a.* 湿润的，潮湿的

【记】联想记忆：薄雾(mist)中→湿润的(moist)→城市很美

【例】The earthworm lives in *moist* and warm soil. 蚯蚓生活在潮湿温暖的土壤里。

【派】moisture(*n.* 潮湿，湿气)

**\*molecule** ['mɔlikjuːl] *n.* 分子

【记】mol(摩尔，克分子)+ecule→分子

【例】Watson demonstrated the structure of the DNA *molecule*. 沃森展示了DNA的分子结构。

**monitor** ['mɔnitə] *n.* 班长；监视器；*vt.* 监视；监测

【记】词根记忆：mon(警告)+itor→给你警告的人→班长

【例】Some worry that governments and industry will be tempted to use the technology to *monitor* individual behaviour. 有人担心，政府和企业会企图利用这项科技来监控个人行为。

**monopoly** [mə'nɔpəli] *n.* 垄断；垄断物

【记】词根记忆：mono(单个)+poly(多)→独占某商品绝大多数的市场份额→垄断

【例】In some countries, stamps are a government *monopoly*. 在一些国家里，邮票为政府所垄断。

**monster** ['mɔnstə] *n.* 怪物；巨人，巨大的东西

【记】发音记忆："懵死他"→怪物把他给吓懵了

【例】The moving van is a *monster* of a truck. 这辆搬家车是辆巨型

卡车。

**\*mood** ［mu:d］*n.* 心情，情绪

【记】联想记忆：心情(mood)不好也不能暴饮暴食(food)

【例】Longer exposure to sunshine puts people in a better *mood*. 多晒太阳会使人心情良好。

**moral** ［'mɔrəl］*a.* 道德的；*n.* ［*pl.*］品行，道德

【记】词根记忆：mor(风俗，习惯)+al(…的) → 中国自古就有循礼法、讲道德的风俗

【例】Altering our genetic inheritance is a *moral* problem. 改变我们的遗传基因是一个道德问题。

**motion** ［'məuʃən］*n.* 运动；手势；*v.* (向…)打手势

【记】词根记忆：mot(移动)+ion → 运动

【例】For years Newton had been curious about the cause of the orbital *motion* of the moon and planets. 多年来，牛顿一直对月球和行星轨道运动的成因好奇。

**motivate** ［'məutiveit］*vt.* 使有动机；激励，激发

【例】Pictures are used to help *motivate* children to read because they are beautiful and eye-catching. 图片因其美丽和引人注目而被用来激发孩子们的阅读兴趣。

**motive** ［'məutiv］*n.* 动机，目的

【记】词根记忆：mot(移动)+ive → 移动的目的 → 动机

【例】The discharging steam provided the rocket with *motive* power. 蒸汽排放所产生的反作用力给火箭提供了动力。

**\*mould** ［məuld］*n.* 霉，霉菌；模子

【例】A *mould* might prove to be a successful antibody to bacterial infection. 某种霉可能会被证明是细菌感染的有效抗体。

**mount** ［maunt］*n.* 山，峰

【记】mount本身是个词根，意为"登上"

【例】The eruption in May 1980 of *Mount* St. Helens astounded the world with its violence. 1980年5月，圣海伦山出现火山爆发，其威力震惊了世界。

**\*mountainous** ［'mauntinəs］*a.* 多山的

【记】来自mountain(山)+ous → 多山的

【例】This is the most *mountainous* part of Astoria. 这里是阿斯托里亚最多山的地区。

# Word List 24

**multiple** [ˈmʌltipl] a. 多重的，多样的；n. 倍数
【记】词根记忆：multi(多)+ple → 多重的
【例】Those devices have *multiple* purposes. 这类装置具备多功能性。

**multiply** [ˈmʌltiplai] v. (使)增加，(使)繁殖；乘
【例】Hot weather *multiplies* bacteria rapidly. 炎热的天气导致细菌迅速繁殖。

**murder** [ˈməːdə] n. / vt. 谋杀，凶杀
【例】The *murder* seemed planned. 这场谋杀显然是蓄意策划的。

**muscle** [ˈmʌsl] n. 肌肉；力量，实力
【记】发音记忆："马瘦" → 瘦马有劲 → 力量
【例】If your bed doesn't give enough support, back *muscles* and ligaments work all night trying to correct spinal alignment. 如果你的床不能提供足够的支撑，那么背部肌肉和韧带就会整晚工作来校直脊椎骨。

**mushroom** [ˈmʌʃrum] n. 蘑菇；vi. 迅速成长(或发展)
【例】The profit of this company is expected to *mushroom* to $50 million by 2006. 这家公司的利润到2006年有望猛增到5,000万

美金。

**mutual** [ˈmjuːtʃuəl] *a.* 相互的；共同的

【记】词根记忆：mut(变)+ual(…的)→改变是相互作用的结果 → 相互的；共同的

【例】They soon discovered a mutual interest in music. 他们很快发现对音乐有着共同的兴趣。

**\*mysterious** [miˈstiəriəs] *a.* 神秘的，诡秘的

【例】Writers transport their heroes to *mysterious* realms beyond the Earth. 作家们将其笔下的英雄流放到地球之外的神秘地域。

**naive** [nɑːˈiːv] *a.* 幼稚的，天真的

【记】联想记忆：native(原始的，土著的)去掉t → 比土著人还要少一点 → 天真的，幼稚的

【例】The second flaw in the document is the *naive* faith it places in its 1,000 core zoos. 这一文献的第二个瑕疵就是，它天真地信任了所谓的1000家核心动物园。

**naked** [ˈneikid] *a.* 裸体的，无遮蔽的

【例】The luminaries that can be seen by our *naked* eyes are quite a small part of the universe. 我们肉眼所看到的天体仅仅是宇宙中很小的一部分。

**\*nasty** [ˈnɑːsti] *a.* 令人讨厌的；下流的

【记】联想记忆：做事总是草率的(hasty)，真是令人讨厌的(nasty)

【例】Many people feel that it's dangerous to ride the subway—there have been some *nasty* attacks. 很多人认为乘坐地铁很危险，因为那里发生过一些可怕的袭击。

**nationality** [ˌnæʃəˈnæləti] *n.* 国籍；民族

【记】来自nation(国家)+ality(表状态) → 国籍

【例】Can you produce any proof of your *nationality*? 你能出示可以证明你国籍的证件吗？

**\*native** [ˈneitiv] *a.* 当地(人)的；*n.* 本地人，本国人

【例】All teachers in this school have specialist qualifications in teaching English to foreign students, and are all *native* speakers. 这所学校所有的老师都具备教外籍学生英语的专业资格，且均为本土人。

\*naturally [ˈnætʃərəli] *ad.* 当然，自然；天生地

【例】Is extinction a *naturally* occurring phenomenon? 物种灭绝是一种自然现象吗?

\*navigable [ˈnævigəbl] *a.* 可通航的；适于航行的

【记】词根记忆：nav(船)+ig(走)+able → 可通航的

【例】The depth of the *navigable* channel of this river is 40 feet. 这条河的可航行河段的水深为40英尺。

\*necessarily [ˈnesəsərili] *ad.* 必要地；必然地

【例】As an international student you'll not *necessarily* be eligible for all the facilities offered to resident students. 作为留学生，你将没有资格享受当地学生享受的所有便利。

\*negative [ˈnegətiv] *a.* 否定的；消极的；负的；*n.* (照相的)底片

【记】词根记忆：neg(否定)+ative(…的) → 否定的

【例】This policy had a *negative* effect on their business. 这一政策给他们的生意带了消极影响。

neglect [niˈglekt] *n. / vt.* 忽视；疏忽

【记】词根记忆：neg(否定)+lect(选择) → 不去选它 → 忽视；疏忽

【例】After years of *neglect*, single speed cycles still manage to function, though not always too efficiently. 在经过多年的被忽视之后，单速自行车尽管往往效率不高，但依然发挥着其作用。// Don't *neglect* writing to your mother. 别忘了给你母亲写信。

negotiate [niˈgəuʃieit] *v.* 洽谈，协商；顺利通过

【例】By no means does everyone in the world know English well enough to *negotiate* in it. 要让世界上每个人的英语都好得可以用它来进行谈判是不可能的。// Tom *negotiated* the fence with ease. 汤姆轻易地跳过了篱笆。

nerve [nəːv] *n.* 神经；**勇敢**

【记】联想记忆：军人为人民服务(serve)首先要勇敢(nerve)

【例】The animal's optic *nerves* are highly regenerative. 这种动物的视觉神经的再生能力非常强。// Rock-climbing is a test of *nerve* and skill. 攀岩是对勇敢和技巧的考验。

neutral [ˈnjuːtrəl] *a.* 中立的；中性的

【例】The feminist took *neutral* ground during the first interview. 这名女权主义者在第一次采访中采取了中立的态度。

nevertheless [ˌnevəðəˈles] *ad.* 仍然，然而

【例】He was tired, *nevertheless* he kept on working. 他累了，但仍然继续工作。

**nickel** ['nikəl] *n.* 镍；（美国和加拿大的）五分镍币

a dime (10 ¢)  a nickel (5 ¢)  a penny (1 ¢)
10美分硬币    5美分硬币     1美分硬币

nickel

【记】发音记忆："你抠"→连五分钱都舍不得给

【例】*Nickel* can be used to make batteries. 镍可以用来制造电池。

**nightmare** ['naitmeə] *n.* 噩梦；可怕的事物

【例】Traveling on those bad mountain roads is a *nightmare*. 在那些崎岖的山路上旅行真是件可怕的事。

nightmare

**Nordic** ['nɔ:dik] *a.* 北欧人的；北欧两项的

【记】联想记忆：nor（看做north北）+dic → 北欧人的

【例】Since the Winter Games began, 55 out of 56 gold medals in the men's *Nordic* skiing events have been won by competitors from Scandinavia or the former Soviet Union. 从首届冬季奥林匹克运动会开始，男子北欧滑雪比赛所产生的56块金牌有55块被斯堪的纳维亚和前苏联的选手收入囊中。

**\*normal** ['nɔ:məl] *a.* 正常的；标准的，规范的

【例】The *normal* noise threshold for private housing is 55 decibels. 私人住宅区噪音标准的音量上限为55分贝。

【派】normally(*ad.* 正常地，通常地)

**\*notable** ['nəutəbl] *a.* 值得注意的，显著的

【记】词根记忆：not(标识)+able(可…的) → 有标识可查的 → 值得注意的

【例】The most *notable* of these activities was the Woman's Exhibition. 在这些活动中，最引人注目的是妇女活动展。

【派】notably(*ad.* 显著地，特别地)

**\*notice board** 布告牌，公告牌

【例】We go to the *notice board* to find out about lectures. 我们去公告牌那儿看看课程情况。

**notify** ['nəutifai] *vt.* 通知，报告

【记】词根记忆：not(标识)+ify(使…) → 做出标识 → 通知，报告

【例】If the library is not *notified* and you are 15 minutes late，your time can be given to someone else. 如果你没有通知图书馆，那么在你迟到十五分钟之后，你的时间就会给其他人。

**notion** [ˈnəuʃən] *n.* 概念，观念；想法

【记】词根记忆：not(知道)+ion(性质) → 知道了 → 概念

【例】The emergence of a new style of architecture reflects more idea-listic *notions* for the future. 一种新建筑风格的出现反映了关于未来的更多的理想主义观念。

**notorious** [nəuˈtɔːriəs] *a.* 著名的，众所周知的；声名狼藉的

【例】Tom was a *notorious* liar. 汤姆是声名狼藉的骗子。

【派】notoriously(*ad.* 出名地，尽人皆知)

**nourish** [ˈnʌriʃ] *vt.* 养育，滋养；怀有(希望等)

【例】All the children were well *nourished* and in good phyiscal condition. 所有这些孩子都营养良好，身体健康。

【派】nourishing(*a.* 有营养的)

**\*nuclear** [ˈnjuːkliə] *a.* 核能的，原子能的

【记】联想记忆：nu+clear(清除) → 核能的威力足以清除地球上所有生物

【例】France derives three quarters of its electricity from *nuclear* power. 法国四分之三的用电量来自核能。

**numerous** [ˈnjuːmərəs] *a.* 众多的

【记】词根记忆：numer(数)+ous(…的) → 数目很多 → 众多的

【例】*Numerous* overseas visitors have come to see how the program works. 众多海外游客来到这里来观看这个项目是如何运作的。

**nurture** [ˈnəːtʃə] *vt.* 培养；滋养；*n.* 营养品

【记】联想记忆：大自然(nature)滋养(nurture)着人类

【例】We need to grow and *nurture* new talents. 我们需要增加和培养新的人才。

**oak** [əuk] *n.* 栎树，橡树

【记】联想记忆：ok中间有个a → 一棵好橡树

**\*object** [ˈɔbdʒikt] *n.* 物体；对象；目标；宾语

[əbˈdʒekt] *vi.* 反对，不赞成

【记】词根记忆：ob(反)+ject(扔) → 反向扔 → 反对

【例】The importance of these acquisitions extends beyond the *objects* themselves. 这些收获的重要性超过了事物本身。

**objection** [əbˈdʒekʃən] *n.* 反对；反对的理由

【例】If no one has any *objection* against the decision, I'll declare the meeting is closed. 如果没人反对这个决议，那么我将宣布会议结束。

\***objective** [əbˈdʒektiv] *n.* 目标，目的；*a.* 客观的

【例】The *objective* of the Human Genome Project is simple to state. 人类基因工程的目标很容易说明。

**obligation** [ˌɔbliˈgeiʃən] *n.* 义务，责任

【记】来自oblige(*vt.* 迫使)

【例】Every government has the right and *obligation* to run its own internal affairs well. 每一任政府都有管理好国家内政的权利和职责。

**observe** [əbˈzɜːv] *vt.* 察觉；观察；遵守

【记】词根记忆：ob(逆，反)+serv(服务)+e → 不予以服务却只是看 → 察觉；观察

【例】She has *observed* that if a left-handed person is brain-damaged in the left hemisphere, the recovery of speech is quite often better than that of a right-handed person. 她观察到，如果一个左撇子的大脑左半球受损，他的语言恢复能力会比右撇子好很多。

**obtain** [əbˈtein] *v.* 获得；通用，流行

【记】词根记忆：ob(附近)+tain(拿住) → 触手可及的 → 获得

【例】Today fibre optics are used to *obtain* a clearer image of smaller objects. 现在，纤维光学被用于获取更小物体的更清晰图像。

\***occasion** [əˈkeiʒən] *n.* 场合；时机；重大活动

【记】联想记忆：occ(看做occur发生，出现)+asion → 发生的时机

【例】It should have been an occasion for rejoicing, but she could not feel any real joy. 原本应该是高兴的时刻，她却丝毫未感到快乐。

**occasional** [əˈkeiʒənəl] *a.* 偶尔的，间或发生的

【例】There will be *occasional* congruity between prophecy and fact. 预言与事实偶尔会一致。

**occasionally** [əˈkeiʒənəli] *ad.* 有时候，偶尔

【例】In social circumstances, dress has often been used as a role sign to indicate the nature and *occasionally* the social status of people present. 在社会环境下，服饰常常作为一种角色标记，被用来表现

个性，又时而用来显示人的社会地位。

**occupation** [ˌɔkjuˈpeiʃən] *n.* 占领；职业；消遣

【例】Please state your name, age and occupations on the form. 请在表格里填写姓名、年龄和职业。

**occupy** [ˈɔkjupai] *vt.* 占；使从事

【记】联想记忆：占领(occupy)的现象发生(occur)了；oc+cupy(看做copy复印) → 复印一份占为己有

【例】Any individual in any situation *occupies* a role in relation to other people. 任何环境中的任一个体都在与其他人的交往中扮演着某种角色。

**occur** [əˈkəː] *vi.* 发生；存在

【记】联想记忆：oc+cur(跑) → 跑过去看发生了什么事

【例】Generally, molt *occurs* at the time of least stress on the birds. 通常，换羽期发生在小鸟压力最小的时候。

【派】occurrence(*n.* 出现；发生的事件)

**odd** [ɔd] *a.* 奇特的；临时的；奇数的

【记】联想记忆：奇奇(odd)相加(add)为偶

【例】We are attracted by the odd behavior of the boy. 男孩古怪的行为吸引了我们。

【派】oddly(*ad.* 奇特地)

**odour** [ˈəudə] *n.* 气味

【例】Some people are known as *odour*-blind. 一些人闻不到气味。

**offend** [əˈfend] *v.* 冒犯；使厌恶；违犯

【记】联想记忆：off(离开)+end(最后) → 冒犯了她，最后还是离开

【例】You should remind yourself not to *offend* against the customs when you are in the minority region. 当你在少数民族地区的时候，要提醒自己不要冒犯他们的风俗。

【派】offense(*n.* 犯规；冒犯)；offensive(*a.* 冒犯的；攻击性的)

**offset** [ˈɔːfset] *vt.* 抵消

【记】来自词组set off抵消

【例】Prices have risen in order to offset the increased cost of materials. 为补偿原料成本的增加而提高了价格。

**offspring** [ˈɔfspriŋ] *n.* 子女，后代；产物

【记】联想记忆：off(出来)+spring(春天) → 春天出来的 → 子女，后代

【例】With one right and one left-handed parent, 15 to 20 percent of the *offspring* will be left-handed. 如果父母中有一个是左撇子,一个是习惯用右手的,那么他们的后代是左撇子的概率是15%到20%。

**on the horizon** 即将发生的

【例】*On the horizon* are optical computers. 即将诞生的是光学计算机。

**\*ongoing** ['ɔngəuiŋ] *a.* 进行中的; *n.* 前进, 发展

【记】组合词: on(进行地)+going → 进行中的

【例】Manufacturers usually consider quality control to be an *ongoing* process. 制造商通常认为质量管理是一个不断发展的过程。

**operate** ['ɔpəreit] *vi.* 运转; 动手术; 起作用; *vt.* 操作; 经营

【例】The lift didn't *operate*. 电梯坏了。// The doctor decided to *operate* on Tom immediately. 医生决定马上给汤姆动手术。// His father *operates* three big companies. 他父亲掌管着3家大公司。

**operational** [ˌɔpə'reiʃənəl] *a.* 运转的; 操作上的

【记】来自operate(v. 操作), oper(工作)+ate(表人、职位)

【例】We need some advanced *operational* staff. 我们需要一些高级操作人员。

**\*opponent** [ə'pəunənt] *n.* 对手, 反对者

【记】词根记忆: op(相反)+pon(位置)+ent(人) → 立场不同的人 → 对手, 敌手

【例】The American Medical Association represents about half of all US doctors and is a strong *opponent* of smoking. 美国医生协会代表着美国一半左右的医生,这一机构强烈反对吸烟。

**opportunity** [ˌɔpə'tjuːnəti] *n.* 机会, 良机

【记】联想记忆: opportun(e)(合适的, 适当的)+ity → 机会, 良机

【例】The film gave them an *opportunity* to let their imaginations run wild. 电影给了他们一个纵情驰骋想像力的机会。

**oppose** [ə'pəuz] *vt.* 反对, 反抗

【记】词根记忆: op(相反)+pos(放)+e → 摆出相反的姿态 → 反对, 反抗

【例】Some environmentalists have *opposed* economic development of any kind. 一些环保主义者反对任何形式的经济发展。

**optimism** ['ɔptimizəm] *n.* 乐观, 乐观主义

【记】词根记忆: optim(最好)+ism → 认为自己是最好的 → 乐观主义

【例】The document does seem to be based on an unrealistic *optimism*.

这一文献似乎是建立在一种不现实的乐观主义之上的。

\*optimistic [ˌɔptiˈmistik] a. 乐观的，乐观主义的

【记】词根记忆：optim（最好）+istic（…的）→ 什么都往最好处想的 → 乐观的

【例】Psychologists have conducted studies showing that people become more *optimistic* when the weather is sunny. 心理学家已进行的研究显示，人们在阳光灿烂的日子里会更加乐观。

option [ˈɔpʃən] n. 选择（权）；（供）选择的物（或人）

【记】词根记忆：opt（选择）+ion → 选择

【例】To increase the output of crops per acre, a farmer's easiest *option* is to use fertilisers and pesticides. 为增加每英亩农作物的产量，农民最简单的选择是使用肥料和杀虫剂。

optometrist [ɔpˈtɔmitrist] n. 验光师，视力测定者

【记】来自optometr(y)（验光）+ist → 验光师，视力测定者

【例】Students will have a chance to ask *optometrists* any questions at the end of the lecture. 讲座结束时，学生们将有机会向眼镜商提问。

orchestra [ˈɔːkistrə] n. 管弦乐队

【记】联想记忆：or+chest （胸腔）+ra → 管弦乐队的成员大都需借助胸腔的力气演奏乐器

【例】Which *orchestra* do you think is the finest in our country? 你觉得我国最棒的管弦乐队是哪一支？

orchestra
chest

\*organ [ˈɔːgən] n. 器官；机构

【例】The main *organs* of communication for the WSPU were its two newspapers. 妇女社会政治联盟的主要联络机构是其创办的两家报纸。

organism [ˈɔːgənizəm] n. 生物，有机体

【例】This insect is on a list of *organisms* known to be harmful. 这种昆虫属于有害物种。

【派】organic(a. 有机体的，有机物的)

organize [ˈɔːgənaiz] vt. 组织，成立；使有条理

【例】Classes are *organized* according to ability level. 班级是根据能

237

力水平来组建的。

**orient** [ˈɔːriənt] *vt.* 使朝向；使适应；把…兴趣引向

【记】词根记忆：ori(升起)+ent → 朝向太阳升起的地方 → 使朝向

【例】The course focuses on preparing its graduates for work, so we're *oriented* very much towards employment. 这门课的重点是为毕业找工作做准备，所以我们自然把兴趣引到就业上了。

**orientation meeting** 新生报到会

【例】This information is all in the handout which you should have received at the *orientation meeting*. 这些信息在你从新生报到会上领到的手册上都有。

**\*origin** [ˈɔridʒin] *n.* 起源；[常 *pl.*] 出身

【记】词根记忆：ori(开始)+gin → 开始 → 起源

【例】The *origins* of what is now generally known as modern architecture can be traced back to the social and technological changes of the 18th and 19th centuries. 现在人们通常认为现代建筑学的起源可以追溯到18、19世纪的社会和科技变革。

# Word List 25

| | | | |
|---|---|---|---|
| **over-** | 在…上 overlap（v. 重叠） | **per-** | 贯穿 perceive（v. 感知） |
| **ox-** | 氧 oxide（n. 氧化物） | **para-** | 类似 parallel（a. 平行的） |
| **path-** | 病 pathology（n. 病理学） | **pen-** | 惩罚 penalty（n. 惩罚） |
| **pet-** | 追求 perpetual（a. 永久的） | **petro-** | 石 petroleum（n. 石油） |
| **philo-** | 爱 philosophy（n. 哲学） | **physi-** | 自然 physical（a. 物理学的） |
| **popul-** | 人 populate（v. 大批地居住于） | **port-** | 拿 portable（a. 便于携带的） |
| **sist-** | 站立 persist（vi. 坚持，持续） | **-ous** | （形容词后缀）…的 poisonous（a 有毒的） |

*original [əˈridʒinəl] a. 最初的；原版的；n. 原作

【例】Their *original* house was converted into a residential college. 他们最初的房子被改成了一所寄宿学校。// How important do you think it is for a film-maker to remain true to the *original* story? 你认为电影制片人对原著的忠实有多重要？

ounce [auns] n. 盎司

【例】This can weighs about 0.48 *ounces*. 这个罐子重约0.48盎司。

outcome [ˈautkʌm] n. 结果

【记】来自词组come out（出来）

【例】Some environmentalists worry about this *outcome*. 一些环境保护者对这个结果表示担心。

*outdo [ˌautˈduː] v. 超越，胜过

【记】词根记忆：out（超过）+do → 超越，胜过

【例】The two universities are always trying to *outdo* each other academically. 这两所大学总是试图在学术上超过对方。

outline [ˈautlain] n. 提纲；轮廓；vt. 概述

【记】组合词：out（出）+line（线条）→ 划出线条 → 概述

239

【例】River deltas' *outlines* are always changing. 河流三角洲的轮廓总是在变。

\*output [ˈautput] *n.* 产量; 输出(功率); *vt.* 输出

【记】来自词组put out(产生)

【例】In the rich countries, subsidies for growing crops and price supports for farm *output* drive up the price of land. 在经济富裕的国家, 农作物种植补助金以及针对农业产量的政府津贴抬高了地价。

\*outsell [ˌautˈsel] *vt.* 卖得比…多

【例】This kind of digital camera *outsells* all others on the market. 这款数码相机在市场上较其他型号畅销。

outward [ˈautwəd] *a.* 外面的, 外表的

【例】The scientist warned the local population against being deceived by the volcano's *outward* calm. 科学家警告当地居民不要被这座火山表面的平静所欺骗。

\*overall [ˈəuvərɔːl] *a.* 全面的; 全部的

【记】组合词: over(从头到尾)+all(所有的) → 全面的; 全部的

【例】The *overall* absence rate of the company was 3.6 percent in the first year. 公司第一年度的总缺席率为3.6%。

\*overcome [ˌəuvəˈkʌm] *vt.* 战胜, 克服; (感情等)压倒

【记】来自词组come over(战胜, 支配)

【例】I don't believe limited resources and ecological constraints are *overcome* by personal skills. 我不相信个人技术能够克服有限的资源和生态限制的困难。

overlap [ˌəuvəˈlæp] *v.* 重叠, 交搭

【记】联想记忆: over(在…上)+lap(大腿) → 把一条腿放在另一条腿上 → 重叠

【例】Farmers require a variety of species with *overlapping* periods of activity. 农民需要多种作物来填补耕作的交叉期。

\*overseas [ˈəuvəˈsiːz] *ad.* 在海外; *a.* 在海外的

【记】组合词: over+seas(海) → 在海外

【例】*Overseas* students may enrol for a course at the college from their home country. 留学生可以在本国报名登记大学的课程。

\*oversee [ˌəuvəˈsiː] *v.* 监督, 监视(某人或某物)

【记】组合词: over(在…之上)+see(看) → 监督

【例】You must appoint someone to *oversee* the project. 你得指派个人

监督这一工程。

**overwhelm** [ˌəuvəˈwelm] vt. 征服；淹没

【记】组合词：over（在…上）+whelm（淹没，压倒）→ 在…上压倒 → 征服

【例】The village was *overwhelmed* by the flood. 那个村庄被洪水淹没了。

【派】overwhelming(a. 势不可挡的；巨大的)

**\*owe** [əu] vt. 欠；把…归功于

【例】I *owed* the bank rather a lot of money a few years ago. 几年前，我欠了银行一大笔钱。

**owl** [aul] n. 猫头鹰

【例】The *owl* sleeps in the day and comes out to catch mice in the night. 猫头鹰白天睡觉，晚上出来抓老鼠。

**oxide** [ˈɔksaid] n. 氧化物

【记】词根记忆：oxi(=oxy氧)+de → 氧化物

【例】The greenhouse effect is a natural phenomenon due to the presence of greenhouse gases—water vapour, carbon dioxide and nitrous *oxide*—in the atmosphere. 温室效应是一种由大气中的水蒸气、二氧化碳和一氧化氮这些温室气体形成的自然现象。

**ozone** [ˈəuzəun] n. 臭氧

【例】Carbon dioxide, nitrogen dioxide, *ozone* were among the pollutants monitored by the WHO. 二氧化碳、二氧化氮和臭氧都属于世界卫生组织监控的污染物。

**\*pack** [pæk] v. (把…)打包；塞满；n. 包

【例】The canteen was absolutely *packed*. 饭盒已经完全被塞满了。

**pamphlet** [ˈpæmflit] n. 小册子

【例】The *pamphlet* was regarded as a masterpiece of wit. 这本小册子被看成一部智慧杰作。

**\*panic** [ˈpænik] n. 恐慌；v. (使)惊惶失措

【例】In fact I'm starting to *panic* as the project deadline is in two weeks and I don't seem to be making any progress at all. 事实上，当距工程的最后期限还剩两个星期时我开始惊慌失措起来，因为我还是一点进展也没有。

**parallel** [ˈpærəlel] a. 平行的；类似的；vt. 与…相似

【记】词根记忆：para(类似)+llel → 类似的，平行的

【例】The expressway is *parallel* to the railway. 这条高速公路与铁路平行。// Tom's experiences *parallel* mine in many instances. 汤姆的经历多与我的相似。

**parcel** ['pɑːsəl] *n.* 包裹

【例】She sent a *parcel* of books to her younger sister. 她寄给妹妹一包书。

**parliament** ['pɑːləmənt] *n.* 议会，国会

【记】联想记忆：parlia（看做parle谈话）+ment → 谈论政府的地方 → 议会

【例】The exhibition met with great opposition from *Parliament*. 这次展出遭到了国会的强烈反对。

**partial** ['pɑːʃəl] *a.* 部分的；偏爱的；偏心的

【例】Parents should not be *partial* to any one of their children. 父母们不该对某个孩子有偏心。

【派】partially（*ad.* 部分地）

***participant** [pɑːˈtisipənt] *n.* 参加者，参与者

【记】联想记忆：parti（看做party晚会）+cip（抓，拿）+ant → 抓去参与派对的人 → 参与者

【例】Group tours encourage *participants* to look at new objects and places. 团体旅游鼓励游客多去看新的景点。

***participate** [pɑːˈtisipeit] *vi.* 参与，参加

【记】联想记忆：parti（看做party晚会）+cip（抓，拿）+ate（做）→ 找人参与派对 → 参与

【例】More and more women are *participating* in politics. 越来越多的女性投身政治。

**particle** ['pɑːtikl] *n.* 极少量，微粒

【记】联想记忆：part（部分）+icle（看做article物品）→ 物品的一部分 → 极少量

【例】This type of smoke contains more, smaller *particles* and is therefore more likely to be deposited deep in the lungs. 这种烟含有更多、更小的颗粒，因此更有可能沉淀到肺部深处。

***particularly** [pəˈtikjuləli] *ad.* 特别，尤其

【记】来自particular（*a.* 特别的）

【例】Mary was *particularly* fond of bananas. 玛丽特别爱吃香蕉。

***passport** ['pɑːspɔːt] *n.* 护照

【记】组合词：pass(通过)+port(港口) → 通过港口所需的文件 → 护照

【例】This country is working to stop the illegal sale of its *passports* to suspected terrorists. 这一国家正在阻止向恐怖分子嫌犯非法出售该国护照。

**patent** [ 'peitənt] *n.* 专利(权)；*vt.* 申请专利

【例】Walker never *patented* his invention. 沃克从未将自己的发明申请专利。

***pathology** [pə'θɒlədʒi] *n.* 病理学；病变

【记】词根记忆：path(病)+ology(学科) → 病理学

【例】My first class in this term is plant *pathology*. 这学期我的第一节课是植物病理学。

**pattern** [ 'pætən] *n.* 样式；模式；*vt.* 仿造

【例】How do you think the Internet will affect buying *patterns* in the future? 你认为互联网会如何影响未来的购买模式？

***payment** [ 'peimənt] *n.* 支付，支付的款项

【例】You may spread your *payments* over a longer period. 你可以将你的支付期顺延得更长。

**pearl** [pə:l] *n.* 珍珠

**pedal** [ 'pedəl] *n.* 踏板；*v.* 骑车；踩踏板

【记】词根记忆：ped(脚)+al → 脚踏的东西 → 踏板

【例】The riders *pedaled* fast along the rocky road. 车手们在崎岖的路上飞快地骑着脚踏车。

handiebars 车把　　seat 车座

tire 轮胎

pedal 踏板　　chain 链条　　spokes 辐条

a bicycle 自行车

**penalty** [ 'penəlti] *n.* 惩罚，罚金

【例】People who work reduced hours pay a huge *penalty* in career terms. 工作时间缩水的人在事业中会受到严厉的惩罚。

**pension** [ 'penʃən] *n.* 养老金，抚恤金

【记】词根记忆：pens(挂，引申为"钱")+ion → 养老金

【例】Even hourly employees receive benefits—such as *pension* contributions and medical insurance—that are not tied to the number of hours they work. 即使小时工也享受养老金和医疗保险等福利，

但这些福利与他们工作的时间没有关系。

**pepper** [ˈpepə] *n.* 胡椒；*vt.* 在…上撒（胡椒粉等）

【例】Only a dash of *pepper* is enough for the dish. 这道菜只需放一点儿胡椒粉就可以了。

pepper

**perceive** [pəˈsiːv] *v.* 感知，察觉；认识到，理解

【记】词根记忆：per（全部）+ceive（拿住）→ 全部拿住 → 感知，察觉

【例】While I was examining the small stars, I *perceived* one that appeared visibly larger than the rest. 我观察那些小星星的时候，发现有一个明显比其他的大。// Tom *perceived* Mary's comment as a challenge. 汤姆认为玛丽的批评是对他的一种激励。

**\*percentage** [pəˈsentidʒ] *n.* 百分比，百分率

【记】来自 percent（百分比）+age（表状态）→ 百分比，百分率

【例】What *percentage* of the workforce was employed in agriculture in this country in the mid 1900s? 在20世纪中期，这个国家从事农业的劳动力与总劳动力相比占多大比例？

**\*perform** [pəˈfɔːm] *v.* 做，履行；表演

【记】词根记忆：per（每）+form（形式）→ 表演是将各种艺术形式综合起来

【例】Why did the divers *perform* worse in colder conditions? 为什么潜水者在较冷的条件下表现稍差些呢？// We are going to *perform* Snow White tonight. 我们今晚将表演《白雪公主》。

**\*performance** [pəˈfɔːməns] *n.* 演出；履行；工作表现

【例】The dancers are there to give a *performance*. 舞蹈演员们在那里演出。

**\*permission** [pəˈmiʃən] *n.* 允许，准许

【记】词根记忆：per（贯穿，自始至终）+miss（送）+ion → 自始至终她都不允许发送

【例】Students living in the hall do not need *permission* to park their cars. 住宿生在宿舍停车场停车不需要许可证。

**perpetual** [pəˈpetjuəl] *a.* 永久的；长期的

【记】词根记忆：per（贯穿）+pet（追求）+ual → 自始至终追求的 → 永久的

【例】Life itself was a *perpetual* and punishing search for food. 生活本

身就是一个不断辛苦寻找食物的过程。

**persist** [pəˈsist] vi. 坚持；持续

【记】词根记忆：per(始终)+sist(坐) → 始终坐着 → 坚持；持续

【例】If you *persist* in indifference, do not make me your confidante. 如果你坚持这么冷漠，就别让我做你的好朋友。

【派】persistent(a. 持久稳固的)；persistence(n. 坚持，持续)

***personality** [ˌpəːsəˈnæləti] n. 人格，个性；人物

【例】If you are in a role for long, it eventually becomes part of you, part of your *personality*. 如果你长久地陷在一个角色里，最终它将成为你的一部分，成为你个性的一部分。

**personnel** [ˌpəːsəˈnel] n. [总称] 人员，员工

【例】All *personnel* were asked to participate in the meeting. 此次会议要求全体员工参加。

***pest** [pest] n. 害虫

【例】Old varieties of food plants have provided some insurance against *pests* or diseases. 各种古老的粮食作物有抵抗病虫害的本领。

**petrol** [ˈpetrəl] n. 汽油

【记】发音记忆："派车" → 汽车有油才能往外派

【例】In several countries they have become interested in the possibility of using fuel produced from crop residues as a replacement for *petrol*. 用农作物残渣制成燃料并将其替代汽油，一些国家已经对这种可能性产生兴趣。

**petroleum** [piˈtrəuliəm] n. 石油

【记】词根记忆：petro(石)+leum → 石油

【例】This newly discovered substance can burn like *petroleum*. 这种新发现的物质可以像石油一样燃烧。

***phenomenon** [fiˈnɔminən] n. 现象，迹象；非凡的人(或事物)

【记】发音记忆："费脑迷呢" → 他费脑筋琢磨这奇特的现象但仍迷惑不解

【例】The greenhouse effect is a natural *phenomenon*. 温室效应是一种自然现象。

**philosophy** [fiˈlɔsəfi] n. 哲学；哲理

【记】词根记忆：philo(爱)+soph(聪明的，智慧)+y → 爱思考的学问 → 哲学

【例】Try your best to succeed—that's my *philosophy*. 竭尽全力，取

力，取得成功——这就是我的人生哲学。

【派】philosopher(*n.* 哲学家，哲人)

**\*photocopy** ['fəutəuˌkɔpi] *v.* 影印，复印

【记】组合词：photo(照片，摄影)+copy(复制)→照相复制→影印，复印

【例】Let's go and *photocopy* the article. 我们去把这篇文章影印一份吧。

**photography** [fə'tɔgrəfi] *n.* 摄影术，摄影

【记】词根记忆：photo(照片)+graph(图，写)+y→摄影，摄影术

【例】He is looking for ways of simplifying *photography*. 他在寻找简化摄影的方法。

【派】photographer(*n.* 摄影师)；photographic(*a.* 摄影的)

**\*physical** ['fizikəl] *a.* 身体的；物理(学)的；物质的

【例】The *Physical* Fitness Instructor's course is offered as a six-month course. 健身教练的培训班为期六个月。

**physician** [fi'ziʃən] *n.* 内科医生，医师

【记】词根记忆：physic(医学)+ian(人)→内科医生

【例】The *physician* said smoking is harmful to my health. 医生说吸烟对我的健康有害。

**\*pilot** ['pailət] *n.* 飞行员，引航员；*vt.* 驾驶，为…引航

【记】发音记忆："派了他"→派了他去引航

【例】They owe their lives to the skill of the *pilot*. 是飞行员的技术挽救了他们的生命。

**pirate** ['paiərət] *n.* 侵犯版权者；海盗；*vt.* 盗用，盗版

【记】和private(*a.* 私人的；秘密的)一起记

【例】Anybody can *pirate* our music and software without proper laws. 如果没有适当的法规出台，任何人都可以盗用我们的音乐和软件。

**plaster** ['plɑːstə] *n.* 灰泥，石膏；膏药

【例】Two layers of *plaster* board will be needed for the interior bedroom walls. 卧室的内墙需要采用双层石膏板。

**\*plastic** ['plæstik] *a.* 塑料(制)的

【例】The growers put *plastic* bags around the bunches to protect bananas. 种植者用塑料袋把香蕉束罩起来予以保护。

**platform** ['plætfɔːm] *n.* 平台，站台；纲领

【记】来自plat(平的)+form(形态)→平台

【例】This 520-hectare island serves as the *platform* for the new military airport. 这个520公顷的小岛是新的军用机场的起落台。

**plot** [plɔt] *n.* 故事情节；小块土地；密谋

【记】联想记忆：p+lot(很多的)→内容很多的→故事情节，密谋

【例】The *plot* of this film was too complicated for me. 这部电影的情节对我来讲太复杂了。// Some families grew manioc and other starchy crops in small garden *plots*. 一些家庭在花园的小块地里种植树薯和其他淀粉类作物。

**plus** [plʌs] *prep.* 加；*n.* 加号，正号

【记】联想记忆：pl(看做play玩)+us(我们)→加上我们一起玩儿

【例】The psychologist found a word without a picture was superior to a word *plus* a picture for children. 心理学家发现，没有附上图片的词对孩子们而言比加了图片的词更好一些。

**\*poison** ['pɔizən] *n.* 毒，毒药；*vt.* 毒害

【记】联想记忆：毒害(poison)百姓，被送进监狱(prison)

【例】White phosphorus is a deadly *poison*. 白磷是一种致命的毒药。

**\*poisonous** ['pɔizənəs] *a.* 有毒的；恶毒的

【例】They ate a species of *poisonous* mushroom. 他们吃了一种有毒的蘑菇。

**\*pollution** [pə'luːʃən] *n.* 污染，污染物

【例】Air *pollution* is increasingly becoming the focus of government and citizen concern around the globe. 大气污染正逐渐成为全球范围内政府和市民关注的焦点。

**\*populate** ['pɔpjuleit] *vt.* (大批地)居住于，生活于

【记】来自popul(人)+ate(使…)→使人在某处→(大批地)居住于

【例】The dinosaurs used to *populate* the earth. 恐龙曾经生活在地球上。

**pore over** 仔细阅读

【例】They love to *pore over* weighty tomes. 他们喜欢仔细阅读大部头的书。

**portable** ['pɔːtəbl] *a.* 便于携带的，手提式的

【记】词根记忆：port(拿，运)+able(可…的)→可以拿的→手提式的

【例】A quiver is a *portable* case for holding arrows. 箭囊是可以随身

携带的用来装箭的盒子。

**portion** [ˈpɔːʃən] *n.* 部分；一份；*vt.* 分配

【记】联想记忆：port(看做part部分)+ion → 部分

【例】The energy system uses the visible *portion* of the solar spectrum to light buildings. 该能源系统利用太阳光谱中的可见光来为建筑照明。

# Word List 26

**\*position** [pəˈziʃən] n. 位置；地位；职务；立场

【例】The *position* of women in society has changed markedly in the last twenty years. 在过去的20年里，妇女的社会地位有了显著的改变。

**\*positive** [ˈpɔzətiv] a. 明确的；肯定的；积极的

【记】词根记忆：posit（放）+ive → 放在那里的 → 明确的；肯定的

【例】Customer comments, both *positive* and negative, are recorded by staff. 对于顾客的意见，无论是肯定的还是否定的，都由职员予以记录。

**possess** [pəˈzes] vt. 具有；拥有

【记】联想记忆：poss（看做boss老板）+ ess（存在）→ 老板占有很多财产 → 具有，拥有

possess

【例】My professor *possessed* a surrealistic canvas by Dali. 我的教授拥有一幅达利的超现实主义油画。

**postgraduate** [ˌpəustˈgrædjuət] n. 研究生；a. 毕业后的

【例】I've got a place in a *Postgraduate* Certificate in Education course starting in September. 我已经参加了于9月份开学的教育学研究生文凭的课程。

**post-mortem** [ˌpəust ˈmɔːtəm] *a.* 事后的

【例】When businesses fail, the *post-mortem* analysis is traditionally undertaken by accountants and market strategists. 生意失败后，通常是由会计师和市场战略家来进行事后分析。

**postpone** [pəust ˈpəun] *vt.* 延迟，延期

【记】词根记忆：post(在后面)+pone(放) → 放到后面 → 延迟

【例】The sports meet was finally *postponed* because of the bad weather. 由于天气恶劣，运动会最终被推迟了。

**posture** [ˈpɔstʃə] *n.* 姿势；心情

【记】来自pose(*n.* 姿势)

【例】PE teachers help you develop coordination, balance and *posture*. 体育老师可以帮你改善协调性、平衡性和体态。

**\*potential** [pəˈtenʃəl] *a.* 潜在的；可能的；*n.* 潜力，潜能

【记】词根记忆：po+tent(伸展)+ial → 无限伸展的潜能 → 潜能

【例】After the final interview, *potential* recruits were divided into three categories. 经过最后的面试，有可能成为新成员的人被分成三类。

**poverty** [ˈpɔvəti] *n.* 贫穷

【例】In this country people were experiencing *poverty*, unemployment and famine. 在这个国家，人们正在经受穷困、失业和饥饿的煎熬。

**practically** [ˈpræktikəli] *ad.* 几乎，简直；实际上

【记】来自practice(*n.* 实际)

【例】There is evidence that the reaction principle was applied *practically* well before the rocket was invented. 有证据证明，这种反作用原理在火箭发明前就得到了很好的实际应用。

**precise** [priˈsais] *a.* 精确的，准确的；严谨的

【例】The company serves its clients with professional and *precise* attitudes. 该公司本着专业和严谨的态度为客户服务。

【派】precisely(*ad.* 正好)

**\*predict** [priˈdikt] *v.* 预言；预告

【记】词根记忆：pre(预先)+dict(说) → 预言，预告

predict

【例】The United Nations *predicts* that the global population may stabilise between 8 and 14 billion in the twenty-first century. 联合国预言，全球人口在21世纪将稳定在80亿到140亿之间。

**\*predispose** [ˌpriːdiˈspəuz] *v.* 事先影响某人；(使)易患病

【记】词根记忆：pre(预先)+dispose(处理，安排) → 预先处理安排 → 事先影响某人

【例】Exposure to too much noise may *predispose* you to a headache. 接触太多的噪音会让你头疼。

【派】predisposition(*n.* 倾向，癖性)

**predominantly** [priˈdɔminəntli] *ad.* 重要地，显著地

【记】词根记忆：pre(前)+dominant(统治的)+ly → 在前面统治的 → 重要地

【例】Tom grew up in the *predominantly* black, middle-class suburb of this city. 汤姆在黑人和中产阶级占多数的市郊长大。

**preface** [ˈprefis] *n.* 序言，引言

【记】pre(…前)+face(面) → 写在正文前面的话 → 序言

【例】I will not delay you by a long *preface*. 我的开场白不会很长，免得耽误你们的时间。

**preferable** [ˈprefərəbl] *a.* 更可取的，更好的

【记】来自prefer(更喜欢)+able(…的) → 更可取的，更好的

【例】I'm not sure the cure is *preferable* to the disease. 我不能肯定这种疗法是否更适用于医治这种疾病。

**preference** [ˈprefərəns] *n.* 喜爱；偏爱的事物(或人)；优先

【记】来自prefer(更喜欢)+ence(表名词) → 偏爱的事物

【例】Many people expressed a strong *preference* for the original plan. 许多人强烈表示喜欢原计划。

**pregnant** [ˈpregnənt] *a.* 怀孕的，妊娠的

【记】词根记忆：pregn (拿住)+ant → 拿住，怀有 → 怀孕的

【例】The tablets are not given to children under 12 years of age or *pregnant* or breastfeeding women. 12岁以下的儿童、妊娠期或哺乳期的妇女禁用此药。

pregnant

**premier** [ˈpremiə] *n.* 总理；首相；*a.* 首要的，第一位的

【例】The *premier* was injured in a bomb attack. 总理在一次炸弹袭击

中受伤。//He is a scientist at the Australian Government's *premier* research organization. 他是一位来自澳大利亚政府第一研究机构的科学家。

**\*premium** ['pri:miəm] *a.* 优质的；售价高的；*n.* 保险费

【记】词根记忆：pre(前)+m(=empt买)+ium → 提前买下的东西 → 保险费

【例】The coffee we're drinking is *premium* quality. 我们喝的是特级咖啡。

**preparation** [ˌprepə'reiʃən] *n.* 准备(工作)，预备；制剂

【例】The team has been training hard in *preparation* for the big game. 为备战这场重要比赛，队伍一直在严格训练。

**prescribe** [pri'skraib] *v.* 处(方)，开(药)；规定

【记】词根记忆：pre(预先)+scribe(写) → 预先写好的 → 开(药)；规定

【例】Doctors diagnose before they *prescribe* a drug. 医生在开药前要先对病人进行诊断。

**prescription** [pri'skripʃən] *n.* 处方，药方

【记】词根记忆：pre(预先)+script(写)+ion → 抓药前写的方子 → 药方

【例】This medicine is not available without a *prescription*. 如果没有处方就拿不到这种药。

**\*presence** ['prezəns] *n.* 出席；存在；仪态

【记】来自present(*v.* 存在；出席)，pre(…前)+sent(送) → 送到前面 → 出席

【例】Elliot discovered the *presence* of five rings encircling the equator of Uranus. 艾里奥发现有五个光环围绕着天王星赤道。

**\*presentation** [ˌprezən'teiʃən] *n.* 提供；授予；报告

【例】We can talk about it in the *presentation*. 我们可以在报告中讨论一下这件事。

**preserve** [pri'zə:v] *vt.* 保护；维持；保藏

【记】词根记忆：pre(前面)+serve(服务) → 提前提供服务 → 保护，保藏

【例】As a nurse, my profession is to *preserve* life, and to prevent disease. 作为一名护士，我的职责是保护生命以及预防疾病。

**\*pressure** ['preʃə] *n.* 压强；压力；*vt.* 对…施加压力；说服

【记】词根记忆: press(压)+ure(表行为)→ 压强; 压力

【例】His father's blood *pressure* is a little high. 他父亲的血压有点高。// Mary was *pressured* into resigning. 玛丽被迫同意辞职。

pressure

**pretend** [pri'tend] *vt.* 装作, 假装

【记】词根记忆: pre(预先)+tend(趋向)→ 预先就有了趋向 → 假装

【例】Many people *pretend* that they understand modern art. 很多人都假装自己懂得现代艺术。

**prevail** [pri'veil] *vi.* 流行, 盛行; 占优势

【例】The use of horses for ploughing still *prevails* in this area. 在这一地区用马耕地还很普遍。// We believe freedom will *prevail* in our country. 我们相信自由会胜利的。

**prevalent** ['prevələnt] *a.* 流行的, 普遍的

【记】词根记忆: pre(前)+val(强壮的)+ent → 有走在前面的力量 → 流行的

【例】The use of child soldiers has been *prevalent* in these two countries. 使用儿童兵在这两个国家很普遍。

*****previous** ['pri:viəs] *a.* 先的, 以前的

【记】词根记忆: pre(预先, …前)+vi(路)+ous(…的)→ 先, 以前的

【例】Coffee became cheaper than it had been for the *previous* years. 咖啡的价格比过去低。

**primarily** ['praimərəli] *ad.* 首先; 主要地

【例】In refineries, caustic is *primarily* used to remove sulfur compounds. 在精炼厂, 腐蚀剂主要用于去除硫磺化合物。

**primary** ['praiməri] *a.* 首要的, 主要的; 最初的, 初级的

【记】词根记忆: prim(第一, 主要的)+ary(具有…的)→ 主要的

【例】The *primary* reason for advertising is to sell more goods. 做广告的首要目的是要多出售货物。//This event detracts them from their *primary* purpose. 这一事件让他们偏离了初衷。

*****prime** [praim] *a.* 首要的; 最好的

【记】词根记忆：prim(主要的)+e → 首要的

【例】He's a *prime* candidate to captain the team this season. 他是本赛季队长的最佳人选。

**primitive** ['primitiv] *a.* 原始的；早期的；简单的

【记】词根记忆：prim(第一)+itive(具⋯性质的) → 第一时间的 → 原始的

【例】Studies of *primitive* societies suggest that the earliest method of making fire was through friction. 对原始社会的研究表明，人们最早是通过摩擦生火的。

**principal** ['prinsəpəl] *a.* 主要的；*n.* 校长；资本；主角

【记】词根记忆：prin(第一)+cip(取)+al(人，物) → 校长享有第一取舍权 → 校长

【例】Yellow River is one of the *principal* rivers of Asia. 黄河是亚洲的主要河流之一。// The *Principal's* talk will last about fifteen minutes. 校长的讲话会持续大概15分钟。

**principle** ['prinsəpl] *n.* 原则，原理；基本信念

【记】词根记忆：prin(第一)+cip(取)+le → 须第一位选取的 → 原则，原理

【例】How does the reaction *principle* work? 反作用原理是如何起作用的呢？

**prior** ['praiə] *a.* 在先的，优先的

【记】词根记忆：pri(第一的，首要的)+or → 排在第一的 → 在前的，优先的

【例】This degree course needs no *prior* qualifications. 这种学位班对你先前的条件没有要求。

**priority** [prai'ɔrəti] *n.* 优先(权)，重点；优先考虑的事

【例】The film stars went onto the stage according to *priority* of their appearance in the film. 影星们按照他们在影片中出现的先后顺序依次上台。//You should decide what your *priorities* are. 你应该分清事情的轻重缓急。

**privacy** ['praivəsi] *n.* 个人自由；隐私，私事

【记】词根记忆：priv(私有的)+acy → 个人自由；隐私

【例】Biometrics raise thorny questions about *privacy* and the potential for abuse. 生物测验学会引发一些有关隐私的棘手问题，同时它还有被滥用的可能。

*private [ˈpraivit] *a.* 私人的；私下的；私立的

【记】词根记忆：priv(私有的)+ate(具有…的) → 私人的

【例】May I ask you a *private* question? 我能问你一个私人问题吗？

privilege [ˈprivilidʒ] *n.* 特权；优惠

【记】词根记忆：priv(单个)+i+leg(法律)+e → 法律上的独享权力 → 特权

【例】Education is not a *privilege* of some people but a right of all citizens. 受教育不是某些人的特权，而是所有公民的权利。

【派】privileged(*a.* 有特权的)

*probability [ˌprɔbəˈbiləti] *n.* 可能性；概率

【记】来自probable(*a.* 可能的)

【例】This is a tool for predicting the *probability* that a species will become extinct in a particular region over a specific period. 这是一种用来预测某一物种在某个特定时期、特定区域灭绝可能性的工具。

*probable [ˈprɔbəbl] *a.* 很可能的，大概的

【例】It is *probable* that, some time in the tenth century, gun powder was first compounded from its basic ingredients of saltpetre, charcoal and sulphur. 火药很可能最早在10世纪的某个时间由硝石、木炭和硫磺等基本成分混合而成。

probe [prəub] *n.* 探测器，探测飞船；*v.* 探查

【记】词根记忆：prob(检查，试)+e → 探查

【例】The space *probe* sent back useful information to us. 太空探测器给我们发回了有用的信息。

procedure [prəˈsiːdʒə] *n.* 程序，手续；过程

【记】来自proceed(前进)+ure(表行为) → 步骤；过程

【例】I hate the cumbersome administrative *procedures*. 我讨厌这些麻烦的行政手续。

*proceed [prəˈsiːd] *vi.* 进行；前进；继续

【记】词根记忆：pro(向前)+ceed(前进) → 前进

【例】Our work is *proceeding* slowly. 我们的工作在慢慢地进行中。

*process [ˈprəuses] *n.* 过程；制作法；*vt.* 加工；办理

【记】词根记忆：pro(向前)+cess(行走) → 向前走 → 过程

【例】Reforming the educational system will be a diffcult *process*. 改革教育制度将是一个艰难的过程。// Your application will be *proce-*

255

*ssed* promptly. (我们)将迅速办理您的申请。

**procession** [prə'seʃən] *n.* 队伍，行列

【例】The soldiers lined the route of the *procession*. 士兵们沿行进的道路排成一行。

**productive** [prə'dʌktiv] *a.* 生产性的；多产的；富饶的

【例】Without irrigation many *productive* areas of the country would not be able to be farmed. 如果没有灌溉，这个国家的很多多产地区将不能进行农业生产。

**productivity** [ˌprɔdʌk'tivəti] *n.* 生产力；生产率

【记】以上两词均来自produce(*v.* 生产)

【例】This process enhanced our ability to improve *productivity* and quality. 这一方法增强了我们提高生产力和质量的能力。

**profession** [prə'feʃən] *n.* 职业；专长

【例】In this highly competitive world, if a man has no *profession*, there isn't much choice. 在这个竞争非常激烈的世界里，一个人如果没有专长就没有多少选择的机会。

**\*professional** [prə'feʃənəl] *a.* 职业的；专业的；*n.* 专业人员

【例】Sports psychologists spend time with *professional* athletes helping them approach competition with a positive mental attitude. 运动心理学家花时间帮助职业运动员以一种积极的心态去迎接挑战。

**\*profit** ['prɔfit] *n.* 利润；益处；*vt.* 有利于

【例】Some firms are even downsizing as their *profits* climb. 有些公司甚至在利润上升的时候还裁员。

**profitable** ['prɔfitəbl] *a.* 有利可图的，有益的

【例】It is *profitable* for employers to work their existing employees hard. 雇主让他们的雇员努力工作是有利可图的。

**profound** [prə'faund] *a.* 深奥的；深远的

【记】词根记忆：pro(在…前)+found(创立) → 有超前创见性 → 深奥的；深远的

【例】Globalization effects very *profound* changes in modern lifestyles. 全球化使现代人的生活方式发生了深刻的变化。

**\*project** ['prɔdʒekt] *n.* 计划；项目；工程

[prə'dʒekt] *v.* (使)伸出；放映

【记】词根记忆：pro(向前)+ject(扔) → 向前扔 → 放映

【例】I think this *project* could be adapted to suit any age. 我觉得这个计划可以改动以适合任何年龄的人。

**prominent** [ˈprɔmɪnənt] *a.* 突出的；著名的；显著的

【记】词根记忆：pro(向前，在前)+min(伸出，突出)+ent(…的) → 突出的

【例】Suzhou is one of the earlier *prominent* port cities. 苏州是较早的著名港口城市之一。

**\*promise** [ˈprɔmɪs] *n. /v.* 允诺；(有)希望；预兆

【例】The dark clouds *promise* rain. 乌云预示有雨。

**promising** [ˈprɔmɪsɪŋ] *a.* 有希望的；有前途的

【记】来自promise(*n.* 诺言；成功的征兆)

【例】Other members of the tribe scoured the country for *promising* fish holes. 这个部落的其他成员在全国范围内找寻有前途的捕鱼场所。

**\*promote** [prəˈməut] *vt.* 促进；提升；促销

【记】词根记忆：pro(向前)+mot(动)+e → 向前动 → 促进

【例】The band has gone on tour to *promote* their new album. 这个乐队已开始巡回宣传他们的新唱片。

**pronounceable** [prəˈnaunsəbl] *a.* (指声音)发得出的；(指词)可发音的

【记】来自pronounce(发音)+able → 发得出的

【例】We wonder if there is a way to generate random but *pronounceable* passwords. 我们想知道是否有方法可以产生随机但可读的密码。

**\*proof** [pruːf] *n.* 证据；校样；*a.* 校样的；能防…的

【记】联想记忆：屋顶(roof)有了p就能防雨 → 能防…的

【例】Can you provide any *proof* of identity? 你能提供什么身份证明吗？

**propel** [prəˈpel] *vt.* 推进，推动；激励

【记】词根记忆：pro(向前)+pel(推) → 推进

【例】This does not mean that it was immediately used to *propel* rockets. 这并不意味着它立即就被用来推进火箭。

**property** [ˈprɔpəti] *n.* 财产；房产；性质

【记】来自proper(固有的)+ty(表物) → 固有物 → 财产；房产

【例】Malleability is a physical *property*. 延展性是物质的一

个物理特性。

**proportion** [prə'pɔːʃən] *n.* 比例；部分；相称

【记】词根记忆：pro(许多)+portion(一部分) → 按比例分成小份儿 → 部分

【例】The *proportion* of the population still speaking this language is very small. 只有少数居民还在说这种语言。

**proposal** [prə'pəuzəl] *n.* 提议，建议；求婚

【记】来自propose(*v.* 提议，建议)

【例】The school master has accepted *proposals* to renovate the old schoolhouses. 校长已经接受了翻新旧校舍的提议。

**prospective** [prə'spektiv] *a.* 预期的；未来的

【记】词根记忆：pro(向前)+spect(看)+ive → 向前看的 → 未来的

【例】Department heads composed *prospec-tive* teams using a combination of people from all three categories. 部门领导从现有三组人中选出一些人组成未来的团队。

**pudding** ['pudiŋ] *n.* 布丁

【记】发音记忆

【例】There's traditional plum *pudding* or apple pie for tonight's dessert. 今晚的甜点是传统的李子布丁或苹果派。

\***pull up stakes** 离开，搬家

【例】To eke out a full-time living from their honeybees, about half the nation's 2,000 commercial beekeepers *pull up stakes* each spring. 为了让蜜蜂整年都有花采，全国2,000名商业养蜂人中大约有一半每年春天都要搬家。

# Word List 27

| | | | |
|---|---|---|---|
| **re-** | 重新；回 refresh（*v.* 更新）；refund（*vt.* 退还） | | |
| **cycl-** | 圆，环 recycle（*vt.* 回收利用） | **put-** | 想 reputation（*n.* 名誉） |
| **lax-** | 放松 relax（*v.*（使）放松） | **quot-** | 数目 quota（*n.* 配额，限额） |
| **quant-** | 量 quantity（*n.* 量） | **rat-** | 计算 ratio（*n.* 比例） |
| **radi-** | 光线 radiate（*v.* 发光） | **regul-** | 统治 regulate（*vt.* 控制） |
| **rect-** | 直 rectangular（*a.* 长方形的） | | |
| **-less** | （形容词后缀）无…的 regardless（*a.* 毫不顾及的） | | |

**pulley** [ˈpuli] *n.* 滑轮；滑车

【记】联想记忆：pull(推)+ey →（推）滑轮，滑车

【例】The lifting device is a rope and *pulley* system. 这种起重装置是由缆索和滑轮组成的。

**pulverised** [ˈpʌlvəraizd] *a.* 碾磨成粉的

【例】*Pulverised* rock will climb as a dust cloud into the atmosphere. 石粉会像尘雾一样上升到大气中。

**qualitative** [ˈkwɔlitətiv] *a.* （性）质的

【记】来自qualify(*v.* 限定)

【例】There is little *qualitative* improvement in their work. 他们的工作量没有什么实质性的改进。

**quantity** [ˈkwɔntiti] *n.* 量

【例】This medecine will reduce the *quantity* of blood flowing through the body. 这种药会减少身体的血量。

**quartz** [kwɔːts] *n.* 石英

【记】联想记忆：quart(看做quarter一刻钟)+z → 钟表，石英钟 → 石英

【例】The Eskimos produced a slow-burning spark by striking *quartz* against iron pyrites. 爱斯基摩人利用硫化铁矿石击打石英获得缓慢燃烧的火花。

**\*questionnaire** [ˌkwestʃəˈneə] *n.* 问卷，征求意见表

【例】They did a lot of research using *questionnaires*. 他们做了很多问卷调查。

**quiver** [ˈkwivə] *vi.* 颤抖，抖动

【例】The moth *quivered* its wings in front of the fire. 蛾子在火堆前抖动着翅膀。

**quota** [ˈkwəutə] *n.* 配额，限额

【记】发音记忆："阔的" → 出手阔绰，没有限额

【例】Your sales are always below *quota*. 你们的销售量总是低于配额。

**racket** [ˈrækit] *n.* ( 网球等的 ) 球拍

【例】The player was fined for throwing his *racket* to the ground in anger. 那名球员一气之下将球拍摔到地上，因此受罚了。

**radiate** [ˈreidieit] *v.* 发光；发热；辐射

【记】词根记忆：radi( 光线 )+ate( 使… ) → 发光；发热

【例】The heat, light, and energy that *radiate* from the sun fill the entire solar system. 太阳发出的热、光和能量很快充满了整个太阳系。

【派】radiation( *n.* 发光；辐射 )

**random** [ˈrændəm] *a.* 任意的，随机的

【记】联想记忆：ran( 跑 )+dom( 领域 ) → 可以在各种领域跑的 → 任意的

【例】The robots follow their own *random* paths around the plant busily getting on with their jobs. 机器人在工厂里遵循着自己的随机路线，忙碌地工作着。

**rank** [ræŋk] *n.* 等级；军衔；*v.* 排列；分等

【记】联想记忆：银行(bank)拥有不同社会阶层(rank)的客户

【例】How did Kant *rank* the senses? 康德是如何将这些感觉分类的？

rank

**ratio** [ˈreiʃiəu] *n.* 比例，比率

【记】来自rat(e)( 比率 )+io → 比例，比率

【例】The male to female *ratio* of volunteers is 4 to 5. 志愿者中男女比例为4比5。

**raw material** 原材料

【例】Firms have a standard *raw material* inspection procedure. 公司对原材料有一套标准的检验程序。

**\*rear** [riə] *a.* 后部的, 后面的; *v.* 饲养, 种植

【例】Mary's office is next to the *rear* entrance. 玛丽的办公室挨着后门。

**receiver** [ri'si:və] *n.* (电话)听筒; 接收器

【例】He put his hand over the *receiver* in order to receive the signal better. 他将手放到接收器上以便收到更清晰的信号。

**recipe** ['resipi] *n.* 食谱; 方法, 秘诀

【记】词根记忆: re+cipe(抓) → 抓住成功的关键 → 秘诀

【例】Errors in the genetic *recipe* for haemoglobin give rise to the most common single-gene disorder in the world. 血红蛋白中遗传密码出现问题会导致世界上最常见的单基因病变。

**recipient** [ri'sipiənt] *n.* 接受者

【记】词根记忆: re(反)+cip(拿)+ient → 不主动拿 → (被动的)接受者

【例】This aritificial heart *recipient* will recover in three weeks. 人造心脏接受者将在三个星期后康复。

**recognize** ['rekəgnaiz] *vt.* 认出; 承认, 认可

【记】词根记忆: re+cogni(s)(知道)+ze → 认出; 承认

【例】Companies should *recognize* that their employees are a significant part of their financial assets. 公司应该认识到雇员是其金融资产的重要组成部分。

**recommend** [,rekə'mend] *vt.* 推荐; 劝告; 使受欢迎

【记】词根记忆: re(一再)+com(共同)+mend(修) → 这本书是大家一再修改的成果, 强力推荐 → 推荐

【例】As treatment for back pain the clinic

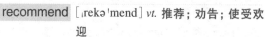

mainly *recommends* relaxation therapy. 至于背部疼痛的治疗，诊所主要推荐采用放松疗法。

【派】recommendation(*n.* 推荐；劝告)

**rectangular** [rekˈtæŋgjulə] *a.* 长方形的，矩形的

【记】词根记忆：rect(直的)+angul(角)+ar → 所有内角都为直角的平行四边形 → 长方形的

【例】In front of the Empire State Building is a long *rectangular* wading pool. 帝国大厦前面是一个长方形的浅水池。

**\*recycle** [riːˈsaikl] *vt.* 回收利用

【记】词根记忆：re(重新)+cycle(循环) → 回收利用

【例】The man collects the waste bin and deposits the waste into a shredder for *recycling*. 这个人把垃圾箱收集起来，把垃圾倒进搅碎机进行回收利用。

**\*refectory** [riˈfektəri] *n.* (学院)餐厅，食堂

【例】I agree with what you said earlier about fish and chips in the *refectory*. 我同意你早前在食堂说的关于鱼和薯片的看法。

**refinement** [riˈfainmənt] *n.* 精炼；(装置)改进的地方；文雅

【记】来自refine(精炼)+ment → 精炼

【例】The progress in *refinement* of machine tools has been substantial in recent years. 近年来，机床的改进取得了实质性进展。

**refresh** [riˈfreʃ] *v.* (使)振作精神；(使)恢复活力

【记】re(重新)+fresh(新鲜的) → (使)振作精神

【例】My job is to make sure that you all feel relaxed and *refreshed*. 我的工作就是保证你们都感觉无拘无束、精力充沛。

【派】refreshment(*n.* 精力恢复)

**refreshment** [riˈfreʃmənt] *n.* (精力的)恢复

【记】来自refresh(*v.* 使精神振作)

【例】You can use the members' lounge for *refreshments* when you feel tired. 感到疲倦的时候你可以在会员休息室休息一下。

**\*refrigerator** [riˈfridʒəreitə] *n.* 冰箱；冷藏库

【记】来自refrigerat(e)(冷藏)+or → 冰箱

【例】I've left a meal in the *refrigerator* for you. 我在冰箱里给你留了饭。

**refund** [ˈriːfʌnd] *n.* 退款

[riːˈfʌnd] *vt.* 退还(钱款)

262

【记】词根记忆：re(向后)+fund(资金) → 退回资金 → 退还

【例】You can't get a *refund* if you don't have any invoices. 如果你没有发票就不能获得退款。

【派】refundable(*a.* 可偿还的)

**refusal** [ri'fju:zəl] *n.* 拒绝

【记】来自refuse(*v.* 拒绝)

【例】The journalists received outright *refusal* of the foreign spokesman. 记者们遭到了外交发言人的断然拒绝。

**regarding** [ri'gɑ:diŋ] *prep.* 关于

【记】来自regard(*v.* 关心)

【例】You are allowed to ask questions *regarding* the fees you are paying. 你们可以就自己的付费问题进行提问。

*regardless** [ri'gɑ:dlis] *a.* 毫不顾及的; *ad.* 不顾后果地; 无论如何

【记】来自regard(关心)+less(少) → 很少关心的 → 不顾后果地

【例】*Regardless* of the theory or model that we choose, a reduction in population size decreases the genetic diversity of a population. 无论我们选择何种理论或方法，人口减少都会降低人口基因的多样性。

**regent** ['ri:dʒənt] *n.* 摄政者(代国王统治者)

【记】词根记忆：reg(统治)+ent(人) → 摄政者

【例】George acted as *regent* when the present king was a child. 当现任国王还是孩子时，乔治担任摄政王。

*region** ['ri:dʒən] *n.* 地区; 范围

【记】词根记忆：reg(统治)+ion → 统治的区域 → 地区; 范围

【例】Although the UK is a fairly small country, the geology and climate vary a good deal from *region* to region. 尽管英国的国土面积很小，但是不同地区间的地质概况和气候差异却很明显。

【派】regional(*a.* 地区的)

**register** ['redʒistə] *n.* 登记; 登记表; *v.* 登记

【例】You must remember to bring the ID card with you when you come to *register*. 你来登记的时候一定要记得带上身份证。

**regulate** ['regjuleit] *vt.* 控制; 调节

【记】词根记忆：reg(统治)+ul+ate(做) → 统治并加以管理

【例】More than 300 dams *regulate* river flows around the country. 300多座大坝用来控制全国的河流泛滥。

【派】regulation(*n.* 规章; 调节)

**reinforce** [ˌriːinˈfɔːs] vt. 加强；增援

【记】来自re+inforce(强化)→ 加强

【例】Concrete with steel bars in it is known as *reinforced* concrete. 水泥中加入钢条就成为了钢筋混凝土。

**reject** [riˈdʒekt] vt. 拒绝；n. 被拒货品，不合格品

【记】词根记忆：re(反)+ject(扔)→ 被扔回来 → 拒绝

【例】They are cheap because they are *rejects*. 它们便宜是因为它们是不合格产品。

**relate** [riˈleit] vi. 有关联；vt. 使互相关联；讲述

【记】联想记忆：re+late(新近的)→ 和新近的事件有关联

【例】That's the office that deals with all matters *related* to student welfare. 那间就是负责处理有关学生福利待遇问题的办公室。

【派】relative(a. 有关系的；相对的；n. 亲属)；relation(n. 关系；故事)

*****relax** [riˈlæks] v.(使)放松

【记】词根记忆：re(一再)+lax(放松)→ 一再放松 →(使)放松

【例】Watching TV can help me *relax*. 看电视可以帮助我放松。

【派】relaxation(n. 放松)

**relay** [ˈriːlei] n. 接力赛；中继

[riːˈlei] vt. 传送；转播

【记】词根记忆：re(重新)+lay(放置)→ 重新放置 → 转播

【例】The Olympic Games are *relayed* all round the world. 奥运会实况向全世界转播。

*****release** [riˈliːs] n./vt. 释放；放开；发行

【例】The thief was *released* on bail. 窃贼交了保释金后获释。

release

*****relevant** [ˈrelevent] a. 有关的；切题的

【记】词根记忆：re(一再)+lev(举)+ant(…的)→ 不要一再抬高，要切题一些

【例】You should support your arguments with examples and *relevant* evidence. 你应该用实例和相关证据来支持你的论点。

【派】irrelevant(a. 不相关的；不切题的)

*****reliable** [riˈlaiəbl] a. 可靠的，可信赖的

【例】Three speed cycles are simple and *reliable* to ride around the town. 在城里还是骑三速自行车比较简单和可靠。

r

**reliance** [riˈlaiəns] *n.* 依靠，依赖

【例】Long-term *reliance* on sleeping pills is dangerous. 长期依赖安眠药来助眠是危险的。

**relieve** [riˈliːv] *vt.* 救济；缓解

【例】These tablets are used to help *relieve* hay fever and symptoms due to allergies. 这种药用于缓解花粉热及其他因过敏引发的症状。

【派】relief(*n.* 救济；缓解)

**religion** [riˈlidʒən] *n.* 宗教；宗教信仰

【记】词根记忆：re(一再)+lig(绑)+ion → 绑缚思想的巨大的力量 → 宗教

【例】The speaker explained the relevance of the *religion* to the local people. 演讲者说明了宗教对于当地人的重要意义。

【派】religious(*a.* 宗教上的)

**rely** [riˈlai] *vi.* 依靠；信赖

【记】联想记忆：re(一再)+ly(音似："lie"撒谎) → 又撒谎了，不值得信赖

【例】Most inland farmers *rely* on underground water for irrigation. 大部分内陆农民都依靠地下水灌溉土地。

**\*remain** [riˈmein] *vi.* 剩下；保持；*n.* [*pl.*]残余；遗迹

【例】Though rockets have been used for several hundred years, they *remained* a relatively minor artefact of civilisation until the twentieth century. 尽管火箭的使用已有几百年的历史，但它们一直被看做是人类文明中相对次要的发明，直到20世纪才发生了变化。

**\*remarkable** [riˈmɑːkəbl] *a.* 引人注目的；异常的，非凡的

【例】More than 4,000 species of these *remarkable* creatures have evolved and adapted to the world's different climates. 这种极不平常的生物中已有4,000多种进化并适应了地球上不同的气候。

**remedy** [ˈremidi] *n.* 补救；治疗法；*vt.* 补救；医治

【记】词根记忆：re(加强)+med(治疗)+y → 医治

【例】Without *remedies*, the two men who ate poisonous mushroom died within days. 由于没有药物，那两个吃了毒蘑菇的人几天后就死了。

**\*remind** [riˈmaind] *vt.* 提醒

【记】来自re+mind(注意) → 使注意 → 提醒

【例】The notice *reminds* students that if they park a motor vehicle on university premises without a valid permit, they will be fined. 这个通知提醒学生们：如果未经允许就在校园里停放机动车会被罚款。

**\*remote** [riˈməut] a. 遥远的；偏僻的；(关系)疏远的

【记】词根记忆：re(反)+mot(移动)+e → 向后移动 → 疏远的

【例】His ultimate goal was to discover an earth-like planet in *remote* galaxies. 他的最终目标是在遥远的星系中找到一颗类地行星。

**removal** [riˈmuːvəl] n. 除去；搬迁

【例】I saw a *removals* van outside your house yesterday afternoon. 昨天下午我看见你家屋外停着一辆搬家用的卡车。

**\*renew** [riˈnjuː] v. 重新开始；恢复；延长有效期

【记】re(重新)+new(新的) → 重新开始

【例】The swift increase of population *renewed* the demand for building houses quickly and cheaply. 人口的迅速增长再次要求加快房屋的建造速度并降低建筑成本。

**\*rent** [rent] v. 租借；出租；n. 租金

【例】Farmers *rent* the bees from bee-keepers to pollinate almond and cherry trees every year. 农民每年都从养蜂人那里租来蜜蜂为杏树和樱桃树授粉。

【派】rental(a. 租用的；n. 租金额)

**repay** [riˈpei] vt. 归还(款项)；报答

【例】You should *repay* the principal and interest. 你应该偿还本金和利息。

**\*replace** [riˈpleis] vt. 代替；更换；把…放回原处

【记】re(重新)+place(位置) → 重新定位 → 更换；代替

【例】The new fuel is as inefficient as the one they have *replaced.* 这种新型燃料和被他们取代的燃料一样效率低下。

【派】replacement(n. 代替；更换；归还)

**\*represent** [ˌrepriˈzent] vt. 代表；表示；表现

【记】联想记忆：re+present(出席) → 代表

【例】The discovery of the reaction principle *represents* one of the great milestones in the history of scientific thought. 在科学思想史上，反作用力原理的发现是一座伟大的丰碑。

【派】representative (n. 代表；a. 有代表性的)

**\*reproduce** [ˌriːprəˈdjuːs] v. 复制；繁殖；使…在脑海中重现

【记】re(一再)+produce(生产) → 不断生产 → 繁殖

r

【例】Photographs, postcards and films enable memories to be endlessly *reproduced.* 照片、明信片和电影让往事在脑海中不断重现。

【派】reproduction(*n.* 复制品；繁殖)

*reputation [ˌrepjuˈteiʃən] *n.* 名誉，名声

【记】词根记忆：re(重新)+put(想)+ation(表状态) → 反复想想，名气只是过眼烟云 → 名誉，名声

【例】The college has already established a national *reputation* for its excellence. 该校凭借着自己卓越之处已经享誉全国。

*request [riˈkwest] *n.* 要求；请求；*v.* 要求；请求

【记】词根记忆：re(一再)+quest(寻求) → 请求；要求

【例】I'd like to make a *request* for leave. 我想请求离开一下。

*require [riˈkwaiə] *vt.* 要求；命令

【记】词根记忆：re+quire(追求) → 要想追求到手，就要满足要求

【例】Every house built nearest to the airport *requires* the exterior walls to be double-brick to reduce noise. 建造在机场附近的住房都要求采用双层砖的外墙来降低噪音。

【派】requirement(*n.* 要求；命令)

*rescue [ˈreskjuː] *n. /vt.* 营救，救援

【记】联想记忆：res(看做rest休息)+cue(线索) → 救援人员放弃休息紧追线索

【例】Several school children were *rescued* from the burning building. 几名小学生被从燃烧的大楼里成功救出。

*reserve [riˈzəːv] *vt.* 保留；预订；*n.* 储备(物)；自然保护区

【记】词根记忆：re(反复)+serve(保持) → 保留

【例】We *reserved* the room a week ago. 我们一个星期前就预定了这个房间。

【派】reservation(*n.* 预定；保留)

residence [ˈrezidəns] *n.* 住处；居住

【记】来自resident(*n.* 居民)

【例】Without permission, students may not be allowed to keep motor vehicles at their *residence* in this university. 未经校方同意，学生不可以在校内的住宿区停放机动车。

resident [ˈrezidənt] *n.* 居民，住户；*a.* 常驻的，居住的

【例】It's completely free as long as you're a *resident* here. 只要你是这里的住户，你就可以完全免费享受这项服务。

【派】residence(*n.* 住处，居住)

**residential** [ˌrezi'denʃəl] *a.* 居住的，住宅的；寄宿的

【例】Smith House is one of the oldest *residential* colleges of the university. 史密斯学院是这所大学最古老的寄宿学院之一。

**resign** [ri'zain] *vi.* 辞职；*vt.* 辞去；放弃

【记】词根记忆：re(不)+sign(加上记号)→不加记号→放弃；辞职

【例】The minister was forced to *resign* in 1989. 1989年，该部长被迫辞职。

*****resist** [ri'zist] *v.* 抵抗；抗(病等)；耐(热等)

【记】词根记忆：re(反)+sist(站)→站在对立面→抵抗

【例】Bugs and weeds will begin to *resist* poisons. 害虫和野草会开始产生抗药性。

【派】resistance(*n.* 抵抗；阻力)；resistant (*a.* 抵抗的；耐…的)

*****resort** [ri'zɔːt] *vi.* 求助；诉诸；*n.* 求助；诉诸；胜地

【记】联想记忆：向上级打报告(report)求助(resort)

【例】The east coast *resorts* are only a short twenty-minute drive from here. 从这儿开车去东海岸的旅游胜地只需20分钟。

r

268

# Word List 28

**\*resource** ［ri'sɔːs］n.［pl.］资源；应付办法

【记】联想记忆：re+source（源泉）→ 可再用的源泉 → 资源

【例】How developing countries can advance their economies without destroying their natural *resources* is a burning question. 如何既发展经济又不破坏自然资源是发展中国家面临的一个迫在眉睫的问题。

**\*respect** ［ri'spekt］vt. 尊敬；n. 尊敬；关心；方面

【记】词根记忆：re+spect（看见）→ 看 → 尊敬

【例】I *respect* you for your honesty. 因为你为人正直，所以我尊敬你。//We have the greatest *respect* for our teacher. 我们非常尊敬老师。//The greatest challenge in the *respect* of my job is time. 我工作方面最大的挑战就是时间问题。

【派】respectable（a. 值得尊敬的）

**\*respond** ［ri'spɔnd］vi. 回答；做出反应

【例】Companies should *respond* to this kind of situation in an honest and open way. 公司应该采取诚实和公开的方式来应对这类情况。

【派】response（n. 回答；反应）；respondent（n. 回答者；a. 回答的）

**\*responsible** ［ri'spɔnsibl］a. 有责任感的；可靠的

【记】词根记忆：re+spons（约定）+ible → 遵守约定 → 有责任感的

【例】Smoking, as it is believed, is *responsible* for 30 per cent of all deaths from cancer. 在因癌症导致的死亡中，有30%被认为是由吸烟引起的。

【派】responsibility(*n.* 责任，职责)

**restrain** [riˈstrein] *vt.* 阻止；抑制

【记】词根记忆：re+strain(拉紧)→ 重新拉紧 → 阻止；抑制

【例】The doctors *restrained* the patient from hurting himself. 医生制止了病人的自残。

【派】restraint(*n.* 抑制；约束措施)

**\*restrict** [riˈstrikt] *vt.* 限制，约束

【记】联想记忆：re+strict(严格的)→ 一再对其严格 → 限制，约束

【例】A student loan is not *restricted* to those who receive a maintenance grant in this school. 在这所学校，学生贷款并不限于那些领受生活补助的学生。

**resume** [riˈzjuːm] *vt.* (中断后)重新开始；恢复

　　　　　[ˈrezjuːmei] *n.* 摘要；简历

【记】词根记忆：re+sume(拿起)→ 重新拿起 → 重新开始

【例】He *resumed* his reading after a nap. 小睡了一会儿后，他继续阅读。

**\*retain** [riˈtein] *vt.* 保留；保持

【记】词根记忆：re+tain(拿住)→ 保留；保持

【例】Cities which began as ports *retained* the chief commercial and administrative centre of the city close to the waterfront. 最初作为港口发展起来的城市，其主要商务区和行政管理区都位于靠近码头的地方。

**\*retire** [riˈtaiə] *vi.* 退休；撤退；就寝

【记】联想记忆：re+tire(劳累)→ 不再劳累 → 退休

【例】In this hospital, children under 16 don't need to pay, and the same thing goes people who have *retired*. 在这家医院，16岁以下的儿童免费就诊，退休人员也可享受同等待遇。

**\*reunite** [ˌriːjuːˈnait] *v.* (使)结合；重聚

【例】The lost child was *reunited* with his parents in the police station. 走失的孩子和他的父母在警察局重聚。

**\*reveal** [riˈviːl] *vt.* 揭露；泄露；展现

【记】联想记忆：re(相反)+veal(看做veil面纱)→ 除去面纱 → 揭露

【例】The Human Genome Project will *reveal* a new human anatomy—the complete genetic blueprint for a human being. 人类基因工程将开启人类解剖学的新篇章——描绘完整的人类基因蓝图。

\*revenue [ˈrevənjuː] *n.* (尤指大宗的)收入；税收

【记】词根记忆：re(回)+ven(来)+ue → 回来的东西 → 收入

【例】A new strategy for pricing known as "*revenue* management" is now being used by many large companies. 许多大公司采用了这项名为"收入管理"的新定价策略。

\*revise [riˈvaiz] *vt.* 修订；复习

【记】词根记忆：re+vis(看)+e → 反复看 → 修订；复习

【例】Teaching methodology should be constantly *revised* to keep the pace with the time. 教师应该不断调整教学方法以跟上时代发展的步伐。

\*revolution [ˌrevəˈluːʃən] *n.* 革命；旋转

【记】词根记忆：re+volut(滚，卷)+ion → 不断向前席卷而来的 → 革命

【例】Acid rain in fact started around the time of the industrial *revolution* of the 19th century. 酸雨实际上是在19世纪工业革命时期开始出现的。

revolve [riˈvɔlv] *vi.* 旋转

【记】词根记忆：re(一再)+volve(滚，卷) → 不断滚动 → 旋转

【例】Fifteen satellites all *revolve* about the planet's equator. 15颗卫星都绕着这颗行星的赤道旋转。

reward [riˈwɔːd] *n.* 奖赏；报酬；*vt.* 酬谢；奖励

【记】联想记忆：re+ward(看做word话语) → 再次发话给予奖赏

【例】Those employees who never take sick leave think that they should be *rewarded*. 那些从来不请病假的员工认为他们应该因此受到奖励。

reward

ridiculous [riˈdikjuləs] *a.* 荒谬的；可笑的

【记】词根记忆：rid(笑)+icul+ous(…的) → 被人嘲笑的 → 荒谬的；可笑的

【例】The fat old man looked *ridiculous* in his tight pink trousers. 那个胖老头穿着一条粉色的紧身裤，显得滑稽可笑。

rig [rig] *v.* 操纵，垄断；*n.* 船桅(或船帆等)的装置；成套器械

【记】联想记忆：给猪(pig)搭棚子(rig)

【例】The defeated candidate claimed that the election was *rigged*. 落选的候选者称选举结果被人操纵了。

**rigid** ['ridʒid] *a.* 严格的；刚硬的

【例】Although glass is comparatively *rigid*, the atoms are arranged in a random disordered fashion. 虽然玻璃相对较硬,但是其分子结构排序杂乱无章。

**rigorous** ['rigərəs] *a.* 严密的；严格的

【记】联想记忆：rig(看做rog要求)+orous → 不断要求 → 严格的

【例】Once you have arrived at your hypothesis, you then proceed through a strictly logical and *rigorous* process. 一旦你提出了假设,你便进入了一个逻辑性极强的严密过程。

【派】rigorously(*ad.* 严格地；严密地)

**rim** [rim] *n.* (圆形物体的)边,缘

【记】联想记忆：打靶(aim)不能打边(rim)

【例】The pattern around the *rim* of the plate was very beautiful. 那个盘子边缘的图案非常漂亮。

**ripe** [raip] *a.* 熟的；时机成熟的

【记】联想记忆：稻熟(ripe)米(rice)香

【例】When one banana is *ripe*, it will give off a gas which then helps all the others to ripen. 当一根香蕉成熟了, 它便会释放出一种气体催熟其他香蕉。

【派】ripen(*v.* 使成熟；成熟)

**rival** ['raivəl] *n.* 竞争对手；可与匹敌的人(或物)；*a.* 竞争的；*v.* 竞争；匹敌

【记】联想记忆：对手(rival)隔河(river)相望,分外眼红

【例】The *rival* team lost by 12 points in the first round. 第一轮比赛中,对手队以12分之差败北。

**roast** [rəust] *v.* 烤,炙；*a.* 烤过的；*n.* 烤肉

【记】联想记忆：在海岸(coast)边烤(roast)肉

【例】*Roast* dinner sounds ordinary but it is really tasty. 烧烤大餐听起来很普通,但的确味道鲜美。

**roll film** [rəul 'film] *n.* 胶卷

【例】At the end of 1889 Eastman launched a new *roll film* on a celluloid base. 1889年底, 伊斯门在赛璐珞胶片的基础上研制了一

种新型的胶卷。

**roll-holder** [rəul'həuldə] *n.* 支架

【例】The next step was to combine the *roll-holder* with a small hand camera. 下一步就是将支架和手持式相机连接起来。

**romance** [rəu'mæns] *n.* 恋爱；浪漫爱情

【记】发音记忆："罗曼史"

【例】That was nothing but a spicy Hollywood *romance*. 那简直就是一部粗俗的好莱坞浪漫故事片。

**rot** [rɔt] *n.* 腐烂；*v.* (使)腐烂

【例】Root *rot* is a serious problem in such a situation. 在这种情况下根部腐烂是一个很严重的问题。

**rotate** [rəu'teit] *v.* (使)旋转；(使)轮流

【记】词根记忆：rot(旋转)+ate(使…) → 旋转；轮流

【例】European peasants in the ancient time would insert a wooden drill into a round hole in a stone and *rotate* it briskly to make fire. 古时，欧洲的农民将木钻插入石头的圆孔中，通过快速旋转木钻来取火。

*****route** [ruːt] *n.* 路线；路程

【例】This map will show the *route* across the mountains. 这张地图上有穿越群山的路线。

*****routine** [ruː'tiːn] *n.* 例行公事；惯例；*a.* 例行的；常规的

【例】Physical Fitness Instructors prepare *routines* of exercises to suit the individual client's age and level of fitness. 健身教练根据每位顾客的年龄及健康状况来制定适合他们的锻炼计划。

**rude** [ruːd] *a.* 粗鲁的；粗糙的

【记】词根记忆：rud(天然的，粗糙的)+e → 粗鲁的；粗糙的

【例】Across the room stand three *rude* and high-backed chairs. 房间的那头放着三把做工粗糙的高背椅。

**rumo(u)r** ['ruːmə] *n.* 谣传，谣言

【记】发音记忆："辱骂" → 谣言往往比辱骂更伤人

【例】The *rumo(u)r* soon gained currency. 谣言很快传开了。

*****rural** ['ruərəl] *a.* 农村的

【记】词根记忆：rur (乡村)+al (…的) → 农村的

【例】Technological advance will bring about the decline of *rural* industries and an increase in urban populations at the same time. 科技进步将会导致农村产业的衰退和城市人口的增长。

\*sample [ˈsɑːmpl] *n.* 样品，样本；*vt.* 从…抽样；品尝

【记】联想记忆：简单的(simple)的样品(sample)

【例】The World Health Organization predicts that all of the *sample* of twenty megacities would have more than eighteen million inhabitants in the year 2008. 世界卫生组织预计，到2008年，全部20个抽样大城市的人口都将超过1,800万。

sausage [ˈsɔsidʒ] *n.* 香肠

【例】These beetles make *sausage*-shaped brood chambers along the tunnels. 这些甲虫顺着地道建造香肠形状的产房。

scale [skeil] *n.* 规模；[*pl.*] 天平；(鱼等的)鳞；*v.* 攀登

【例】In a recent research, the tropical forest has been depicted as ecologically unfit for large-*scale* human occupation. 最近的一项调查显示，从生态学的角度来看，热带森林不适合大规模人群居住。

\*scan [skæn] *vt.* 扫描；浏览；*n.* 扫描

【记】发音记忆："四看" → 四处看 → 扫描

【例】Customers at some Japanese banks will have to present their faces for *scanning* before they can enter the building. 在日本，某些银行需要客户经过面部扫描才可以进入。

【派】scanner(*n.* 扫描仪)

scarce [skeəs] *a.* 缺乏的；罕见的

【记】联想记忆：scar(伤疤)+ce → 有伤疤 → 不完整的 → 缺乏的

【例】Many natural materials are becoming *scarce*. 许多天然原料濒临枯竭。

scare [skeə] *n.* 惊恐；*v.* (使)害怕

【例】The decoy camera can be fixed to the wall to *scare* off burglars. 假相机可以固定在墙上吓走夜间行窃的盗贼。

scatter [ˈskætə] *v.* 散播；(使)散开

【例】The farmer *scattered* the seeds on the field. 农民在地里播种。

\*scenery [ˈsiːnəri] *n.* 景色；舞台布景

【记】来自scene(景色)+ry(场所) → 景色；舞台布景

【例】The *scenery* is as beautiful as pictures. 风景美丽如画。

**scent** [sent] *n.* 香味; 气味; *vt.* 嗅到; 察觉
【记】联想记忆: 开放的花朵"送出"(sent)沁人的香气(scent)
【例】Doctors mix light, sounds, breezes and *scents* to stimulate the patients. 医生同时采用光、声音、微风和香味来刺激病人。

**\*schedule** ['ʃedjuːl] *n.* 时刻表; 清单; *vt.* 安排
【记】发音记忆: "筛斗" → 古代拿筛漏计时 → 时刻表
【例】The lectures are *scheduled* for Tuesday and Thursday. 讲座安排在星期二和星期四。

**scheme** [skiːm] *n.* 计划; 阴谋; *v.* 密谋; 策划
【记】联想记忆: sch(看做school学校)+eme(看做theme作文) → 学校作文 → 计划
【例】The Government has been funding a loans *scheme* for students in Higher Education since September 1990. 自1990年9月起, 政府为大学生贷款计划提供资金。

**\*scholar** ['skɔlə] *n.* 学者; 奖学金获得者
【记】联想记忆: schol(看做school学校)+ar(人) → 学者
【例】The database is collected not merely for *scholars*, but for people involved in a whole range of educational and artistic purposes. 收集这些数据不仅仅是为了给学者们提供资料, 也为从事所有教育和艺术工作的人们提供资料。
【派】scholarship(*n.* 奖学金; 学问)

**\*scope** [skəup] *n.* (活动、影响等的)范围
【记】联想记忆: s+cope(对付, 处理) → 人处理的事情多了, 眼界自然就会开阔 → 范围
【例】The *scope* of the environmental problem facing the world's cities is immense. 世界上的城市面临大范围的环境问题。

**scorching** ['skɔːtʃiŋ] *a.* 酷热的; 激烈的
【记】来自scorch(烧焦)+ing → 能烧焦的 → 酷热的
【例】The *scorching* summer left people enervated and listless. 炎热的夏天让人们虚弱无力, 情绪低落。

**\*score** [skɔː] *n.* 得分; 二十; *vt.* 得分; 划线于
【记】联想记忆: s+core(核心) → 考试的核心是得分吗?
【例】The composition was *scored* with corrections in red ink. 这篇作文用红笔批改过。

**\*scrap** [skræp] *n.* 碎屑；*vt.* 废弃；抛弃

【记】联想记忆：刮（scrape）下许多碎屑（scrap）

【例】*Scrapping* farm-price support and protection for coal-mining offers a two-fold bonus: a cleaner environment and a more efficient economy. 废除农产品价格补贴和对采煤业的保护有双重的好处：可以获得更清洁的环境和更高效的经济。

**scrape** [skreip] *n. /v.* 刮，擦

【记】联想记忆：scrap（碎屑）+e → 碎屑是被刮下来的

【例】He *scraped* the mud off his shoes with the knife. 他用小刀刮去鞋上的土。

**\*scratch** [skrætʃ] *v.* 抓；刮擦；*n.* 抓痕；抓

【例】There is a quite bad but small *scratch* on my bag. 我的包上有一个很深但不长的划痕。

**\*scream** [skri:m] *n.* 尖叫声；*vi.* 尖叫

【记】联想记忆：孩子们见到钟爱的冰淇淋（ice-cream），立刻尖叫（scream）起来

【例】The students *scream* in excitement. 学生们兴奋地尖叫着。

**\*screen** [skri:n] *n.* 屏幕；*vt.* 放映（电视、电影节目）；包庇

【例】Everything on the *screen* interests those children. 那些孩子觉得屏幕上的一切都很有趣。

**screw** [skru:] *n.* 螺丝（钉）；*vt.* 用螺钉固定

【记】联想记忆：s+crew（工友）→ 工友们在流水线上上螺丝钉

【例】He *screwed* the painting onto the wall. 他用螺丝钉把画固定在墙上。

**sculpture** ['skʌlptʃə] *n.* 雕塑品

【记】词根记忆：sculpt（雕塑）+ure → 雕塑品

【例】Tom now has a new commission—making a glass *sculpture* for the headquarters of a pizza company. 汤姆有了新任务：为一家比萨公司总部的建筑制作一个玻璃雕像。

**\*seal** [si:l] *n.* 封条；印；*v.* 封

【记】联想记忆：sea（海洋）+l（看做love爱）→ 海水也不会冲走爱的封印

【例】Please *seal* the envelope and stick an eight-cent stamp on it. 请封好信封并贴上一张8分邮。

seam ［si:m］*n.* 缝，接缝；煤层

【例】The sailors couldn't find anything to caulk the *seam* in the boat. 水手们找不到任何东西来填塞船上的裂缝。

oh no~

seam

secondary ［ˈsekəndəri］*a.* 次要的；（教育、学校等)中等的；辅助的

【记】来自second(*num.* 第二)

【例】It took us three hours to decide the primary and *secondary* targets of this term. 我们花了三个小时才确定了这个学期的主要目标和次要目标。

*section ［ˈsekʃən］*n.* 部分；部门；截面

【记】词根记忆：sect(部分)+ion → 部分

【例】Here is the non-smoking *section*. 这里是禁烟区。

sector ［ˈsektə］*n.* 部门；扇形

【例】Nowadays more women are being employed in the business *sector*. 现在，就职于商业部门的女性越来越多。

seek ［si:k］*v.* 寻找；探索；追求

【例】They *sought* in vain for somewhere to shelter. 他们怎么也找不到一个藏身的地方。

seep ［si:p］*v.* 漏出，渗漏

【记】联想记忆：啤酒渗漏(seep)发出哗哗声(beep)

【例】Some parts of Australia are dry because rainwater *seeps* quickly through sandy soils and into the rock below. 澳大利亚的一些地区非常干燥，这是因为雨水很快渗过砂土，进入下面的岩石层。

*segment ［ˈsegmənt］*n.* 片段；部分；节

【记】词根记忆：seg(看做sect部分)+ment → 片段，部分

【例】He claimed that the essence of reasoning lies in putting together two "behaviour *segments*" in some novel way. 他称推理的本质就是将两个"行为片段"以新的方式整合在一起。

select ［siˈlekt］*v.* 选择，挑选；*a.* 精选的，挑选出来的

【记】词根记忆：se+lect(选择) → 选择，挑选

【例】More and more employers are making use of what are called "personality questionnaires" to help them *select* new staff. 越来越多的雇主正在利用所谓的"性格调查问卷"来帮助自己挑选新员工。

【派】selective(*a.* 选择的；选择性的)；selection(*n.* 选择)

277

**\*semester** [si'mestə] *n.* 学期

【记】联想记忆：seme(看做semi半)+s+ter(看做term学期) → 半学期也是学期

【例】In the first *semester*, you'll be taking four subjects. 你在第一学期要选四门功课。

**\*seminar** ['seminɑ:] *n.* 研讨会

【记】词根记忆：semi(半)+nar → 研讨会每半年举行一次

【例】You should prepare before you attend this *seminar*. 参加这次研讨会之前你应该准备一下。

**senior** ['si:niə] *a.* 资格较老的；年长的；*n.* 较年长者；（中学或大学的）毕业班学生

【记】词根记忆：sen(老的，年长的)+ior → 年长的

【例】Women who apply for jobs in the middle or *senior* management have a higher success rate than men, according to an employment survey. 据一项就业情况调查显示，申请从事中级或高级管理工作的女性比申请同等职位的男性就业成功率高。

**sensation** [sen'seiʃən] *n.* 感觉；轰动

【记】词根记忆：sens(感觉)+ation → 感觉

【例】This discovery would cause not much more *sensation* than Herschel's discovery of a new planet, Uranus, in 1781. 这一发现的影响不会比赫歇尔于1781年首次发现天王星时更轰动。

**\*sensible** ['sensəbl] *a.* 明智的；合情理的

【记】词根记忆：sens(感觉)+ible(可…的) → 可感觉到的 → 合情理的

【例】This week's lecture is on *sensible* eating. 本星期的讲座是关于合理饮食的。

# Word List 29

| | | | |
|---|---|---|---|
| se- | 分开 separate (v. 使分离) | sequ- | 跟随 sequence (n. 连续) |
| sess- | 坐 session (n. 会议；集会) | sign- | 信号 signal (n. 信号) |
| simul- | 类似 simulate (vt. 模仿) | -age | (名词后缀) 状态 shortage (n. 不足) |
| -ery | (形容词后缀) …的 slippery (a. 滑的) | | |
| -ical | (形容词后缀) …的 skeptical (a. 怀疑的) | | |

*sensitive [ˈsensitiv] a. 敏感的；易受伤害的

【记】来自sens(e)(感觉)+itive → 敏感的

【例】The"environmentally *sensitive*" landscape was threatened by some buildings. 这处"易受环境影响"的风景受到了一些建筑物的威胁。

【派】sensitivity(n. 敏感, 灵敏性)

*sensory [ˈsensəri] a. 感觉的, 感官的

【记】来自sens(e)(感觉)+ory → 感觉的

【例】Mr Roger is a scientist working in the field of *sensory* perception. 罗杰先生是一名感官知觉领域的科学家。

separate [ˈsepərət] a. 分离的；不同的

[ˈsepəreit] v. (使)分离, (使)分开

【例】The solution is not to *separate* teaching and research, but to recognize that the combination is difficult. 这种解决方案不是要将教学与研究分离开来，而是承认它们的结合是困难的。

*sequence [ˈsiːkwəns] n. 连续；顺序

【记】来自sequ(el)(后续, 继续)+ence → 连续

【例】Scientists were able to analyse the *sequence* of events. 科学家能够分析这些事件发生的先后顺序。

serial [ˈsiəriəl] n. 连续剧；a. 连续的；顺序排列的

【记】联想记忆：连续剧（serial）就是以某个主题为系列（series）的电视剧

【例】A lot of people complained that American police *serials* were particularly violent. 许多人抱怨美国的警匪片太暴力了。

**session** ['seʃən] *n.* 会议；集会

【记】联想记忆：ses（看做 see 看见）+sion → 会面 → 会议

【例】What I'd like to do in this *session* is to give you the opportunity to ask questions on how to write the dissertation. 这次会上我将给你们提问机会，大家可以就如何写学位论文进行提问。

**\*setting** ['setiŋ] *n.* 环境；背景；安置

【记】来自 set（*v.* 布置）

【例】The Waikato river, the longest river in New Zealand, flows through the center of the city of Hamilton, providing a picturesque and park-like *setting* of riverside walks and gardens. 怀卡托河是新西兰最长的河流，它流经汉密尔顿市中心，两岸的人行道和花园为人们提供了公园般美丽如画的环境。

**\*settle** ['setl] *v.* 定居；解决

【记】联想记忆：set（放置）+tle → 放置在一个地方就好像定居了一样

【例】They are offspring of the first Europeans who *settled* in China. 他们是最早在中国定居的欧洲人的后裔。

【派】settler（*n.* 定居者）；settlement（*n.* 居住；住宅区）

**\*severe** [si'viə] *a.* 严重的；严厉的；剧烈的

【例】Research completed in 1982 found that in the United States soil erosion was almost as *severe* as in India and China. 1982 年完成的调查显示，美国土壤侵蚀的状况和印度及中国的情况一样严重。

【派】severely（*ad.* 严格地；激烈地）

**shade** [ʃeid] *n.* 荫；色调；细微差别（或变化）

【例】Dark colours give an aura of authority while lighter pastel *shades* suggest approachability. 深色调给人一种权威的感觉，而清淡柔和的色调使人感到亲切。

**\*shaft** [ʃɑːft] *n.* 轴；杆；把柄

【记】联想记忆：变速杆（shaft）用来改变（shift）速度

【例】A small iron was attached to the 1.5m bamboo *shaft* as a weapon. 小铁块被固定在 1.5 米长的竹竿上作为一件武器。

**shareholder** ['ʃeəˌhəuldə] *n.* 股票持有人；股东

【记】组合词：share(分享；股票)+holder(持有者) → 股票持有人

**shark** [ʃɑːk] *n.* 鲨鱼；诈骗者

【例】*Sharks* infest the waters. 这片海域有大批鲨鱼出没。

**shatter** [ˈʃætə] *vt.* 使粉碎；*vi.* 碎裂

【记】发音记忆："筛它" → 使粉碎

【例】This event *shattered* all his previous ideas. 这件事粉碎了他以前所有的想法。// The vase *shattered* as it hit the floor. 花瓶掉在地上，碎了。

**shave** [ʃeiv] *v. /n.* 修面

【记】联想记忆：不要在阴暗处(shade)修面(shave)

【例】How do you *shave* your beard so clean? 你是怎样把胡须刮得那么干净的？

\***sheer** [ʃiə] *a.* 十足的；陡峭的；纯粹的

【记】联想记忆：she(她)+er(人) → 她是个十足的女人 → 十足的

【例】Mary won the skating competition by *sheer* luck. 玛丽能在这次滑冰比赛中获胜纯属运气好。

**shell** [ʃel] *n.* 壳；炮弹；*vt.* 剥…的壳；炮击

【例】Anne removed the oyster from its *shell* and began to eat. 安妮从壳里挖出牡蛎，吃了起来。

\***shelter** [ˈʃeltə] *n.* 掩蔽（处）；住所；*vt.* 掩蔽；躲避

【记】联想记忆：shel(看做shell壳)+ter → 像壳一样的地方 → 掩蔽；住所

【例】Harbour is a physical concept, a *shelter* for ships, while port is an economic concept, a centre of land-sea exchange. Harbour是物质概念，即船的"家"；而port是经济概念，即海陆货物交换的中心。

\***shift** [ʃift] *v.* 移动；改变；(轮或换)班

【记】电脑键盘上的切换键即shift键

【例】Fishermen protested, and the port was *shifted* a further five kilometres to the south. 由于渔民的反对，港口又向南移了5公里。

\***shilling** [ˈʃiliŋ] *n.* 先令

【例】Those matches cost a *shilling* a box. 那些火柴一盒一先令。

**shipment** [ˈʃipmənt] *n.* 装船；装运

【记】来自ship(船运)+ment → 装运

【例】Finally the honey is poured into barrels for *shipment*. 最终蜂蜜被倒进桶里用船运走。

**shore** [ʃɔː] *n.* 滨，岸，海滩

【例】The passengers swam for the *shore* when their aeroplane landed in the sea. 飞机在海上迫降后，乘客奋力朝海滩游去。

**\*shortage** [ˈʃɔːtidʒ] *n.* 不足，缺少

【记】来自short(缺乏)+age → 不足，缺少

【例】The development project was greeted because of Holland's chronic *shortage* of land. 由于荷兰的可用地长期不足，因此这一开发项目在荷兰很受欢迎。

**shorthand** [ˈʃɔːthænd] *n.* 速记法，速记

【例】The book contained some strange *shorthand* symbols. 书上有一些奇怪的速记符号。

**\*short-term** [ˈʃɔːtəːm] *a.* 短期的

【记】来自short(短的)+term(期间) → 短期的

【例】Such *short-term* increases in production are obtained only at a substantial and serious cost to the organisation. 产量的这种短期增长只能以公司的巨额成本为代价。

**shrewd** [ʃruːd] *a.* 机灵的；精明的

【记】发音记忆："熟的" → 对某事很熟，因此反应灵敏

【例】This politician was compassionate and *shrewd*. 这位政治家富有激情又不失精明。

**\*shrink** [ʃriŋk] *v.* (使)收缩；萎缩

【记】联想记忆：童话里喝（drink）了巫婆的药水就能将身体收缩(shrink)

【例】Employees found their time on the job *shrinking* to 10 hours daily. 雇员们发现他们的工作时间已经减少到每天10小时。

**shrub** [ʃrʌb] *n.* 灌木

【记】联想记忆：sh+rub(摩擦) → 灌木擦伤皮肤 → 灌木

【例】The volunteers raked around *shrubs* and trees to look for the lost children. 志愿者在灌木丛和树林里四处寻找迷路的孩子。

**shrug** [ʃrʌg] *n. /v.* 耸肩
【记】联想记忆：shru(像拼音shu舒)+g(音似：胳) → 耸肩
【例】Joey and Monica look at each other and *shrug*. 乔伊和莫尼卡互相对视，耸了耸肩。

**\*shutter** [ˈʃʌtə] *n.* 百叶窗；(照相机的)快门
【记】联想记忆：shut(关闭)+ter → 关闭窗户后拉上百叶窗
【例】In 1889 an improved model with a new *shutter* design was introduced, and it was called the No. 2 Kodak camera. 1889年推出的"柯达二号"是一款装有新型快门的改良型相机。

**shuttle** [ˈʃʌtl] *n.* 航天飞机
【记】联想记忆：shut(关)+tle → 封闭的空间 → 航天飞机
【例】The *shuttle* can carry devices for scientific inquiry. 这架航天飞机能携带科学考察装置。

**\*siesta** [siˈestə] *n.* 午睡，午休
【例】These workers have no time for a *siesta* in summer. 这些工人在夏天都没有时间午睡。

**\*sift** [sift] *v.* 细查；筛；过滤
【记】联想记忆：贪污分子通过转移(shift)财产来逃避细查(sift)
【例】We *sift* through the information carefully to find a clue that will help us. 我们仔细研究资料以便找出对我们有帮助的线索。

**signal** [ˈsignəl] *n.* 信号；暗号；标志；*vt.* (向…)发信号；标志着
【记】来自sign(*n.* 标记)
【例】Serotonin is a chemical substance involved in sending *signals* in the nervous system. 血液中的复合胺是一种在神经系统中参与传递信号的化学物质。//Tom *signaled* to the waiter to bring the menu. 汤姆示意服务员把菜单拿来。

**signature** [ˈsignətʃə] *n.* 签字
【记】词根记忆：sign(加上记号)+ature(表行为，状态) → 在文件上做记号 → 签字
【例】Corbett ran into the bedroom and scribbled his *signature* on the notebook. 科波特冲进卧室，在笔记簿上潦草地签上了自己的名字。

**\*significance** [sigˈnifikəns] *n.* 重要性，意义
【例】The real *significance* of the first Kodak camera was that it was backed up by a developing and printing service. 第一代科达照相机

的真正意义在于它可以连接冲印和打印设备。

【派】significant(*a.* 重要的；有意义的)；significantly(*ad.* 重大地；明显地)

*signpost ['sainpəust] *v.* 在…设置路标；*n.* 路标

【记】组合词：sign(标志)+post(放置) → 在…设置路标

【例】The Education Centre is *signposted* at every crossing in the college. 该大学的每个十字路口处都设有通往教育中心的路标。

silicon ['silikən] *n.* 硅

【例】The *silicon* chip is one of the most significant inventions of the past 50 years. 硅制电脑芯片是过去50年中最重要的发明之一。

*silt [silt] *n.* 淤泥；*v.* (用淤泥)阻塞

【记】联想记忆：小心别坐上(sit)淤泥(silt)

【例】Volcanic ash *silted* up the Columbia River 35 miles away. 火山灰淤积在哥伦比亚河中长达35英里。

*silver ['silvə] *n.* 银；银器

【例】A German alchemist tried to transmute *silver* into gold. 一位德国的炼金术士试图将白银炼成黄金。

similarly ['similəli] *ad.* 同样地，类似地

【例】All students in this school wear *similarly* unconventionally-cut suits. 这所学校的所有学生都穿着剪裁独特、款式相同的服装。

simplify ['simplifai] *vt.* 使简化

【例】These self-help books are designed for people who want to *simplify* their lives. 这些自助书籍是为那些想使生活简单化的人设计的。

simulate ['simjuleit] *vt.* 模仿，模拟

【记】词根记忆：simul(类似)+ate(使…) → 类似 → 模仿

【例】The experiment *simulated* a natural environment. 这个试验模拟了一种自然环境。

*simultaneously [ˌsiməl'teiniəsli] *ad.* 同时地

【记】来自simultaneous(同时的)+ly → 同时地

【例】Where the mining is underground, the surface area can be *simultaneously* used for forests, cattle grazing and crop raising. 在地下有矿井的地方，其表层的土地同时可以用来造林，放牧和种庄稼。

sincere [sin'siə] *a.* 真挚的

【记】联想记忆：sin(罪)+cere → 把自己的罪过告诉你 → 真诚的

【例】My respect to you is very *sincere*. 我对您的尊敬是非常诚挚的。

*sinew [ˈsinjuː] *n.* 腱；肌肉

【例】The athletes were so nervous that we could see all their *sinews* tense. 运动员非常紧张，以致我们能看到他们紧绷的肌肉。

*sinister [ˈsinistə] *a.* 不吉祥的；邪恶的

【记】词根记忆：sinist(左边的)+er → 不吉祥的；邪恶的

【例】In your remarks you allude to certain *sinister* developments. 你的话语中暗示了一些不祥的势头。

sip [sip] *v.* 小口地喝；吸吮

【例】As you *sip* the wine, you'll find something special in it. 当你小口啜饮这种酒时，你会发现它的独特之处。

*situated [ˈsitjueitid] *a.* 位于…的；处于…境地的

【例】The Newton Park site is *situated* four miles west of Bath. 牛顿公园位于巴斯以西4英里的地方。

*skeptical [ˈskeptikəl] *a.* 怀疑的，猜疑的

【例】People become less *skeptical* and more optimistic when the weather is sunny. 人们在晴朗的日子里会变得少猜忌并且更乐观。

sketch [sketʃ] *n.* 素描；速写；*v.* 画…的素描；概述

【例】Tom's not willing to *sketch* Mary. 汤姆不愿为给玛丽画素描。

*skew [skjuː] *vt.* 使偏；曲解；*a.* 歪斜的

【例】She says the U.S. market for goods has become *skewed* by the assumption. 她说美国商品市场已被这种假设扭曲了。//The painting was a little *skew*. 这幅画有点歪。

skim [skim] *v.* 浏览，略读

【记】联想记忆：ski(看做skin皮)+m(看做"毛") → 只看皮毛 → 浏览

【例】My reading approach is to *skim* the book first to see what's important and what isn't. It saves hours. 我的阅读方法是先浏览该书，看看什么是重点，什么不是，这样会节省很多时间。

skip [skip] *v.* 跳，蹦；漏过；逃学

【例】She *skips* the difficult words when she reads English novels. 看英文小说时她经常跳过文字难理解的部分。

skull [skʌl] *n.* 颅骨，脑壳

【记】联想记忆：据说大脑壳(skull)的人掌握技能(skill)比较快

【例】The anthropologist unearthed the *skull* of an ancient human at the site. 人类学家在遗址处挖掘出一个古人类的头骨。

**\*skyscraper** [ˈskaiˌskreipə] *n.* 摩天楼，摩天大楼
【记】组合词：sky(天)+scrape(摩擦)+r → 可以擦到天 → 摩天楼
【例】As construction techniques improved, the *skyscraper* became a reality. 随着建筑技术的进步，建造摩天大楼成为现实。

**slash** [slæʃ] *n.* 斜线号；*vt.* 砍
【例】Their habits of hunting, fishing, and *slash*-and-burn cultivation often have been harmful to the habitat. 他们渔猎和刀耕火种的习性通常会破坏他们的生存环境。

**slat** [slæt] *n.* 板条，狭板；*v.* 用板条做或装备
【记】和slate(*n.* 板岩，石板)一起记
【例】Try out an orthopaedic mattress or a spring *slatted* bed which can be beneficial for certain types of back pain. 你可以尝试使用矫形床垫或是弹簧床，这有助于缓解某些背痛。

**slice** [slais] *v.* 切成片；*n.* 薄片；一份
【记】联想记忆：sl+ice(冰) → 把冰块切碎
【例】I brought you a *slice* of pizza. 我给你带了一块匹萨。

**\*slight** [slait] *a.* 轻微的；纤细的
【记】联想记忆：s+light(轻的) → 轻微的
【例】I had a *slight* headache this morning. 今天早上我有些轻微的头疼。
【派】slightly(*ad.* 些微地；略)

**slim** [slim] *a.* 苗条的；薄的；*v.* 变苗条
【记】联想记忆：s+lim(有限的) → 体重有限的 → 苗条的
【例】Tom likes her *slim* and pretty hands so much. 汤姆非常喜欢她那双纤细美丽的手。

**\*slip** [slip] *v.* 滑跤；溜；下降；*n.* 疏漏；纸条
【例】Tom *slipped* on the ice and broke his leg. 汤姆在冰上摔了一跤，摔断了腿。// Payments can be made at any branch of the Federal Bank by completing the deposit *slip* attached to your account notice. 你只需填写账目通知单上附带的存款单，便可以在联邦银行的任何支行付款。

**slippery** [ˈslipəri] *a.* 滑的；狡猾的
【记】来自slipp(=slip滑)+ery → 滑的

286

【例】How damp and *slippery* the ground is! 地面又湿又滑!

slippery

**slogan** ['sləʊgən] *n.* 标语,口号

【记】词根记忆:s+log(说)+an → 口号

【例】Their *slogan* is "Deeds not words". 他们的口号是"要行动不要空话"。

**slope** [sləʊp] *n.* 斜坡;倾斜;*v.*(使)倾斜

【记】联想记忆:slo(看做slow慢的)+pe → 慢慢地走下斜坡

【例】Steps were taken to evacuate the population. Most campers, hikers and timbercutters left the *slopes* of the mountain. 已经采取措施疏散人群。大多数露营者、徒步旅行者和伐木工人都离开了山坡。//This tower *slopes* to the north. 这座塔向北倾斜。

slogan

**slouch** [slaʊtʃ] *v.* 懒散地坐(站、走);低垂

【记】发音记忆:"似老去" → 低垂

【例】Studies have shown that just one hour sitting in a *slouched* position can strain ligaments in the back. 研究表明,保持懒散的坐姿一小时就会导致背部韧带受损。

***slum** [slʌm] *n.* 贫民窟,贫民区

【例】Such rapid and uncontrolled growth helped to turn parts of cities into *slums*. 这种快速、毫无节制的增长使城市的某些地方变成了贫民窟。

***slurry** ['slʌri] *n.* 泥浆

【例】How effective is the use of limestone *slurry*? 使用石灰浆的效果怎么样?

***smart** [smɑːt] *a.* 漂亮的,时髦的;高明的

【例】Most computer criminals are *smart* enough to cover their crimes. 大多数计算机犯罪分子都很聪明,能够将自己的罪行掩盖起来。

***smell** [smel] *v.* 散发(或有)…的气味;闻到

【例】Foul *smelling* chemicals are often used to irritate the bees and drive them down into the hive's bottom boxes. 气味难闻的化学品被用来刺激蜜蜂,将它们赶到蜂箱的底部。

# Word List 30

词根词缀预习表

| soci- | 社会 sociology（n. 社会学） | sol- | 太阳 solar（a. 太阳的） |
|---|---|---|---|
| soph- | 智慧 sophisticated（a. 老练的） | spec- | 种类 specialise（v. 专门从事） |
| spher- | 球 sphere（n. 球体） | spin- | 刺 spine（n. 脊柱） |
| st- | 站 stable（a. 稳定的） | -craft | （名词后缀）运载工具 spacecraft（n. 航天器） |

**\*smooth** [smuːð] a. 顺利的；流畅的；协调的

【例】The new bill had a *smooth* passage through Parliament. 新法案在议会得以顺利通过。//Good health has been connected to the *smooth* mechanical operation of the body. 良好的健康状况与身体机能协调工作密不可分。

**\*smother** ['smʌðə] v. 厚厚地覆盖；（使）窒息；把（火）闷熄

【记】联想记忆：s（看做she）+mother（母亲）→ 她快要被母亲的爱闷死了

【例】All the towns and settlements in the area were *smothered* in a coating of ash. 这一地区的所有城镇和居民区都被火山灰覆盖了。

**snack** [snæk] n. 快餐，小吃；点心

【例】The Sandwich Shop for quick *snacks* is nearby. 出售快餐的三明治店离这里很近。

**snap up** 抢购

【例】Products in those shelves are *snapped up*, so manufacturers pay a lot for those areas. 在这些货架上的产品的销路很好，因此厂商租这些货架的费用也很高。

**soak** [səuk] v. 浸泡

【记】联想记忆：在肥皂（soap）水中浸泡（soak）

【例】We'll get you up to your room and *soak* your feet; you'll be okay. 我们带您到房间里泡泡脚，这样您会感觉舒服些。

**\*sociology** [ˌsəusiˈɔlədʒi] *n.* 社会学

【记】词根记忆：soci(同伴，结交)+ology(学科) → 社会学

【例】In the first semester you'll be taking four subjects: psychology, *sociology*, history and economics. 第一学期你将学习四门功课：心理学、社会学、历史和经济学。

**solar** [ˈsəulə] *a.* 太阳的；(利用)太阳能的

【记】词根记忆：sol(太阳)+ar → 太阳的

【例】Of all the planets in our own *solar* system, the Earth is the only one on which life can survive. 在太阳系的所有行星中，地球是惟一一个生命可以存活的行星。

**sole** [səul] *a.* 惟一的

【记】词根记忆：sol(太阳)+e → 太阳是惟一的

【例】His *sole* motive was to make her happy. 他惟一的动机就是让她高兴。

【派】solely(*ad.* 惟一地；独自地)

**solemn** [ˈsɔləm] *a.* 庄严的，隆重的；严肃的

【记】词根记忆：sol(太阳)+emn → 古时把太阳看做是神圣庄严的

【例】Kit made a *solemn* vow that he would always stand beside me. 基特郑重起誓，说他将永远支持我。

**solidarity** [ˌsɔliˈdærəti] *n.* 团结，一致

【记】词根记忆：solid(固定的)+arity → 固体状态 → 团结

【例】Downtrodden classes will never be able to make an effective protest until they achieve *solidarity*. 被压迫的阶级只有团结一致才能做出有效的抗议。

**soluble** [ˈsɔljubl] *a.* 可溶的；可以解决的

【记】来自solu(te)(溶解物)+ble → 可溶的

【例】Fat *soluble* vitamins can be stored for quite some time by the body. 能溶于脂肪中的维生素可在身体里储存很久。

**\*solve** [sɔlv] *vt.* 解答；解决

【例】Technology alone cannot *solve* the problem of vehicle pollution. 仅仅靠技术不可能解决机动车辆带来的污染问题。

【派】solution(*n.* 解决；解决办法)

**sophisticated** [səˈfistikeitid] *a.* 老练的；高度发展的；精密复杂的

【例】Space Management is now a highly *sophisticated* method of manipulating the way we shop to ensure maximum profit. 空间管理

现在已成为一种高度发展的技术，它通过控制我们的购物方式来实现利润最大化。

【派】sophistication(*n.* 精致，复杂)

**sore** [sɔː] *a.* 痛的；恼火的；剧烈的；*n.* 疮

【例】He's had so many colds and *sore* throats recently. 他最近常常感冒，嗓子也经常痛。

**sorrow** [ˈsɒrəu] *n.* 悲哀；伤心事

【例】Carolyn's eyes filled with *sorrow* at thinking of how she had treated Kevin and lost him forever. 想到自己那样对待凯文并永远地失去了他，卡罗琳的眼中充满了悲伤。

**source** [sɔːs] *n.* 河的源头；根源；来源

【例】We understand a port as a centre of land-sea exchange, and as a major *source* of livelihood and a major force for cultural mixing. 我们把港口看做海陆交换的中心、生计的主要来源以及推动文化融合的重要力量。

**souvenir** [ˌsuːvəˈniə] *n.* 纪念品，纪念物

【记】联想记忆：sou(看做south)+ven(来)+ir → 南方带回来的东西 → 纪念品

【例】We've gathered together a wonderful collection of *souvenirs*. 我们已经收集了一大批精美的纪念物。

**spacecraft** [ˈspeiskrɑːft] *n.* 航天器

【记】组合词：space(太空)+craft(技术) → 太空技术 → 航天器

【例】We believe this *spacecraft* contains an unknown life form. 我们认为这艘宇宙飞船载有一种未知的生命形式。

**spade** [speid] *n.* 铁锹

【记】联想记忆：sp+ade(看做blade刀刃) → 铲子的边缘如刀刃一般锋利

【例】We need a *spade* if we're going to dig a pit. 如果我们要挖个深坑的话，就需要一把铁锹。

**span** [spæn] *n.* 跨距；一段时间；*v.* 持续；横跨

【例】The workers completed the building within the *span* of three months. 工人们在短短三个月的时间里建成了这栋大楼。

**spark** [spɑːk] *n.* 火花

【记】联想记忆：s+park(公园) → 公园是情侣们约会擦出感情火花的地方

【例】In the Stone Age，tool-makers discovered that chipping flints produced *sparks*. 在石器时代，工匠们发现敲击燧石能产生火花。

**spasm** [ˈspæzəm] *n.* 痉挛
【记】联想记忆：看到深坑(chasm)突发痉挛(spasm)
【例】The patient shudders with a sudden *spasm*. 病人突然抽搐，全身发抖。

**spasmodic** [spæzˈmɔdik] *a.* 痉挛的；间歇性的
【记】来自spasm(痉挛，一阵发作)+odic → 痉挛的
【例】Since the arrival of Europeans, the region experienced a period of *spasmodic* activity, between 1831 and 1857. 自从欧洲人到了这个地区，在1831到1857年间它经历了一个间歇性的活跃时期。

**specialise** [ˈspeʃəlaiz] *v.* 专门从事，专攻
【记】来自special(*a.* 特别的，特殊的)
【例】As the brain evolved, one side became *specialised* for fine control of movement. 随着大脑的进化，大脑的一边开始专门负责对运动微调。
【派】specialist(*n.* 专家，专科医生)；specialisation(*n.* 专业化)

**specialty** [ˈspeʃəlti] *n.* 特产；专业
【记】来自special(*a.* 专门的)
【例】Cross-country skiing events are a *specialty* of cold-weather countries. 国际滑雪赛事是气候寒冷的国家中一道独特的风景线。

**\*species** [ˈspiːʃiːz] *n.* 种类，类群
【记】和specimen(*n.* 标本)一起记
【例】Between 1968 and 1982, the country imported about 50 different *species* of dung beetle, from Asia, Europe and Africa. 在1968年到1982年间，该国从亚洲、欧洲和非洲进口了大约50种不同种类的蜣螂。

**specific** [spiˈsifik] *a.* 特定的；明确的
【例】Do you have any *specific* studying goals for this year? 今年你有具体的学习目标吗？
【派】specifically(*ad.* 特定地；明确地)

**specification** [ˌspesifiˈkeiʃən] *n.*[常*pl.*] 规格；说明书
【记】来自specific(详细的)+ation → 详细说明 → 说明书

【例】The house has been built exactly to our *specifications*. 房子完全是按照我们的工程设计书建造的。

**specify** ['spesifai] *vt.* 指定；详细说明

【记】词根记忆：spec(看)+ify(使…化) → 详细说明能让人看清楚

【例】It is not necessary to *specify* quantity when ordering beer. 预定啤酒时无需指定数量。

**specimen** ['spesimin] *n.* 标本

【例】Anton is observing the *specimen* with a magnifying glass. 安东正在用一个放大镜观察这个标本。

**spectacular** [spek'tækjulə] *a.* 壮观的；*n.* 壮观的演出；惊人之举

【例】Tyler and Jack are seated near floor-to-ceiling windows affording a *spectacular* view of the city. 泰勒和杰克坐在落地窗附近，壮观市景尽收眼底。

**spectator** [spek'teitə] *n.* 观众；旁观者

【记】词根记忆：spect(看)+ator → 旁观者

【例】The *spectators*, as well as the participants, of the ancient Olympics were all male. 在古时，奥林匹克运动会的观众和运动员全部是男性。

**spectrum** ['spektrəm] *n.* 谱，光谱；范围

【记】词根记忆：spect(看)+rum → 能看到的颜色 → 光谱

【例】Sufferers can fight back by spending a few hours each day under special, full-*spectrum* lamps. 患者可以通过每天在特殊的全光谱灯下照射几小时来缓解(身体的不适)。

**speculate** ['spekjuleit] *v.* 推测；投机

【例】I began to *speculate* about how she was spending her time. 我开始猜测她是如何打发时光的。

**\*sphere** [sfiə] *n.* 球(体)；范围，领域

【记】本身为词根：球

【例】Mary's *sphere* of interests is very limited. 玛丽的爱好很有限。

**spice** [spais] *n.* 香料，调味品；*vt.* 使增添趣味；往…加香料

【记】曾经风靡一时的英国乐队 Spice girls辣妹组合

【例】Variety is the *spice* of life. 多彩的生活才有情趣。

spice

\*spill [spil] v. (使)溢出；涌出

【记】联想记忆：s+pill(药丸) → 药丸洒了一地 → 溢出

【例】The beer *spilled* from the glass. 啤酒从玻璃杯里溢出来了。

spill

\*spin [spin] v. (使)旋转；甩干；n. 旋转

【例】This action *spins* a series of gears. 这个动作使一连串的齿轮旋转起来。

spine [spain] n. 脊柱

【记】联想记忆：s+pine(松树) → 像松树一样挺拔 → 脊柱

【例】Twisting movements can place unusual force on your *spine*. 扭转会给脊椎带来不寻常的力度。

【派】spinal(a. 脊椎的)

spiritual ['spiritjuəl] a. 精神的；心灵的

【记】来自spirit(n. 精神)

【例】Human *spiritual* needs should match material affluence. 人类的精神需求应该与物质富足相匹配。

spit [spit] v. 吐唾沫；吐出；n. 唾沫

【记】联想记忆：s+pit(坑) → 往坑里吐痰

【例】Don't *spit* at random. 不要随地吐痰。

spite [spait] n. 不管，不顾

【例】The holiday lodge owner refused to be evacuated, in *spite* of official and private urging. 无论官方或个人如何催促，度假小屋的主人都拒绝撤离。

splash [splæʃ] v. 溅；泼

【例】I refreshed myself by *splashing* cold water on my face. 我往脸上扑冷水让自己精神起来。

splendid ['splendid] a. 壮丽的；显著的

【记】词根记忆：splend(明亮)+id(…的) → 让人眼前一亮的 → 壮丽的

【例】They marry rich men merely because they are rich and have *splendid* houses. 她们嫁给富人，仅仅是因为富人有钱和豪华的房子。

\*splint [splint] n. 细木梗

【记】发音记忆："死不吝它" → 细木梗不值钱，所以死都不吝惜它

293

【例】These kinds of matches were *splints* coated with sulphur and tipped with potassium chlorate. 这种火柴是由涂上了硫磺、头部粘有硫酸钾的细木梗制成的。

**split** [split] *vi.* 分裂；被撕裂；*vt.* 分担；分享；*n.* 裂口

【记】发音记忆："死劈了它" → 劈开 → 分裂

【例】The party *split* up into several groups. 这个党派分裂成了几个集团。

*__spoil__ [spɔil] *v.* 损坏；宠坏；*n.* 战利品

【记】联想记忆：战争结束后，在土地(soil)上插个旗(p)就成了战利品(spoil)

【例】He wasn't going to let a headache *spoil* his holidays. 他不想因为头疼而使假期泡汤。

**sponge** [spʌndʒ] *n.* 海绵

【记】发音记忆："死胖子" → 海绵吸饱水像个死胖子

【例】He squeezed out water from a *sponge*. 他拧出海绵里的水。

*__sponsor__ ['spɔnsə] *n.* 发起者；*vt.* 发起；资助

【记】联想记忆：spon(看做spoon勺子)+sor(…者) → 举勺子的人 → 发起者

【例】He is the main *sponsor* of the conference. 他是这次会议的主要发起者。

*__sporadically__ [spə'rædikəli] *ad.* 偶发地；零星地

【记】来自sporadical(零星的)+ly → 零星地

【例】Rockets had been used *sporadically* for several hundred years. 人们零星地使用火箭已经有几百年了。

**spot** [spɔt] *n.* 地点，处所；*v.* 认出；发现

【例】You'll *spot* the cinema right next to the underground station. 你会在地铁站旁边看到这家电影院。

**spot on** 恰好的(地)，准确的(地)

【例】I think your idea is *spot on*. 我认为你的主意不错。

*__spouse__ [spauz] *n.* 配偶

【记】联想记忆：sp(看做spend度过)+ouse(看做house房子) → 与配偶在同一间房子里共度人生

【例】How your child adapts to your divorce is largely dependent on how you and your *spouse* act. 孩子如何适应离婚主要取决于你和配偶如何表现。

*sprawl [sprɔːl] *n.* 扩展；扩张

【记】联想记忆：伸展手脚趴在地上（sprawl）潦草地写（scrawl）

【例】Urban *sprawl* means that life without a car is next to impossible. 城市扩张意味着生活中如果没有车几乎寸步难行。

*spray [sprei] *n.* 喷雾，飞沫；*v.* 喷射

【记】联想记忆：sp（音似：四泼）+ray（光线）→ 光线向四面射去 → 喷射

【例】Farmers are *spraying* the crops with pesticide. 农民们正在给庄稼喷洒杀虫剂。

squash [skwɔʃ] *n.* 软式墙网球，壁球

【记】联想记忆：squ（看做squeeze挤）+ash（灰）→ 挤成灰 → 挤压着打 → 壁球

【例】The new gym has got an ice rink and a sports hall for *squash*, badminton, volleyball and several other indoor sports. 这座新的体育馆设有溜冰场和一个可以打壁球、羽毛球、排球和进行其他室内运动的大厅。

squeeze [skwiːz] *v.* 挤；榨取；*n.* 挤

【记】联想记忆：s+quee（看做queen女王）+ze → 想与女王握手的人很多 → 挤

【例】I made the toast and *squeezed* orange juice every morning. 我每天早上都烤面包，榨橙汁。

stab [stæb] *v.* 刺，戳

【例】A lot of people get shot, *stabbed*, and decapitated in the fight. 在这场争斗中，有很多人被枪杀、被刺死、被斩首。

stabilize ['steibilaiz] *v.* (使)稳定，(使)稳固

【记】来自stable（*a.* 稳定的）

【例】The patient's condition has now *stabilized*. 病人的情况现在稳定下来了。

【派】stability（*n.* 稳定性；稳固）

*stable ['steibl] *a.* 稳定的

【记】联想记忆：s（音同：似）+table（桌子）→ 就像桌子一样四平八稳

【例】The society will remain *stable* over the long term. 社会将保持长期稳定。

stack [stæk] *n.* 堆；*v.* 堆积；堆成堆

【记】联想记忆：库存（stock）就是一堆（stack）商品

【例】Dishes are *stacked* up in a drying rack. 盘子被堆放在一个烘干架上。

**staff** [stɑ:f] *n.* 全体职工；*vt.* 为…配备人员
【记】联想记忆：一个明星(star)后面都跟着一群工作人员(staff)
【例】Managers estimate *staff* productivity in terms of their working hours. 经理通过职员的工作时间来评估他们的生产效率。

**\*stage** [steidʒ] *n.* 舞台；戏剧；阶段
【例】The next *stage* of the project was the design phase. 该项目的下一个阶段是设计阶段。

**\*stagnate** [stæg'neit] *v.* (使)停滞；不景气
【记】词根记忆：stagn(=stand站住)+ate → 使站住 → (使)停滞
【例】Real wages have *stagnated* since that year. 实际工资从那一年就没再长过。

**stain** [stein] *vt.* 染污；给…着色；*n.* 污点
【记】联想记忆：一下雨(rain)，到处都是污点(stain)
【例】The ink *stained* his shirt blue. 墨水把他的衬衫染上了蓝色。

**stainless** ['steinlis] *a.* 不锈的
【记】来自stain(污点)+less → 无污点的 → 不锈的
【例】It's made of *stainless* steel which is guaranteed for 50 years. 它由不锈钢制成，保证可以使用50年。

**staircase** ['steəkeis] *n.* 楼梯
【记】组合词：stair(楼梯)+case(场合) → 楼梯
【例】On hearing the fire alarm, all people in the building should evacuate via the *staircase*. 听到火警后，楼里的所有人都应该通过楼梯撤出大楼。

**\*stake** [steik] *n.* 桩；利害关系；股份；赌金；*vt.* 以…打赌；拿…冒险
【记】联想记忆：s+take(带来) → 带来赌金
【例】They burned this man at the *stake* as a heretic. 他们将这个人当作异教徒绑在树桩上烧死。

**stale** [steil] *a.* 不新鲜的；陈腐的
【记】联想记忆：s+tale(传说) → 传说说多了就不新鲜了 → 陈腐的
【例】There was a smell of *stale* vegetables in the air. 空气中有一股变质蔬菜的味儿。

**stall** [stɔ:l] *n.* 货摊；小房间
【记】联想记忆：sta(看做stand立)+ll(像两根柱子) → 货摊；小房间

【例】Remember to visit the souvenir *stalls* in the car park in front of the main entrance to the stadium. 记得到体育馆正门前停车场内的纪念品店看看。

# Word List 31

**sub-** 在下面 submarine（*a.* 海底的）**stat-** 站 status（*n.* 地位）

**stimul-** 刺激 stimulate（*v.* 刺激）　　　**-ary**（形容词后缀）…的 stationary（*a.* 静止的）

**-ish**（形容词后缀）…的 stylish（*a.* 时髦的）

**-ure**（名词后缀）行为结果 structure（*n.* 结构）

*stammer ['stæmə] *v.* 口吃；*n.* 结巴，口吃

【记】联想记忆：stamm（看做 stamp 邮票）+er（人）→ 嘴上贴了邮票一般 → 口吃

【例】Left-handed children, forced to use their right hand, often develop a *stammer*. 本来是左撇子的小孩在被迫改用右手后，通常会患口吃。

stamp [stæmp] *v.* 盖印，盖章

【例】You'll have to get this card *stamped* and then you come back here with it and pay your union fee. 你先拿着这张卡去盖章，然后拿回来交会费。

*stance [stæns] *n.* 姿势；观点，立场

【记】词根记忆：stan（=stand 站立）+ce → 站立时的姿势 → 姿势

【例】Can you feel how much more comfortable a relaxed *stance* is? 保持这样一种放松的姿势，你能感觉舒适多了吗？

*standard ['stændəd] *n.* 标准；*a.* 标准的

【例】Chains of KFC's and McDonald's are setting a new *standard* of customer service. 肯德基和麦当劳的连锁店正在制定一套新的顾客服务标准。//Those firms have a *standard* raw material inspection procedure. 那些工厂有一套标准的原料检验流程。

standpoint ['stændpɔint] *n.* 立场；观点

【记】组合词：stand（站立）+point（观点）→ 立场；观点

【例】From a completely economical *standpoint*, the ad is actually more important than the film itself. 从单纯的经济观点来看，广告实际上比电影本身更重要。

\*starchy ['stɑːtʃi] *a.*含淀粉的

【记】词根记忆：starch(淀粉)+y → 含淀粉的

【例】You eat too much *starchy* food. 你吃的含淀粉的食物太多了。

stare [steə] *n. /vi.*盯

【记】联想记忆：凝视(stare)星(star)空

【例】He *stared* at the word trying to remember what it meant. 他盯着这个单词，努力想记起它的意思。

\*stark [stɑːk] *a.*赤裸的；明摆着的；完全的

【记】联想记忆：star(星球)+k → 宇宙中大部分星球上是荒凉的 → 赤裸的

【例】The language barrier presents itself in *stark* form to firms who wish to market their products in other countries. 对于那些想把自己的产品销售到其他国家的企业来说，语言成了他们明显的障碍。// Mary was in a *stark* madness. 玛丽彻底疯了。

\*starve [stɑːv] *v.*(使)挨饿；(使)饿死

【记】联想记忆：star(明星)+ve → 和明星的生活正相反 → 挨饿

【例】Thousands of people *starved* during the war. 战争中，成千上万的人饿死。

\*stash [stæʃ] *v.*藏匿；贮藏

【记】联想记忆：st(看做stay)+ash(灰) → 放在灰里 → 藏匿

【例】The bees *stash* honey to eat later. 蜜蜂将蜂蜜贮藏起来供以后食用。

\*statement ['steitmənt] *n.*陈述；声明；报表

【记】来自state(*v.* 声明)

【例】The *statement* contradicts the views of the writer. 这些陈述与作者的观点相反。

static ['stætik] *a.*静的；停滞的；*n.*静电

【记】联想记忆：stat(看做state处于某种状态)+ic(…的) → 静的

【例】Some people get *static* electricity in their hair. 有些人的头发会产生静电。

stationary ['steiʃənəri] *a.*静止的，不动的；固定的

【记】联想记忆：station(位置)+ary → 总在一个地方的 → 静止的

【例】It seemed to me that there were almost as many serious problems when cars were *stationary* as when they were travelling at 90 miles an hour. 对我来讲，车停着和以每小时90英里的速度行驶出现的严重问题几乎是一样多。

**stationery** ['steiʃənəri] *n.* 文具

【例】They manage the Students' Union papershop, selling magazines and newspapers, as well as *stationery* and sweets. 他们负责管理学生会的报刊亭，销售杂志、报纸，还有文具、糖果等物品。

**statistic** [stə'tistik] *n.* 统计数值；统计学

【记】联想记忆：stat(看做state国家)+istic → 常听到说：据国家统计数据表明

【例】The writer pointed out that the employment *statistic* was deceptive. 作家指出这个就业统计数据不可信。

**\*statistically** [stə'tistikəli] *ad.* 统计上地

【例】If that information is *statistically* valid, we can find out what the majority of students prefer. 如果信息统计有效的话，我们就可以找出大多数学生所喜欢的(课程)。

**statue** ['stætjuː] *n.* 塑像

【记】联想记忆：sta(看做stand站立)+tue → 塑像一般都是站立着的

【例】The *statue* would be perfect but for a few small flaws in its base. 如果不是底座有一些小瑕疵，这尊雕像会很完美。

**status** ['steitəs] *n.* 地位；身份；状况

【记】联想记忆：stat(看做state声明)+us(我们) → 声明我们是谁 → 身份

【例】The chart shows the amount of leisure time enjoyed by men and women of different employment *status*. 这张图表显示了不同职业身份的男性和女性所享有的闲暇时间量。

**steady** ['stedi] *a.* 稳的；稳定的；*vt.* (使)稳定

【记】联想记忆：st+eady(看做ready准备) → 事先有准备，心里就有底 → 稳的；稳定的

【例】The van is making *steady* progress through the dark night. 货车在黑夜中平稳行驶。

【派】steadily(*ad.* 平稳地)

**\*steep** [stiːp] *a.* 陡峭的；(价格等)过高的；急剧的(上升或下降)

【记】联想记忆：step(阶梯)中又加一个e → 更高了 → 陡峭的

【例】It's very *steep* here and the surface is a little slippery. 这儿很陡，地面还有点滑。

**steer** [stiə] *v.* 引导；驾驶

【记】联想记忆：steel(钢铁)的l变为r → 铁船 → 驾驶

【例】He *steered* his car very carefully along the narrow mountain roads. 他极为小心地驾车行驶在狭窄的山路上。

**\*stem** [stem] *n.* 茎；(树)干；词干；*v.* 起源；止住

【例】As the axe cut through the *stem*, the tree fell. 斧子砍断树干时，树倒了下来。

**stereo** ['steriəu] *a.* 立体声的；*n.* 立体声(装置)

【记】来自stere(立方米)+o → 立体的 → 立体声的

【例】I've got a fridge and a *stereo* system which I've just bought from a friend. 我刚从一个朋友那里买了一台冰箱和一套立体声音响。

**sticky** ['stiki] *a.* 黏性的；(天气)湿热的

【记】来自stick(*v.* 粘住)

【例】My fingers are *sticky* from that candy bar. 糖块把我的手指弄得黏乎乎的。

**\*stiff** [stif] *a.* 硬的，僵硬的；*ad.* 极其；僵硬地

【记】联想记忆：still（静止的）的ll变为ff → 僵硬的

【例】We felt *stiff* after a long walk. 走长路后我们感觉腿脚发僵。//This movie bored me *stiff*. 这部电影让我烦透了。

stiff

**stimulate** ['stimjuleit] *v.* 刺激；激励

【例】Why don't we try massaging the feet to *stimulate* blood flow? 我们为什么不试试按摩双足来促进血液循环呢？

**stimulating** ['stimjuleitiŋ] *a.* 刺激性的；使人兴奋的

【例】The overload principle refers to an athlete *stimulating* a muscle beyond its current capacity. 超负荷法是指运动员刺激肌肉使其超过目前的承受力。

**stimulus** ['stimjuləs] *n.* 促进(因素)，刺激(物)

【记】词根记忆：stimul(刺激)+us → 刺激(物)

【例】The bright light is a *stimulus* to the eyes. 这种强光对眼睛是一种刺激。

**stint** [stint] *n.* 定量；限额
【记】联想记忆：贫穷刺激（sting）他变得吝啬（stint）
【例】He did a two-year *stint* in the army when he left school. 他离开学校后服了两年兵役。

**stir** [stə:] *v. /n.* 搅动；动，摇动；激动
【记】stir本身是词根：刺激
【例】You'd better give the coffee a *stir* before you drink it. 喝咖啡之前最好先搅拌一下。

**stock** [stɔk] *n.* 储备品；股票；[总称]家畜；*v.* 储备；*a.* 常备的
【例】Fish *stocks* here began to decline in the 1950s in south Scotland. 在苏格兰南部，鱼类储量从20世纪50年代开始减少。

**\*stockpile** ['stɔkpail] *n. /v.* 贮存
【记】组合词：stock（储存）+pile（堆）→ 成堆的储存 → 贮存
【例】The owner of the factory intended to build up his *stockpile* of raw materials. 该厂的厂主打算增大原料库存。

**storey** ['stɔ:ri] *n.* 楼层
【例】To the west of where I'm standing, we can see the construction of a seventeen-*storey* building. 从我站的地方往西，可以看到一座17层的建筑。

**\*stout** [staut] *a.* 结实的，牢固的
【记】联想记忆：st(=stand站)+out(出来) → 站在那，小肚子都挺出来了 → 结实的
【例】This machine was completely encased in a *stout*, iron cylinder. 这台机器置于一个结实的铁筒内。

**stove** [stəuv] *n.* 炉
【例】This dorm got a television, a fridge, a washing machine, and a new *stove*. 这个宿舍有电视、冰箱、洗衣机和一个新炉子。

**strain** [strein] *n. /v.* 拉紧；扭伤，拉伤
【记】本身为词根：拉紧
【例】Tom *strained* his muscle in the match. 汤姆在比赛中拉伤了肌肉。

**strand** [strænd] *n.* 股，缕；分支
【例】There are three distinct *strands* to Sports Studies and you would

need to choose fairly early on just which direction you wanted to follow. 运动研究有三个不同的分支，你需要尽早确定研究方向。

**\*strap** [stræp] *n.* 带子；*vt.* 捆扎；用绷带包扎
【记】和strip(*n.* 条，带)一起记
【例】This *strap* on my briefcase is broken. 我公文包的这条带子断了。

**strategist** ['strætidʒist] *n.* 战略家
【记】来自strateg(y)(战略)+ist → 战略家
【例】The Japanese *strategist* talked about the impact of globalization on nations. 那位日本战略家谈到了全球化给各国带来的影响。

**strategy** ['strætidʒi] *n.* 战略，策略
【记】联想记忆：str(看做strange奇怪的)+ate(吃)+gy → 用奇怪的方法吃掉对手 → 策略
【例】*The Ottawa Charter* presents fundamental *strategies* and approaches in achieving health for all.《渥太华宪章》提出了实现全民健康的基本策略和方法。

**\*straw** [strɔ:] *n.* 稻草；吸管
【例】Agnes has a wheelbarrow full of *straw* and manure. 艾格尼丝推着满满一推车的稻草和肥料。

**\*stream** [stri:m] *n.* 溪流；一股；*v.* 流出
【记】联想记忆：s+tream(看做dream梦想) → 梦想的河流
【例】The leaves were washed by rain into *streams* and rivers. 树叶被雨水了冲进溪流与河流。// The wound *streamed* blood. 伤口流出了血。

**strengthen** ['streŋθən] *vt.* 加强
【记】词根记忆：strength(力量)+en(使…) → (使)有力量 → 加强
【例】The conference will *strengthen* linkages between the two countries. 本次会议将加强两国的关系。

**\*stress** [stres] *n.* 压力；强调；*vt.* 强调；重读
【记】联想记忆：s+tress(看做dress穿衣) → 穿衣强调个人风格 → 强调
【例】Bookstores now abound with manuals describing how to manage time and cope with *stress*. 现在书店里有很多关于如何安排时间、缓解压力的手册。

**stretch** [stretʃ] *v.* 伸展；(使)紧张；*n.* 一段(时间、路程)；伸展
【例】His feet are *stretched* out to an electric heater. 他的脚伸到了电

303

暖气上。//Mary has not been sufficiently *stretched* at school this term. 玛丽这个学期学习不是太紧张。

**strike** [straik] *v.* 打；折磨；*n.* 罢工

【例】A small stone *struck* me on the head. 一颗小石块击中了我的头部。// The *strike* quickly spread to other states. 罢工很快就蔓延到其它州。

**striking** ['straikiŋ] *a.* 显著的；惹人注目的

【例】The most *striking* quality of satiric literature is its freshness. 讽刺文学最显著的特性是它的新鲜感。

**string** [striŋ] *n.* 线；弦；细绳；一串；*v.* (用绳等)缚；扎；挂；(用线)串起；使排成一列

【记】联想记忆：st+ring(铃) → 路上留下一串串清亮的铃声

【例】When the motor runs, the *string* will wind up around the shaft. 当发动机开始运转，细绳就会绕着把柄卷起来。

**strip** [strip] *v.* 剥夺；夺去；*n.* 带状物；条纹

【记】联想记忆：s(音似：死)+trip(旅行) → 死亡剥夺了人在尘世的时间之旅

【例】Topsoils are *stripped* and stockpiled prior to mining for subsequent dispersal over rehabilitated areas. 在采矿前先将地表土层挖去并贮存起来用于之后铺在矿区需要恢复的地区。

**\*stripe** [straip] *n.* 条纹

【记】和strip(*n.* 条)一起记

【例】This skirt has a red *stripe* around the edge. 这条裙子的边上有一圈红色条纹。

**stroke** [strəuk] *n.* 中风；划桨；*vt.* 抚摸

【记】strike(*v.* 打击)的过去式

【例】People who suffer *strokes* on the left side of the brain usually lose their power of speech. 左脑中风的人常常会丧失语言能力。

**\*structure** ['strʌktʃə] *n.* 结构；*vt.* 建造

【记】词根记忆：struct(建筑)+ure → 建造

【例】The biologist is giving a lecture on cellular *structures*. 那位生物学家正在做一个有关细胞结构的讲座。

**studio** ['stju:diəu] *n.* 工作室；摄影室

【例】On the other side of the reception area is the dance *studio*. 接待区的另一边是舞蹈房。

**stuff** [stʌf] *n.* 原料，材料；*v.* 填进；让…吃饱

【例】The premium coffee like the *stuff* we're drinking now is from a type of bean called Arabica. 特级咖啡，就像我们现在喝的，是由一种叫阿拉比加的咖啡豆制成的。// I am *stuffed*. 我吃饱了。

*stylish [ˈstaɪlɪʃ] *a.* 时髦的；漂亮的

【例】Their uniforms are *stylish*. 他们的制服很时髦。

*subject [ˈsʌbdʒɪkt] *n.* 题目；学科；主语

【例】I'm giving some thoughts to a new book on a different *subject*. 我在构想一本不同题材的新书。

**subjective** [sʌbˈdʒektɪv] *a.* 主观(上)的

【例】Taste and smell were *subjective* senses. 味觉和嗅觉都是主观感觉。

**subliminal** [sʌbˈlɪmɪnəl] *a.* 下意识的，潜在意识的

【记】词根记忆：sub(下面)+limin(=limen最小限度的神经刺激)+al → 下意识的，潜在意识的

【例】How we look sends all sorts of *subliminal* messages to other people. 我们的外表给其他人传达了各种潜在的信息。

【派】subliminally(*ad.* 下意识地，潜在地)

**submarine** [ˌsʌbməˈriːn] *n.* 潜水艇；*a.* 水底的，海底的

【记】词根记忆：sub(在…下面)+marine(海洋的) → 在海下面的 → 潜水艇

【例】Residual heat in the *submarine* would disappear very quickly in these Arctic waters. 潜水艇里的余热在北极水域里会很快消失。

**submerge** [səbˈmɜːdʒ] *v.* 浸没；潜入水中

【记】词根记忆：sub(在下面)+merge(吞没) → 被吞没下去 → 浸没

【例】The city was *submerged* by the flood. 这座城市被洪水淹没了。

*submit [səbˈmɪt] *v.* 屈从；提交

【记】词根记忆：sub(下面的)+mit(放出) → 被关押的人从下面放出来 → 屈从

【例】After many failures, I *submitted* to fate. 多次失败后，我向命运屈服了。

**subordinate** [səˈbɔːdɪnət] *n.* 下属；*a.* 低级的；次要的

【记】词根记忆：sub(在下面)+ordin(顺序)+ate → 顺序在下 → 次要的

【例】He was always friendly to his *subordinate*. 他一向对下属和蔼

可亲。

*subscribe [səb'skraib] *vi.* 订阅；签署

【记】词根记忆：sub（下面）+scribe（写）→ 写下定单 → 订阅

【例】In recent years a number of additional countries have *subscribed* to *the Ottawa Charter*. 近几年来，又有一些国家签署了《渥太华条约》。

*subsequent ['sʌbsikwənt] *a.* 继…之后的，随后的

【记】词根记忆：sub（下面）+sequ（跟随）+ent → 继…之后的

【例】This incident was not without importance in the *subsequent* development of events. 这一事件对以后事态的发展影响重大。

【派】subsequently(*ad.* 随后；接着)

subsidiary [səb'sidiəri] *a.* 辅助的；*n.* 子公司，附属机构

【记】词根记忆：sub（在下面）+sid（坐）+iary → 坐在下面的 → 辅助的

【例】Ports attract many *subsidiaries* and independent industries. 港口城市吸引了很多子公司和独立产业的加盟。

*subsidise ['sʌbsidaiz] *vt.* 津贴，资助

【例】They actually *subsidise* the exploitation and consumption of natural resources. 他们实际上为自然资源的开发和利用提供资助。

subsidy ['sʌbsidi] *n.* 津贴，补助金

【记】词根记忆：sub（下面）+sid（坐）+y → 坐在下面领补助金

subsidy

【例】In the rich countries, the annual value of farm *subsidies* is immense—about \$250 billion. 在经济发达国家，每年的农业津贴都高达约2,500亿美元。

*subsoil ['sʌbsɔil] *n.* 底土，下层土

【记】词根记忆：sub（在下面）+soil（土壤）→ 底土

【例】They are analysed to assess the ability of the soil or *subsoil* material to support vegetation. 通过分析它们来测定土壤或底土维持植被的能力。

*substance ['sʌbstəns] *n.* 物质；实质

【记】联想记忆：sub（在…下）+stance（看做stand站）→ 站立的根本 → 实质

【例】Tobacco contains 43 cancer-causing *substances*. 烟草中含有43

种致癌物质。

*substantial [səbˈstænʃəl] a. 可观的，相当的；很多的，(相当)大的；实质的

【记】来自 substant(物质，实质)+ial(…的)→ 实质的

【例】The smoke experienced daily by many people is enough to produce *substantial* adverse effects on the heart and lungs. 很多人日常生活中所吸入的香烟烟雾足以对一个人的心脏和肺造成巨大的危害。

【派】substantially(*ad.* 充分地；可观地；实质上)

substitute [ˈsʌbstitjuːt] *n.* 代替者(物)；*vt.* 代替，替换

【例】It is better for a company to employ more workers beacuse people are available to *substitute* for absent staff. 对于公司来说，雇用多一些的员工很有好处，因为有足够的人手去替代缺勤人员。

307

# Word List 32

**subtle** [ˈsʌtl] a. 微妙的

【记】词根记忆：sub(下面)+tle → 暗藏于下面的 → 微妙的

【例】Many characteristics result from *subtle* interactions between genes and the environment. 许多性格都是通过基因和环境之间微妙的相互作用形成的。

**subtract** [səbˈtrækt] vt. 减去；去掉

【记】词根记忆：sub(在下面)+tract(拉) → 拉下来 → 减去

【例】That event *subtracts* nothing from his merit. 那件事丝毫没有减损他的美德。

**\*subtropical** [sʌbˈtrɒpikəl] a. 亚热带的

【例】The storm is now "retrograding" to the southeast, into *subtropical* latitudes. 暴风雨正在向东南方"退去"，进入亚热带地区。

**suburb** [ˈsʌbɜːb] n. 郊区

【例】The hotel in Sydney's southern *suburbs* is the closest to Sydney Airport. 位于悉尼南郊的这家酒店是距悉尼机场最近的酒店。

**succeed** [səkˈsiːd] v. 成功；接着发生

【记】词根记忆：suc+ceed(行走，前进)→成功

【例】One Winter Olympics has *succeeded* another every four years since 1924, with a break only for the Second World War. 从1924年开始冬奥会每四年举办一次，只有在二战期间中断过一次。

**succession** [sək'seʃən] *n.* 连续；接替

【记】来自succeed(*v.* 成功；继承)

【例】She has won the award for the third year in *succession*. 这是她连续第三年获得此奖。

**successive** [sək'sesiv] *a.* 连续的

【例】China's industrial exports went up for five *successive* years. 中国的工业出口已连续5年呈上升趋势。

*succumb [sə'kʌm] *v.* 屈服；因…死亡

【记】词根记忆：suc(下面)+cumb(躺)→躺下去→死亡

【例】Since white phosphorus is a deadly poison, match-makers exposed to its fumes often *succumbed* to necrosis. 因为白磷是一种剧毒物质，暴露在其粉尘中的火柴制作工人常常死于坏疽。

**sucker** ['sʌkə] *n.* 吸盘；根出条

【记】来自suck(*v.* 吸吮)

【例】Bananas are normally grown from *suckers* which spring up around the parent plant. 香蕉树通常由母树根部长出的根出条长大而形成。

*suffer ['sʌfə] *v.* 遭受；受痛苦

【记】词根记忆：suf(在下面)+fer(拿来)→被拿在最下面→受痛苦

【例】They all *suffer* from chronic back pain. 他们都患有慢性背部疼痛。

*sufficient [sə'fiʃənt] *a.* 足够的

【例】It takes only 10 to 20 minutes of exposure to sunlight a day to ensure *sufficient* vitamin D production. 一天只需接受阳光照射10到20分钟便可使身体产生足够的维他命D。

【派】insufficient(*a.* 不足的)

*suicidal [sjui'saidəl] *a.* 自杀(性)的；有自杀倾向的

【记】来自suicide(*n.* 自杀)

【例】A telephone counseling service in this country gets more calls from people with *suicidal* feelings when it rains. 在这个国家，电话咨询服务在雨天会接到更多有自杀情绪的人打来的电话。

**suitable** [ˈsjuːtəbl] *a.* 适当的；相配的

【记】来自suit(合适)+able → 合适的 → 适当的

【例】This medicine is not *suitable* for children under age 5. 这种药不适合5岁以下儿童服用。

【派】suitability(*n.* 合适；适宜性)

**\*suitably** [ˈsuːtəbli] *ad.* 合适地，适宜地，相称地

【例】Based on the soil requirements, the land is *suitably* fertilised and vegetated. 根据土壤的条件，土地被相应地增肥和再植。

**suitcase** [ˈsjuːtkeis] *n.* 手提箱；衣箱

【记】组合词：suit(一套衣服)+case(箱子) → 衣箱

【例】Tom travelled by plane last week and his *suitcase* was lost. 汤姆上周坐飞机去旅行，把手提箱弄丢了。

**sulphuric acid** 硫酸

【例】He broke a bottle filled with *sulphuric acid*. 他打碎了一个装满硫酸的瓶子。

**summarise** [ˈsʌməraiz] *vt.* 总结，概括

【记】来自summary(概略)+ise(使…化) → 概括

【例】The speaker *summarised* the important points of her lecture. 演讲者概括了她演讲中的重点。

【派】summary(*n.* 摘要，概要)

**summit** [ˈsʌmit] *n.* (山等的)最高点，峰顶

【例】A gigantic explosion tore much of the volcano's *summit* to fragments. 巨大的爆炸几乎将火山山顶全部炸成碎片。

**superb** [sjuˈpəːb] *a.* 极好的；高质量的

【例】The mountains of the central island provide *superb* ski facilities in winter. 岛中部的山脉为冬天滑雪提供了绝佳的场地。

**superficial** [ˌsjuːpəˈfiʃəl] *a.* 表面的；肤浅的

【记】词根记忆：super(在…上面)+fic(做)+ial → 表面的

【例】Those who tend to show off in front of other people are *superficial* indeed. 那些喜欢在别人面前炫耀自己的人实际上是肤浅的。

**superior** [sjuːˈpiəriə] *a.* 上级的；优良的；高傲的

【记】联想记忆：super(在…上面)+ior → 上级的

【例】Researchers found that a word without a picture is *superior* to a word plus a picture in terms of reading efficiency. 研究人员发现，就

阅读效率而言，不配图画的文字比配有图画的文字的阅读效率更高。

**supervise** ['sjuːpəvaiz] v. 监督，管理

【记】词根记忆：super(超过)+vis(看)+e → 在超出别人高度的地方看 → 监督

【例】Mary *supervises* the work of the department. 玛丽监督该部门的工作。

【派】supervisor (n. 主管；督学); supervision (n. 监督，管理); supervisory(a. 管理的，监督的)

**supplement** ['sʌplimənt] n. 增补(物)；增刊；vt. 增补

【记】联想记忆：supple(看做supply补给)+ment → 增补

【例】A student loan is intended to *supplement* living costs of students. 学生贷款旨在补贴学生的生活费用。

**\*supply** [sə'plai] n. /vt. 供给

【例】Underground water sources in Australia *supply* about 18% of the total water consumption. 澳大利亚用水供给的18%来自地下水。

**\*suppose** [sə'pəuz] vt. 猜想；假定

【记】词根记忆：sup+pose(提出) → 提出猜想 → 猜想

【例】I *suppose* you're going to tell me the whole history of banana growing now, aren't you? 我猜你是打算给我讲解一下香蕉种植的整个历史，对吗？

**\*suppression** [sə'preʃən] n. 镇压；扑灭

【记】来自suppress(抑制)+ion → 镇压

【例】Water that contains sediments can be treated and reused for dust *suppression*. 含有沉淀物的水经过处理可以再次利用以消除粉尘。

**surf** [səːf] v. 冲浪

【记】发音记忆："舒服" → 冲浪很舒服

【例】The rugged west coast beaches were famous for *surfing*. 西部蜿蜒曲折的海岸因适合冲浪而闻名。

**\*surge** [səːdʒ] v. (人群等)蜂拥而出；波动，涌动；n. (感情等的)洋溢；猛增

【记】联想记忆：s+urge(急迫的) → 水流湍急 → 波动

【例】Magma had *surged* into the volcano from the Earth's mantle. 岩浆从地幔涌入火山。

**\*surgeon** ['sə:dʒən] *n.* 外科医生

【记】联想记忆：surge（波动）+on → 做外科医师，情绪不能太波动

【例】The *surgeon* sewed up the wound. 外科医生缝合了伤口。

**surgery** ['sə:dʒəri] *n.* 外科(手术)；手术

【记】词根记忆：sur(确定的，安全的)+gery → 这个外科手术是安全的

【例】They perform *surgeries* between 9 and 11:30 every weekday. 他们在每个工作日的9:00到11:30做手术。

**\*surpass** [sə'pɑ:s] *v.* 超过；优于

【记】词根记忆：sur(超过)+pass(通过) → 在上面通过 → 超过

【例】Cars easily *surpass* trains or buses as a flexible and convenient mode of transport. 作为一种灵活、方便的个人交通方式，小汽车明显优于火车和公共汽车。

**surround** [sə'raund] *vt.* 围绕；包围

【记】联想记忆：sur+round(圆) → 在圆的外边 → 围绕；包围

【例】We have *surrounded* this city. 我们已经包围了这座城市。

**surveillance** [sə:'veiləns] *n.* 监视，盯梢

【记】联想记忆：survei(看做survey调查)+llance → 通过观看来调查 → 监视

【例】The diplomat was placed under police *surveillance*. 外交官被置于警察的监视之下。

**\*survey** [sə'vei] *vt.* 调查；测量

['sə:vei] *n.* 调查

【记】联想记忆：surve(看做serve服务)+y → 前期调查是为后期工作服务的

【例】A recent *survey* of staff found that 90 percent welcomed having clothing which reflected the corporate identity. 最近的一项员工调查发现90%的人表示欢迎能够反映公司特色的工装。

**\*survive** [sə'vaiv] *v.* 活下来；幸免于

【记】联想记忆：sur(在…下面)+viv(生命)+e → 在废墟下面活下来 → 幸免于

【例】For most animal species, individuals are less likely to *survive* and reproduce. 对于大多数动物物种来说，个体很难存活也不可能繁殖

后代。

【派】survival(*n.* 生存；幸存)

*suspect [səˈspekt] *v.* 猜想；怀疑

【记】词根记忆：sus+pect（=spect看）
→ 在下面看一看 → 怀疑

【例】Scientists *suspected* it to be a comet. 科学家怀疑它是一颗彗星。

【派】suspicious(*a.* 疑心的；可疑的)

suspect

*sustain [səˈstein] *v.* 保持；维持(生命)等；支持

【记】词根记忆：sus+tain(保持)→ 保持

【例】Thousands of lakes are so polluted that they can no longer *sustain* fish life. 几千个湖泊受到非常严重的污染，以至鱼类都不能在那儿存活。

【派】sustainable(*a.* 可持续的；足可支撑的)

swallow [ˈswɔləu] *n.* 燕子；*v.* 吞咽；忍受；

【例】One should never *swallow* his words. 人们应坚守诺言。

swamp [swɔmp] *n.* 沼泽；*vt.* 淹没；压倒

【例】The tsunami *swamped* the port city. 海啸吞没了这座港口城市。

*swap [swɔp] *v. /n.* 交换

【例】Don't *swap* horses when crossing a stream. 危难之时不宜作大变动。

swear [sweə] *v.* 宣(誓)；诅咒

【例】Before giving evidence, you must *swear* what you're going to say is true. 作证前，你必须宣誓保证所说一切皆属实，不作伪证。

swell [swel] *vi.* 膨胀；增长

【例】It was the pressure inside the mountain that made it *swell*. 山体内部的压力使它膨胀。

swift [swift] *a.* 快的；敏捷的，迅速的

【例】Hong Kong has cheap, *swift* and effective public transport. 香港的公共交通便宜、快捷、高效。

*swing [swiŋ] *v.* 摇摆；(使)突然转向；*n.* 摇摆；秋千

【记】联想记忆：s+wing(翅膀)→ 摇摆翅膀，在风中盘旋

【例】The bus swung sharply to the left. 公共汽车猛地拐向左边。

*switch [switʃ] *n.* 开关；转换；*v.* 转换

【例】A *switch* was flipped and the machine began to whirl at 300 revolutions per minute. 按下开关，机器开始以每分钟300转的速度旋转。

\*symbol ['simbəl] *n.* 象征；符号

【记】联想记忆：符号(symbol)是为了简单的(simple)表达意思才创造的

【例】The sounds of boat whistles or the moving tides are *symbols* of a port city. 汽笛声和海浪声是港口城市的象征。

【派】symbolic(*a.* 象征的；符号的)

sympathise ['simpəθaiz] *vi.* 同情；赞同

【例】Although he pretended to *sympathise*, I knew he was laughing up his sleeve. 虽然他装作同情，但我知道他心里暗暗地高兴。

sympathy ['simpəθi] *n.* 同情；(思想感情上的)赞同

sympathy

【记】词根记忆：sym(相同)+path(感情)+y → 怀有相同的感情 → 同情

【例】This seeming *sympathy* didn't sooth her distress. 这种表面上的同情并不能减轻她的悲痛。

symphony ['simfəni] *n.* 交响乐

【记】词根记忆：sym(共同)+phon(声音)+y → 奏出共同的声音 → 交响乐

【例】The audience were all enchanted by the engrossing *symphony*. 交响乐美妙绝伦，听众全都陶醉其中。

symptom ['simptəm] *n.* 症状

【例】This disease has some *symptoms* similar to a cold. 这种病的某些症状与感冒相似。

synthesis ['sinθisis] *n.* 综合，合成

【记】词根记忆：syn(共同)+thesis(论题) → 将论题总结 → 综合

【例】You need to make a *synthesis* of all the ideas I heard in the lecture. 你需要把我在演讲中听到的全部意见综合一下。

systematic(al) [ˌsistə'mætik(əl)] *a.* 系统的

【例】This job requires you to use every available hour in a *systematic* way. 这份工作要求你合理利用每一小时。

tab [tæb] *n.* 标签

【例】The girl wrote her name on the *tabs* of all her books. 那个女孩儿在自己所有书的标签上都写上了名字。

**tablet** ['tæblit] *n.* 药片

【例】Do not take Borodine *tablets* before consulting your doctor. 在咨询医生之前请不要服用鲍罗丁药片。

**tag** [tæg] *n.* 标签；*vi.* 跟随

【记】联想记忆：在包（bag）上贴标签（tag）

【例】If you are going to see the film, would you mind if I *tag* along? 你要是去看电影，我也跟着去行吗？

**tan** [tæn] *n.* 棕褐色；晒黑；*v.* (使)晒成棕褐色

【例】These shoes are *tan*, not dark brown. 这些鞋是棕褐色的，不是深褐色的。

after

tan

before

***tangibly** ['tændʒəbli] *ad.* 可触摸地；明白地

【例】This improvement, while not *tangibly* measurable, has increased the ability of management. 这一进步，虽然没法具体测量，但是提高了管理能力。

**tanker** ['tæŋkə] *n.* 油轮；油罐车

【记】发音记忆："坦克"→油轮富国，坦克强兵→油轮

【例】She looked around for any kind of vehicle and then found an abandoned fuel *tanker*. 她四处寻找车辆，随后发现了一辆废弃的油罐车。

**tap** [tæp] *v.* 轻拍；利用，开发

【例】Water from these subterranean lakes can be pumped to the surface and *tapped*. 可以将这些地下湖泊中的水抽出地面加以利用。

**tariff** ['tærif] *n.* 关税，税率；(旅馆、饭店等)价目表

【例】Taxi companies are using revenue management to set their *tariffs*. 汽车租赁公司用收入管理来制定他们的收费标准。

***teamwork** ['ti:mwə:k] *n.* 有组织的合作；协力合作

【例】An important part of *teamwork* is having trust in your colleagues' ability. 团队协作重要的一点就是要相信同事的能力。

**technical** ['teknikəl] *a.* 技术的，工艺的

【记】来自techn(技艺)+ical(…的)→技术的

【例】Cooking and maintenance are highly *technical* jobs. 烹调和美容

对于技术要求非常高。

**technician** [tek'niʃən] *n.* 技术员

【记】词根记忆：techn(技艺)+ician(人)→ 技术员

【例】This looseness in molecular structure of glass allows *technicians* to tailor it to whatever they need. 玻璃松散的分子结构使技术人员可以按照自己的需求对其进行加工。

**technique** [tek'niːk] *n.* 技术；技能

【记】词根记忆：techn(技艺)+ique(看做ic…术)→ 技术

【例】A new style of architecture was made possible by new materials and construction *techniques*. 新的建筑材料和建筑技术使新的建筑风格得以实现。

**tedious** ['tiːdiəs] *a.* 冗长乏味的

【例】The audience became sleepy by the speaker's *tedious* story. 演讲者冗长乏味的故事使得听众昏昏欲睡。

**\*teem** [tiːm] *v.* 充满，到处都是

【记】和team(*n.* 群，队)一起记

【例】To create new colonies, a healthy hive, *teeming* with bees, can be separated into two boxes. 为了培育新的蜂群，可以将装满蜜蜂的大蜂箱分成两个。

**\*telescope** ['teliskəup] *n.* 望远镜

【记】tele(远)+scope(视野)→ 望远镜可远距离传递图象

【例】Through a *telescope* the planet appears as a small bluish-green disc. 这颗行星在望远镜里看起来就像是一张很小的蓝绿色光盘。

**\*temper** ['tempə] *n.* 情绪；*vt.* 使缓和

【记】联想记忆：情绪 (temper)会影响体温(temperature)

【例】It is generally believed that *tempers* grow shorter in hot, muggy weather. 人们普遍认为在闷热的天气里更容易发脾气。

temper

**temporary** ['tempərəri] *a.* 暂时的

【例】Coal mining makes only *temporary* use of the land and produces no toxic chemical wastes. 采煤业只是暂时使用煤矿所在的土地，不会产生任何有毒的化学废弃物。

【派】temporarily(*ad.* 临时地)

**\*tempt** [tempt] *v.* 吸引；引诱

【记】本身为词根，意为尝试。因为受到诱惑，所以要尝试

【例】Some worry that governments and industries will be *tempted* to use the technology to monitor individual behaviours. 一些人担心，政府和厂家会禁不住诱惑而使用这一科技来监控个人行为。

# Word List 33

*tenable ['tenəbl] *a.* 站得住脚的；无懈可击的

【记】词根记忆：ten（拿住）+able → 能够拿住的 → 站得住脚的

【例】Tom thought his approach was *tenable.* 汤姆认为他的方法是无懈可击的。

*tend [tend] *vi.* 倾向于…；*vt.* 照料

【例】Women *tend* to research thoroughly before applying for positions or attending interviews. 在申请职位或是参加面试前，女性往往会（对应聘公司）进行全面彻底的了解。

*tendency ['tendənsi] *n.* 倾向，趋向

【记】tend（趋向）+ency → 倾向，趋向

【例】The effort to clean up cars may do little to cut pollution if nothing is done about the *tendency* to drive them more. 人们驾驶汽车的时间越来越长，如果不采取措施遏制这一趋势，那么对小汽车进行清洁的努力对减少污染也不会起到什么作用。

tender ['tendə] *a.* 嫩的；脆弱的；温柔的

【记】联想记忆：tend（照料）+er → 婴儿太脆弱了，需悉心照料

【例】Chicken is *tender* and delicious. 鸡肉肉质白嫩，味道鲜美。

tense [tens] *a.* 拉紧的；*v.*（使）拉紧

【记】发音记忆："弹死" → 没有弹性了 → 因为是拉紧的

【例】When pain strikes, we attempt to keep the back as immobile as possible, which makes the muscles *tense* up. 当疼痛来袭时，我们尽最大努力保持背部固定，这样会使肌肉紧绷。

【派】tension(*n.* 紧张)

**terminal** ['təːminəl] *a.* 末端的; *n.* 终点，终端

【记】词根记忆：term(边界)+inal → 终端

【例】There is an ink jet printer attached to each *terminal*. 每一个终端都连接有一台喷墨打印机。

**\*terminology** [ˌtəːmi'nɔlədʒi] *n.* 术语; 术语用法

【记】词根记忆：term(术语)+in+ology(…学) → 术语

【例】I don't understand scientific *terminology*. 我不懂科学术语。

**terrace** ['terəs] *n.* 一排并列的房子; 阳台

【记】词根记忆：terr(地)+ace → 像地一样平整的地方 → 阳台

【例】A *terrace* of five homes is under way beside my house. 我的房子旁边正在建造一幢能够居住5户的排房。

**terrain** [te'rein] *n.* 地形，地势

【记】词根记忆：terr(地)+ain → 地形，地势

【例】Five speed bicycles are best suited to riding over long distances or hilly *terrain*. 5档位变速自行车最适用于长途或者崎岖的地形。

**\*terrify** ['terifai] *vt.* 使恐怖，使惊吓

【例】Uniforms for the military were originally intended to impress and even *terrify* the enemy. 穿着军装的最初目的是为了给敌人留下印象甚至是将他们吓退。

terrify

**\*textile** ['tekstail] *n.* 纺织品

【记】来自text(编织)+ile → 纺织品

【例】From the seventeenth century, the company began to export *textiles* to North America. 从17世纪开始，这家公司开始向北美出口纺织品。

**texture** ['tekstʃə] *n.* 质地，纹理

【记】词根记忆：text(编织)+ure → 质地

【例】This kind of meat has a similar taste and *texture* to beef. 这种肉的口感和质地与牛肉类似。

**the ozone layer** 臭氧层

【例】Among green consumers, animal testing is the top issue—followed by concerns regarding *the ozone layer*, river and sea pollution, and forest destruction. 绿色消费者最关注的是动物试验的问题，其次是对臭氧层、河流和海洋的污染以及森林破坏的关注。

**\*theory** ['θiəri] *n.* 理论；学说；意见

【记】词根记忆：theo(神)+ry → 从理论上讲，神是不存在的

【例】Tom once put forward an attractive though unlikely *theory*. 汤姆曾经提出一个具有吸引力但不太可能的理论。

【派】theoretical(*a.* 理论(上)的)

**therapy** ['θerəpi] *n.* 治疗

【例】We are beginning to realise the unique benefits of relaxation *therapy* in curing back pain. 我们开始认识到放松疗法在治疗背痛方面具有独特的效果。

**\*thereby** [ðeə'bai] *ad.* 因此，从而

【例】Nicotine and other toxins in cigarette smoke activate platelets, *thereby* affecting blood circulation throughout the body. 香烟中的尼古丁和其它有毒物质会激活血液中的血小板，从而影响体内的血液循环。

**\*therefore** ['ðeəfɔ:] *ad.* 因此，所以

【例】The earth is unique, *therefore*, we have to attain a sustainable balance between population, economic growth and the environment. 我们只有一个地球，因此必须保持人口数量、经济发展与环境之间的长久平衡。

**thermal** ['θə:məl] *a.* 热的，热量的

【记】联想记忆：therm(看做thermo热)+al → 热的

【例】A heat pump puts out more *thermal* energy than it consumes. 热泵产生的热能要高于它所消耗的热能。

**\*thesis** ['θi:sis] *n.* 论文

【例】The students could consult reference books when writing their graduate *thesis*. 学生们在写毕业论文时可以查阅一些参考书。

**thigh** [θai] *n.* 大腿

【记】联想记忆：跑完步感觉大腿(thigh)肌肉紧绷(tight)

【例】The football player pulled his *thigh* muscle in the match. 那名足球运动员在比赛中拉伤了大腿肌肉。

**thirsty** [ˈθəːsti] *a.* 口渴的；饥渴的

【例】The moisture is absorbed by *thirsty* plants. 干渴的植物吸收了水气。

**thorny** [ˈθɔːni] *a.* 多刺的；痛苦的，棘手的

【记】联想记忆：t+horn（角）→ 尖尖的角 → 刺 → 多刺的

【例】This *thorny* problem on environmental protection floored the new mayor. 这个关于环境保护的棘手问题把新市长难住了。

**thoughtful** [ˈθɔːtful] *a.* 沉思的；体贴的

【例】It's so *thoughtful* of you to offer to drop me off at the train station. 你主动提出开车送我去火车站，真是太体贴了。

**threaten** [ˈθretən] *v.* 威胁；是…的征兆

【例】Soil erosion *threatens* the productivity of land in both rich and poor countries. 无论是富国还是穷国，土壤侵蚀都会威胁土地的生产力。

**threshold** [ˈθreʃhəuld] *n.* 入门；极限

【记】联想记忆：thres+hold（占据）→ 占据通往里面的地方 → 入门

【例】The normal noise *threshold* for people is 80 decibels. 80分贝是人类所能忍受的极限噪音。

**thrill** [θril] *v.* (使)非常激动；(使)发抖

【例】The traveller *thrilled* us with his stories of adventure. 这位旅行者的冒险经历令我们激动不已。

**\*thrive** [θraiv] *v.* 兴旺，繁荣

【记】联想记忆：th+rive(r)（河）→ 古时有河的地方大都是文明的发源地 → 兴旺，繁荣

【例】Those societies *thrived* there for more than 1,000 years before the arrival of Europeans. 在欧洲人到来之前，那些社会已经繁荣地存在了1000多年。

**\*throughout** [θruːˈaut] *prep.* 遍及；在整个…期间

【例】There will be bus services to the university *throughout* the weekend. 整个周末都有公车去这所大学。

**thunder** [ˈθʌndə] *n.* 雷；雷声；*vi.* 打雷；轰隆响

【记】联想记忆：th+under → 天上打雷，地下人听

【例】*Thunder* accompanies lightning. 雷电交加。

【派】thunderstorm(*n.* 雷暴)；thundercloud(*n.* 雷雨云)

**tick off** 用记号勾出，列举

【例】If they agree I will ask them some multiple choice questions and *tick off* their answers on my sheet. 如果他们同意，我会提问一些选择题，并在我的问卷上记录他们给出的答案。

**timber** [ˈtimbə] *n.* 木材；原木；横木

【记】联想记忆：timb(看做time时间)+er → 树苗长成栋梁需要时间 → 木材

【例】Forests are cut down for *timber*. 人们为了木材而砍伐森林。

**tolerate** [ˈtɔləreit] *vt.* 忍受

【例】Younger people tend to *tolerate* noise better than their elders. 年轻人比年长者更能承受噪音。

**\*tome** [təum] *n.* 书，大册书；(有学术价值的)巨著

【记】联想记忆：大部头书(tome)都放在家里(home)

【例】They love to pore over weighty *tomes*. 他们喜欢仔细阅读宏篇巨著。

**\*topsoil** [ˈtɔpsɔil] *n.* 表层土

【记】组合词：top(顶部)+soil(土壤) → 表层土

【例】The United States discovered in 1982 that about one-fifth of its farmland was losing *topsoil*. 美国于1982年发现其农耕地中有五分之一存在极为严重的表层土流失现象。

**torrent** [ˈtɔrənt] *n.* 洪流；爆发；(话语等的)连发

【记】词根记忆：tor(=torn转动)+rent → 水流转动不停地前进 → 洪流

【例】As ice and snow melted, they touched off devastating *torrents* of mud and debris. 冰雪融化引发了破坏力极大的泥石流。

**\*tough** [tʌf] *a.* 难对付的；健壮的；(肉等食物)老的

【例】Kangaroo meat is darker in color and *tougher* than that of rabbit. 与兔子肉相比，袋鼠肉较硬且颜色较深。

**\*townscape** [ˈtaunskeip] *n.* 城镇风光

【例】Tourists tend to visit features of landscapes and *townscapes* which separate them from everyday experiences. 游客们更喜欢参观那些能使自己忘掉平日生活经历的美丽风景和城镇风光。

**\*toxin** ['tɔksin] *n.* 毒素，毒质

【记】词根记忆：tox(毒)+in(素) → 毒素，毒质

【例】Intake of nicotine encourages activity of other *toxins* in the blood. 吸入的尼古丁会激活血液中的其它毒素。

**trace** [treis] *v.* 查出；追溯；*n.* 痕迹；微量

【记】联想记忆：t(看做to)+race(赛跑，跑道) → 沿着跑道赛跑 → 查出

【例】The origin of modern architecture can be *traced* back to the social and technological changes of the 18th and 19th centuries. 现代建筑的起源可以追溯到18世纪和19世纪出现的社会和科技变革。

**\*track and field** 田径

【例】When it comes to baseball, both universities have a poor record, and the same goes for *track and field*. 说到棒球比赛，这两所大学的比赛成绩都不怎么好，田径比赛也是如此。

**\*track** [træk] *n.* 小路；跑道；*v.* 跟踪，追踪

【例】The road system here evolved from the goat *tracks* followed by the early inhabitants. 这里的道路系统以早期居民所走的羊肠小道为基础发展而来。

**\*tradition** [trə'diʃən] *n.* 传统；惯例

【例】Individuals often find it hard to escape from the role that cultural *traditions* have defined for them. 人们经常发现难以摆脱文化传统给自己限定的角色。

【派】traditional(*a.* 传统的；惯例的)；traditionally(*ad.* 传统地；惯例地)

**tragic** ['trædʒik] *a.* 悲惨的；悲剧(性)的

【记】联想记忆：t+rag(破旧衣服)+ic → 破旧衣服 → 悲惨的

【例】His trip to America is a *tragic* story. 他的美国之行就是个悲剧。

Romeo&Juliet

tragic

**\*tramp** [træmp] *n.* 长途跋涉；*v.* 跋涉；踩踏

【例】Those poor people *tramped* for miles and miles without finding anywhere to stay. 那些可怜的人走啊走，始终找不到栖身之处。

*tranquillity [træŋˈkwiliti] *n.* 宁静，安静

【记】来自tranquil(*a.* 宁静的，安静的)

【例】Tom and Mary lead a life in the village in search of *tranquillity*. 汤姆和玛丽为追求宁静而在乡下生活。

*transcribe [trænˈskraib] *vt.* 誊写；打印；转录

【记】词根记忆：trans(改变)+scribe(写)→ 转录

【例】She *transcribed* a letter on the typewriter. 她用打字机打出一封信。

*transfer [trænsˈfəː] *v.* 转移；调动；转学；转让

【记】词根记忆：trans(转移)+fer(带来)→ 转移

【例】Pollen can be *transferred* by birds that come into contact with flowers. 花粉可以通过与花接触过的鸟来传播。

【派】transference(*n.* 转移；转让)；transferable(*a.* 可转移的)

*transform [trænsˈfɔːm] *vt.* 使…变形；改善

【记】词根记忆：trans(改变)+form(形状)→ 使…变形 → 使改观

【例】The new genetical anatomy will *transform* medicine and reduce human suffering in the twenty-first century. 在21世纪，新的基因解剖学将彻底改变药品形式并减轻人类的痛苦。

*transit [ˈtrænsit] *n.* 运输，载运；*v.* 通过，经过

【记】联想记忆：trans(改变)+it → 改变它的地点 → 运输，载运

【例】They wish to put mass *transit* systems into and around cities and promote small low emission cars for urban use. 他们希望将公共交通系统用于城际交通而排气量低的小汽车用于市区交通。

【派】transition(*n.* 过渡；转变)

*translate [trænsˈleit] *v.* 翻译

【例】The name of the weapon was directly *translated* from Chinese. 这种武器的名字是从汉语直接翻译过来的。

*transmit [trænzˈmit] *vt.* 传送；传染；发射

【记】词根记忆：trans(穿过)+mit(送)→ 送过去 → 传送

【例】All the documents have been *transmitted* electronically to the printing centre. 所有的文件已经通过电子传输送到了印刷中心。

【派】transmitter(*n.* 传送人；发射机)

*transmute [trænzˈmjuːt] *v.* 改变

【记】词根记忆：trans(改变)+mute(变化)→ 改变

【例】The alchemist tried to *transmute* iron into gold. 炼金术士试图将

铁炼成黄金。

**transparent** [træns'pærənt] *a.* 透明的; 明显的

【记】联想记忆: trans(穿过)+parent(双亲)→父母之间没有什么可隐瞒的→透明的

【例】Clear, tough, *transparent* and flexible, the new film not only made the rollfilm camera fully practical, but provided the raw material for the introduction of cinematography. 这种新胶卷不仅清晰、强韧、透明, 还有弹性, 不仅使卷式胶卷相机特别实用, 也为电影摄影艺术的出现提供了原料。

**transport** [træns'pɔːt] *vt.* 运输; *n.* 运输; 运输工具

【记】词根记忆: trans(穿过)+port(搬运)→穿过隧道搬运→运输

【例】Better integration of *transport* systems is highly desirable and made more feasible by modern computers. 人们迫切要求运输系统进一步一体化, 而现代计算机使这一要求更容易实现。

【派】transportation(*n.* 运输; 客运)

**\*trapeze** [trə'piːz] *n.* 吊秋千; 吊架

【记】联想记忆: trap(陷阱)+eze(看做eye眼睛)→荡秋千的时候要睁大眼睛, 小心陷阱

【例】The brothers' *trapeze* act is unique. 那对兄弟的空中飞人表演独一无二。

**\*treadmill** ['tredmil] *n.* 累人的活; 乏味繁重的工作

【记】联想记忆: tread(踩踏)+mill(磨坊)→在磨坊里踩踏车→累人的活

treadmill

【例】I can't get off the office *treadmill*. 我无法摆脱单调的坐班工作。

**\*treatment** ['triːtmənt] *n.* 治疗; 对待

【记】来自treat(*v.* 对待; 治疗)

【例】People were dissatisfied with the *treatment* of animals at the zoo. 动物园对待动物的方式令人不满。

**tremendous** [tri'mendəs] *a.* 极大的; 非常的

【记】词根记忆: trem(抖动)+endous(…的)→让人颤抖的→非常的

【例】This looseness in molecular structure gives the material *tremendous* "formability". 松散的分子结构使这种材料具有很强的"可塑性"。

**trend** [trend] *n.*倾向；趋势

【记】联想记忆：tend(倾向)加r还是倾向(trend)

【例】In your opinion, will this *trend* continue into the future? 依你看，这种趋势在未来还会继续吗?

**\*trial** [ˈtraiəl] *n.*审讯；试验；*a.*试验性的

【例】The *trial* lasted for three days. 审讯持续了三天。//They fed themselves on the food as a sort of *trial* run. 他们自己吃这种食物，就算对这种食物的初步试验。

**triangle** [ˈtraiæŋgl] *n.*三角(形)

【记】词根记忆：tri(三)+angle(角) → 三角

【例】You can draw a *triangle* by connecting three points not in a straight line. 连接不在一条直线上的三个点就可以画出一个三角形。

**\*trick** [trik] *n.*诡计，花招；*v.*欺诈，哄骗

【例】They used a decoy camera to *trick* burglars. 他们用一台伪装相机来哄骗窃贼。

【派】tricky(*a.*不易处理的，需要技巧的)

**\*trigger** [ˈtrigə] *n.*扳机；*v.*引发，导致

【记】联想记忆：扣动扳机(trigger)射杀了一只老虎(tiger)

【例】The earthquake *triggered* an avalanche. 地震引发了一场雪崩。

**trim** [trim] *v.*/*n.*修剪，整理；*a.*整齐的

【记】tri(看做try试)+m(end)(修理) → 试着去修理 → 修剪

【例】The top of the can is *trimmed* and then bent over to secure the lid. 罐子的顶部经过修改后微微向上隆起以便固定好盖子。

**\*trinket** [ˈtriŋkit] *n.*小装饰品；不值钱的珠宝

【例】The lady had some *trinkets* on her dress. 这位女士在衣服上加了一些饰品。

**\*trivial** [ˈtriviəl] *a.*琐屑的；平庸的

【例】They think that tourism is a *trivial* subject. 他们认为旅行是一件琐碎的事情。

**\*tropical** [ˈtrɔpikəl] *a.*热带的；炎热的

【记】词根记忆：trop(转)+ical(…的) → 热得人晕头转向 → 热带的；炎热的

【例】Ecologists have assumed that *tropical* ecosystems were shaped entirely by natural forces. 生态学家设想热带生态系统完全是由自然的力量形成的。

\*tropospheric [ˌtrɔpə'sferik] *a.* 对流层的

【例】The greenhouse effect is due to the presence of greenhouse gases —— water vapour, carbon dioxide, *tropospheric* ozone——in the atmosphere. 温室效应主要是由存在于大气中的温室气体诸如水蒸气、二氧化碳、对流层中的臭氧等造成的。

truce [truːs] *n.* 休战(协定)

【记】联想记忆：休战协定(truce)确认了战败是真的(true)

【例】A sacred *truce* was declared to allow men to travel to the games in safety. 宣布了神圣的休战协定以使人们安全地前去参加比赛。

\*tube [tjuːb] *n.* 管道，试管；〈英〉地铁

【记】联想记忆：立方形(cube)的管道(tube)

【例】When the *tube* was broken, air rushed in, causing the phosphorus to self-combust. 当试管破裂，空气涌进造成磷自燃。

# Word List 34

| | | | |
|---|---|---|---|
| **ultra-** 超 ultraclean（*a.* 超净的） | | **un-** 不 unaware（*a.* 未意识到的） | |
| **under-** 在…下 underground（*a.* 地下的） | | **up-** 上 uphill（*ad.* 向上） | |
| **tut-** 指导 tutor（*n.* 导师） | | **uni-** 单一 uniform（*a.* 相同的） | |
| **util-** 用 utilise（*v.* 利用） | | **van-** 空 vanish（*v.* 突然消失） | |
| **vari-** 变化 various（*a.* 不同的） | | **vent-** 风 ventilation（*n.* 空气流通） | |
| **ver-** 真实 verify（*v.* 证明） | | | |

**tug** [tʌg] *v.* 用力拖（或拉）

【记】发音记忆：“探戈” → 跳探戈时脚步拖拉要有力 → 用力拖

【例】The fisherman *tugged* the small boat out of the water. 渔民用力把小船拖到岸上。

tug

**tune** [tju:n] *n.* 调子；和谐；*vt.* 调节；调整

【记】联想记忆：转动（turn）旋钮调音（tune）

【例】Engines of old cars were *tuned* to reduce the exhausts they emitted. 调整老式汽车的发动机以减少废气的排放量。

*****tunnel** ['tʌnəl] *n.* 隧道；地道；*v.* 挖（地道），开（隧道）

【记】联想记忆：海峡（channel）像条长长的坑道（tunnel）

【例】The prisoner had escaped by *tunnelling*. 犯人挖地道逃跑了。

*****turbine** ['tə:bain] *n.* 涡轮机，汽轮机

【记】词根记忆：turb（扰乱）+ine → 涡轮机

【例】Ultraclean coal can be used in advanced power systems such as coal-fired gas *turbines*. 超高纯度的煤可以用在诸如煤气涡轮机之类的先进动力系统中。

**turnover** [ˈtəːnəuvə] *n.* 营业额；人事变动率

【记】来自词组turn over营业额达到

【例】The company tried its best to decrease the *turnover*. 公司尽力降低人事变动率。

**turret** [ˈtʌrit] *n.* 塔楼，角塔

【例】From this castle *turret*, people could oversee this beautiful river. 从城堡的塔楼上，人们可以俯瞰这条美丽的河流。

**\*tutor** [ˈtjuːtə] *n.* 导师；家庭教师；*v.* 当…家教；当家庭教师

【例】Jane *tutored* this little girl in English. 简是这个小女孩的家庭教师，教她英文。

【派】tutorial(*n.* 指南；*a.* 大学导师的)

**\*twist** [twist] *v.* 缠绕；捻；*n.* 弯曲

【记】联想记忆：tw(看做two两个)+ist(人) → 两个人扭打在一起 → 缠绕

【例】Research shows that spasms can cause *twisting* of the spine. 研究显示，痉挛会导致脊椎扭曲。

**\*typhoon** [taiˈfuːn] *n.* 台风

【例】The brunt of a *typhoon* will be deflected by the neighbouring islands. 来袭的台风会因为邻近的岛屿而偏离方向。

**\*typical** [ˈtipikəl] *a.* 典型的

【记】来自type(典型)+ical → 典型的

【例】The *typical* farm in the North is a small, family-run concern, producing mainly wool and timber for the market. 北部典型农场规模小且由家庭经营，主要生产市场上所需的羊毛及木材。

【派】typically(*ad.* 典型地)

**ultimately** [ˈʌltimətli] *ad.* 最终地

【记】词根记忆：ultim(最后的)+ate(…的)+ly → 最终地

【例】The paper was written, edited, typeset and *ultimately* printed. 报纸经过编写、编辑、排版最后被印刷出来。

**\*ultraclean** [ˌʌltrəˈkliːn] *a.* 超净的，特净的

【例】They decided to put superclean coal and *ultraclean* coal into the production. 他们决定在生产中使用超净煤。

**\*unaware** [ˌʌnəˈweə] *a.* 未意识到的

【记】词根记忆：un+aware(意识到的) → 未意识到的

【例】He was *unaware* of my entry into the room. 他没意识到我进来了。

**\*unbiased** [ˌʌnˈbaiəst] *a.* 没有偏见的

【记】un+biased(有偏见的)→ 没有偏见的

【例】I wanted to get her *unbiased* comments on my article. 我想要的是她对我的文章没有偏见的评论。

**\*uncertainty** [ˌʌnˈsəːtənti] *n.* 不确定；无把握

【例】These fluctuations in environment add another degree of *uncertainty* to the survival of many species. 这些环境变化给很多物种的生存带来了另一种不确定性。

**\*unconcerned** [ˌʌnkənˈsəːnd] *a.* 不关心的；不烦恼的

【例】Only 22 percent say they are *unconcerned* about this issue. 只有22%的人称他们不关心此事。

**\* unconquerable** [ˌʌnˈkɔŋkərəbl] *a.* 不可征服的

【例】This place in their hearts was *unconquerable*. 这个地方在他们心目中是不可征服的。

**\*undergraduate** [ˌʌndəˈɡrædjuət] *n.* 大学本科生

【记】组合词：under(不足)+graduate(毕业生)→ 还不是毕业生 → 大学本科生

【例】The Universities of Oxford and Cambridge recently held joint conferences to discuss the noticeably rapid decline in literacy among *undergraduates*. 牛津和剑桥这两所大学近期召开了几次联合会议，讨论本科生文化水平显著下降的问题。

**\*underground** [ˈʌndəɡraund] *a.* 地下的；*ad.* 在地(面)下；*n.* 地铁

【例】Water from the *underground* rivers bubbles to the surface as springs. 暗河的水冒出地表就形成了泉眼。

**\*underline** [ˌʌndəˈlain] *vt.* 划线于…之下；强调

【记】组合词：under(在…下)+line(划线)→ 在…下面划线表示强调

【例】You can *underline* new words encountered in your reading. 你可以在阅读中遇到的新单词下面画线来做标记。

**\*underling** [ˈʌndəliŋ] *n.* 职位低的人，下属

【记】under(副手)+ling(小)→ 下属，下手

【例】Many corporate managers find it difficult to measure the contribution of *underlings* to a firm's well-being. 许多公司的经理发现很难衡量下属对公司正常运作所做的贡献。

**underneath** [ˌʌndəˈniːθ] *ad.* 在下面；*prep.* 在…下面；*n.* 下部

【例】Each of the 900 pillars of this building can be individually jacked up, allowing wedges to be added *underneath*. 这座建筑的900根柱子都可以分别托起以便在下面放入楔子。

**understanding** [ˌʌndəˈstændiŋ] n.理解；谅解；a.体谅的；宽容的

【例】The Human Genome Project will open up new *understanding* of many of the ailments that afflict humanity. 人类基因工程将使人们对于困扰自己的很多疾病有全新的认识。

**undertake** [ˌʌndəˈteik] v.承担；着手，采取

【例】Mary *undertook* the organization of the whole scheme. 玛丽负责整个计划的组织工作。//I will *undertake* that job on Friday. 我星期五着手开始那项工作。

***undetected** [ˌʌndiˈtektid] a.未被发现的

【记】词根记忆：un+detect(发现)+ed → 未被发现的

【例】The family had managed to live *undetected* for six years outside the border town of Breda, Holland. 这一家人设法在荷兰不勒达镇外度过了6年不为人知的生活。

***undisguised** [ˌʌndisˈgaizd] a.无伪装的；坦率的

【记】词根记忆：un+disguise(装饰，伪装)+d → 无伪装的

【例】They looked upon the creature with a loathing *undisguised*. 他们看那动物的眼神流露出明显的厌恶。

**undoubtedly** [ˌʌnˈdautidli] ad.毋庸置疑地

【例】The shift of food-production from Europe to regions without farm subsidies will *undoubtedly* mean more pressure to convert natural habitat into farmland. 毫无疑问，粮食生产从欧洲转向没有农业补贴的地区意味着必须加大那些地区开垦土地的力度。

**uneasy** [ʌnˈiːzi] a.心神不安的；担心的

【记】un(不)+easy(安心的) → 不安心的 → 心神不安的

【例】He was *uneasy* about the results of the final exams. 他为自己的期末考试成绩担心。

**unemployment** [ˌʌnimˈplɔimənt] n.失业；失业人数

【记】来自employ(v.雇用)

【例】The graph shows the *unemployment* rates in the US and Japan between March 1993 and March 1999. 这张图表显示了从1993年3月至1999年3月这6年间美国

331

和日本的失业率。

**unexpected** [ˌʌniksˈpektid] *a.* 想不到的，意外的

【例】Some *unexpected* difficulties have arisen in his life. 他的生活中出现了一些意想不到的困难。

**\*unfortunately** [ʌnˈfɔːtʃənətli] *ad.* 不幸地

【例】*Unfortunately*, they can't come to our party. 很遗憾，他们来不了我们的晚会了。

**\*uniform** [ˈjuːnifɔːm] *n.* 制服；*a.* 相同的，一致的

【记】词根记忆：uni(单一)+form(形式) → 形式统一的 → 相同的

【例】Traditionally *uniforms* were manufactured to protect the worker. 传统上，生产制服的目的是保护工人。

【派】uniformity(*n.* 同样，一致)

**\*unique** [juːˈniːk] *a.* 唯一的，独特的

【记】词根记忆：uni(单一)+que(…的) → 惟一的

【例】Biometric security systems operate by storing a digitised record of some *unique* human feature. 生物测定安全系统通过数字化存储某些独特的人类特征来发挥作用。

**universe** [ˈjuːnivɜːs] *n.* 宇宙；世界；领域

【记】词根记忆：uni(一个)+vers(转)+e → 一个旋转着的整体空间 → 宇宙

【例】Not only did the rocket solve a problem that had intrigued man for ages, but, more importantly, it literally opened the door to exploration of the *universe*. 火箭不仅解决了困扰几代人的一个问题，更重要的是，它开启了探索宇宙的大门。

【派】universal(*a.* 普遍的；通用的)

**\*unload** [ʌnˈləud] *v.* 从…卸下货物；摆脱

【记】词根记忆：un+load(负荷，重担) → 从…卸下货物

【例】Loading and *unloading* costs can be minimised by refining raw materials or turning them into finished goods. 可以通过对原材料进行加工或将其制成成品来将它们的装卸成本降至最低。

**\*unprejudiced** [ʌnˈpredʒudist] *a.* 无偏见的；公正的

【例】The formation of scientific theory starts with simple, unbiased, *unprejudiced* observation. 科学理论的形成始于简单、无偏见、公正的观察。

**\*unrealistic** [ˌʌnriəˈlistik] *a.* 非现实(主义)的，不切实际的

【记】un+realistic(现实的) → 不现实的 → 不切实际的

【例】It is *unrealistic* to expect people to give up private cars in favour of mass transit. 希望人们通过放弃使用私家车的方式支持公交系统是不切实际的。

\*unsatisfactory [ˈʌnˌsætisˈfæktəri] *a.* 不能令人满意的

【例】Reception of television programmes is *unsatisfactory* here. 这个地区电视节目的接收情况不能令人满意。

\*untrustworthy [ˌʌnˈtrʌstˌwəːði] *a.* 不值得信赖的，靠不住的

【例】They think left-handed people are *untrustworthy*. 他们认为左撇子不可靠。

\*unyielding [ˌʌnˈjiːldiŋ] *a.* 顽强的；坚硬的；不能弯曲的

【记】un+yielding(屈从的，易弯曲的) → 顽强的

【例】Mary was *unyielding* in her opposition to the plan. 玛丽坚决反对这一计划。//The mattress was hard and *unyielding*. 床很硬也没有弹性。

uphill [ˈʌpˈhil] *ad.* 向上，往上；艰难地

【例】We cycled *uphill* for over an hour. 我们骑自行车爬了一个多小时的山坡。

\*upper [ˈʌpə] *a.* 上面的；地位较高的

【例】Helen lived on the *upper* floor. 海伦住在楼上。

upset [ʌpˈset] *vt.* 使苦恼；搅乱；*a.* 心烦的

【记】词根记忆：up(上)+set(放置) → 把上面的放在下面了 → 弄翻，倾覆 → 搅乱

【例】The coming final exam *upset* the students a lot. 期末考试即将来临，学生们心烦意乱。

up-to-date [ˌʌptuːˈdeit] *a.* 直到最近的；现代的

【例】The data gave lexicographers access to an *up-to-date* daily language. 这些数据为词典编纂者提供了最新的日常用语。

urban [ˈəːbən] *a.* 都市的；住在都市的

【记】发音记忆："饿奔" → 初到大都市闯荡，饿得狂奔

【例】This concentration of vehicles makes air quality in *urban* areas unpleasant. 汽车大量集中在市区使得这里的空气污浊不堪。

【派】urbanisation(*n.* 都市化)

urge [əːdʒ] *vt.* 鼓励；竭力主张

【例】My boss *urged* me to unfold my market strategy. 老板鼓励我详

333

细阐述我的市场策略。

**urgent** [ˈəːdʒənt] *a.*紧急的

【例】His car is in *urgent* need of repair. 他的汽车急需修理。

【派】urgently(*ad.* 紧急地)

**\*utilise** [ˈjuːtilaiz] *v.*利用

【记】词根记忆：ut(用)+ilize → 利用

【例】The engineer has a knowledge of natural science acquired by study and practice which is applied to develop ways to *utilise* the materials and forces of nature for the benefit of mankind. 工程师从学习和实践中得来的自然科学知识可以用来研究利用自然界材料和动力的途径，为人类造福。

**\*utility** [juːˈtiləti] *n.*功用，效用；[常作*pl.*]公用事业

【记】词根记忆：util(使用)+ity → 效用

【例】One of many reforms came in the area of public *utilities*. 众多改革措施中有一条涉及公用事业的变革。

【派】utilitarian(*a.* 实用的，功利的)

**vacancy** [ˈveikənsi] *n.*空位，空缺

【记】来自vacant(*a.* 空的，空白的)

【例】We have *vacancies* for salesmen. 我们招聘销售员。

**vacation** [vəˈkeiʃən] *n.*休假

【记】词根记忆：vac(空的)+ation → 有空的 → 休假

【例】She's going to Florida for *vacation*. 她要去佛罗里达休假。

**vacuum** [ˈvækjuəm] *n.*真空；真空吸尘器；*v.*用吸尘器清扫

【记】词根记忆：vacu(空)+um → 真空

【例】The *vacuum* flask can keep drinks hot. 真空的瓶子可以保持饮料的温度。

**vague** [veig] *a.*模糊的；含糊的

【记】词根记忆：vag(漫游)+ue → 思路四处游走 → 含糊的；模糊的

【例】He gave a *vague* answer and we couldn't understand what he meant. 他的回答太含糊了，我们不明白他的意思。

**valid** [ˈvælid] *a.*有效的；正当的

【记】词根记忆：val(价值)+id → 有价值的 → 有效的

【例】The suggestion will be implemented within 48 hours, if a *valid* reason is not given for nonimplementation. 如果不能提出正当的反对理由，该建议将在48小时内执行。

**van** [væn] *n.* 运货车

【记】联想记忆：运货车(van)能(can)载很多东西

【例】We hired a *van* to move the furniture to our new house. 我们雇了辆运货车将家具搬往新家。

**\*vanish** [ˈvænɪʃ] *v.* 突然消失；不复存在，消逝

【记】词根记忆：van(空)+ish → 空无一物 → 不复存在

【例】Topsoil in India and China is *vanishing* much faster than in the U.S. 在印度和中国，地表土的流失要比美国快得多。

**\*variability** [ˌveərɪəˈbɪləti] *n.* 可变性；易变性

【记】来自variable(*a.* 可变的，不定的)

【例】Without genetic *variability* a species lacks the capacity to evolve. 如果没有基因变异，物种就会缺乏进化能力。

**vary** [ˈveəri] *v.* 改变；(使)多样化；变化；不同

【例】The price of a bed in different hotels always *varies* so much. 不同旅馆的床位价格大不相同。

【派】variable( *a.* 易变的；*n.* 变量)；various( *a.* 各种各样的)

**· \*vast** [vɑːst] *a.* 巨大的；大量的

【记】联想记忆：东方(east)地大物博(vast)

【例】Cutting down forests on a large scale has continued apace over *vast* areas. 在很多地区森林的大规模砍伐仍在快速进行。

【派】vastly(*ad.* 巨大地；大量地)

**vegetarian** [ˌvedʒɪˈteəriən] *n.* 素食者

【例】The restaurant offers special meals for *vegetarians*. 这家饭店为素食者准备了特别的食物。

**\*veil** [veil] *n.* 面纱；遮蔽物

【记】联想记忆：邪恶的(evil)人总是试图掩饰自己，像蒙着面纱(veil)

【例】They lifted the *veil* of this ancient tomb. 他们揭开了这座古代陵墓的神秘面纱。

**venomous** [ˈvenəməs] *a.* 有毒的；分泌毒液的

【例】There are some *venomous* snakes to beware of in the forest. 森林中有一些需要提防的毒蛇。

**ventilation** [ˌventɪˈleɪʃən] *n.* 空气流通；通风设备

【记】来自ventilate(*v.* 使通风)

【例】In the noisiest areas mechanical *ventilation* will have to be

335

installed in the exterior walls. 在噪音最大的区域，必须在外墙安装机械通风设备。

**venture** ['ventʃə] *n.* 风险投资；(商业等的)风险项目；*v.* 冒险；敢于
【记】发音记忆："玩车" → 玩车一族追求的就是冒险
【例】Allan, a doctoral student in anthropology, *ventured* deep into the jungle to search for the primitive natives. 艾伦是一名人类学博士生，他冒险进入丛林腹地寻找原始印第安人。

**venue** ['venju:] *n.* (聚集，审判，比赛)地点
【记】联想记忆：ven(来)+ue → 大家一起来 → (聚集)地点
【例】This team will play here or at other *venues* all over the country. 这支队伍将会在这儿以及国内的其它赛场比赛。

**\*verify** ['verifai] *v.* 证明；证实
【记】词根记忆：ver(真实的)+ify(使…) → 使…真实 → 证明，证实
【例】In some California housing estates, a key alone is insufficient to get someone in the door; his or her voiceprint must also be *verified*. 在加州的一些住宅区，进入房间仅靠一把钥匙是不够的，还需要确认声波纹。
【派】verification(*n.* 确认)

**\*vernacular** [və'nækjulə] *n.* 本国话；本地话；方言；土语；*a.* 本国语的
【记】发音记忆："我奶哭了" → 我奶奶一听到熟悉的乡音就激动地哭了 → 本国语
【例】This *vernacular* language has never really been studied before. 这种方言从未被真正研究过。

**\*version** ['və:ʃən] *n.* 样式；型号；种类；说法；版本
【记】词根记忆：vers(转化)+ion → 从原文转化而来 → 译本
【例】The British rocket differed from the Indian *version*. 英国火箭和印度火箭不同。

**\*vertebrate** ['və:tibrit] *n.* 脊椎动物；*a.* 有脊柱的
【记】来自vertebra(*n.* 脊椎骨)
【例】Even without further expansion they could save around 2,000 species of endangered land *vertebrates*. 即使没有更大规模的扩建，他们仍能拯救大约2,000种濒危的陆生脊椎动物。

**vertical** ['və:tikəl] *a.* 垂直的；竖式的
【例】The climber managed to find a support on the *vertical* cliff. 登山者成功地在峭壁上找到了一个支撑点。

# Word List 35

词根词缀预习表

| | | | |
|---|---|---|---|
| **with-** | 向后 withdraw（v. 收回） | **via-** | 道路 viable（a. 可行的） |
| **vibr-** | 振动 vibrate（vt. 使颤动） | **vit-** | 生命 vital（a. 生死攸关的） |
| **voy-** | 路 voyage（v./n. 旅行） | **zoo-** | 动物 zoological（a. 动物学的） |
| **-ness** | （名词后缀）性质，状态 weakness（n. 虚弱） | | |
| **-proof** | 防…的 waterproof（a. 不透水的） | | |

**\*vessel** ['vesl] n. 船只（总称）；容器；血管

【例】Sea ports have been transformed by the advent of powered *vessels*. 机动船只的出现改变了海港的外观。

**\*vested** ['vestid] a. 法律规定的；既定的

【记】来自 vest（v. 授予）

【例】The politicians didn't have the courage to confront the *vested* interest that subsidies create. 政治家们没有勇气去对抗补贴带来的既得利益。

**\*vet** [vet] n. 兽医；v. 诊疗，作兽医；审查

【例】Students who want loans are not 'means tested' or 'credit *vetted*'. 想要贷款的学生不用接受家庭经济状况调查也不用接受信用审查。

**\*veterinary** ['vetərinəri] a. 兽医的

【例】This zoo was closed down following a report by a *veterinary* inspector. 这家动物园因为兽医检查员的一份报告而被关闭。

**\*viable** ['vaiəbl] a. 可行的，可实施的

【记】词根记忆：via（道路）+able → 有路可走 → 可行的

【例】In order to develop an economically *viable* hotel organisation model, they decided to implement some new policies. 为了能够开发

337

一种在经济上切实可行的酒店管理模式，他们决定采用一些新的政策。

【派】viability(*n.* 可行性；生存能力)

**vibrate** [ˈvaibreit] *vt.* 使颤动

【记】词根记忆：vibr(振动)+ate(做) → 使颤动

【例】The rattlesnake would swiftly shake and *vibrate* its tail when it felt the threat. 响尾蛇当感到威胁时，它会急速地摇晃并抖动着尾巴。

【派】vibrant(*a.* 充满活力的)；vibration(*n.* 颤动，振动)

**\*vice versa** 反之亦然

【例】Acids neutralize alkalis and *vice versa.* 酸能中和碱，碱也能中和酸。

**\*victim** [ˈviktim] *n.* 牺牲者；受害者

【记】联想记忆：有胜利者(victor)，就会有受害者(victim)

【例】The majority of the *victims* in this earthquake were children. 这次地震中的大部分受害者是儿童。

**viewpoint** [ˈvjuːpɔint] *n.* 观点，看法

【记】组合词：view(见解)+point(点) → 观点

【例】They held obstinately to the purely military *viewpoint.* 他们顽固地坚持纯粹的军事观点。

**vigorous** [ˈvigərəs] *a.* 朝气蓬勃的；有力的

【记】来自vigor(活力)+ous(…的) → 有活力的 → 朝气蓬勃的

【例】The small group of the survivors was to become a *vigorous*, self-sustaining island population. 那一小队幸存者成了精力充沛、自力更生的岛上居民。

**violence** [ˈvaiələns] *n.* 暴力行为；激烈，猛烈

【记】发音记忆：“为尔冷死” → 多么激烈的爱啊

【例】Capital punishment is essential to control *violence* in society. 死刑对于控制社会上的暴力事件具有重要意义。

**\*violent** [ˈvaiələnt] *a.* 暴力引起的；带有强烈感情的

【例】Although news broadcasts are *violent*, people felt they shouldn't be banned. 虽然新闻广播言辞激烈，但人们还是觉得不应该将其取消。

**virtually** [ˈvəːtjuəli] *ad.* 实际上，事实上

【例】There is *virtually* no evidence to support his argument. 事实上根

本没有任何证据可以支持他的论点。

**\*virtue** ['vɜːtjuː] *n.* 美德；优点

【例】The *virtue* of job descriptions is that they lessen role ambiguity. 工作说明的优点是减小角色模糊性。

**virus** ['vaiərəs] *n.* 病毒

【例】It was a deadly *virus* spread by field mice. 这是一种通过田鼠传播的致命病毒。

**viscous** ['viskəs] *a.* 黏滞的，黏性的

【例】Numerous tiny worms were floating in a *viscous* liquid. 粘稠的液体里飘浮着无数的小蠕虫。

**\*visible** ['vizəbl] *a.* 可见的；有形的

【记】词根记忆：vis(看)+ible(可…的) → 可见的

【例】Comets are only normally *visible* in the immediate vicinity of the sun. 彗星只有在最接近太阳时才可见。

【派】invisible(*a.* 看不见的，无形的)

**\*vision** ['viʒən] *n.* 想像力；视力

【记】词根记忆：vis(看)+ion → 视力

【例】This type of tablet may cause problems with your *vision*. 这类药品可能会给你带来视力问题。

【派】visual(*a.* 看得见的)

**\*vital** ['vaitl] *a.* 生死攸关的；极其重要的；有生命力的

【记】词根记忆：vit(生命)+al → 事关生命的 → 生死攸关的

【例】The Department has a *vital* role to play in providing information to visitors and scholars. 该部门在为来访者及学者提供信息方面发挥着极其重要的作用。

**\*vivid** ['vivid] *a.* 鲜艳的；生动的

【记】词根记忆：viv(生命)+id → 有生命力的 → 生动的

【例】The photos depicted *vivid* scenes of a suffragette's life. 这些照片生动地表现了一名妇女参政论者的生活。

**\*volcano** [vɔl'keinəu] *n.* 火山

【记】联想记忆：vol(意志力)+can(会)+(n)o → 火山爆发不以人的意志为转移

【例】The majority of the world's *volcanoes* encircle the Pacific Ocean. 世界上的大多数火山都位于环太平洋地区。

**volt** [vəult] *n.* 伏特

【例】He removed a medium sized, 20 *volt* battery from the machine. 他从机器中拿掉了一个20伏特的中号电池。

**voltage** ['vəultidʒ] *n.* 电压

【例】The *voltage* made her hair shoot straight out. 电压使得她的头发立了起来。

***volume** ['vɔljuːm] *n.* 卷，册；体积；音量

【记】和volute(*a.* 向上卷的)一起记

【例】This liquid was 10 litres in *volume*. 这一液体的体积为10升。// Would you turn down the *volume*, please? 你能将音量开小点吗？

***volunteer** [ˌvɔlən'tiə] *n.* 志愿者；志愿兵；*v.* 自愿；志愿

【例】Mary *volunteered* to work as a teacher in West Africa. 玛丽自愿去非洲西部做一名教师。

【派】voluntary(*a.* 自愿的，志愿的)

**voyage** ['vɔiidʒ] *v. /n.* 旅行，航行，飞行

【记】词根记忆：voy(路)+age → 旅行

【例】They made a *voyage* across the Atlantic. 他们作了一次横越大西洋的航行。

**wage** [weidʒ] *n.* 工资；[常*pl.*] 报酬

【例】In this company, *wages* are paid at the end of every month. 这家公司月末发工资。

***wagon** ['wægən] *n.* 四轮马车；大篷车

【记】联想记忆：大众汽车Volkswagon → 客货两用车 → 大篷车

【例】The horses were harnessed and hooked to the *wagon*. 这些马被装上挽具，套到马车上。

***waist** [weist] *n.* 腰，腰部

【例】Tom tied a Walkman recorder to his *waist*. 汤姆在腰上别了一台随声听。

**wander** ['wɔndə] *vi.* 闲逛；走神

【记】联想记忆：在十字路口闲逛(wander)，想知道(wonder)如何选择

【例】They enjoyed *wandering* in this old town. 他们喜欢在这个古镇上闲逛。// The teacher realized the students' attention was beginning to *wander*. 老师发现学生的精神开始不集中了。

**\*warrant** ['wɔrənt] *n.* 授权；许可证；*vt.* 保证；证明…正当

【记】联想记忆：warr(看做war战争)+ant(蚂蚁)→ 战争中一旦得到授权令开战后就是杀人如蚁

【例】The situation scarcely *warrants* them being dismissed. 这种情况很难证明解雇他们是正当的。

**\*wastage** ['weistidʒ] *n.* 消耗量；损耗

【记】来自waste(浪费，消耗)+age(集合名词总称)→ 消耗量；损耗

【例】Quality control cuts *wastage* and saves time. 质量管理降低了损耗，节约了时间。

**\*waterfront** ['wɔːtəfrʌnt] *n.* 滨水路，滨水地区(如港口或海边的)

【记】组合词：water(水)+front(面向，朝向)→ 滨水路，滨水地区

【例】Those countries still maintain their business centres near the port *waterfront*. 那些国家的商业中心仍然靠近码头。

**waterproof** ['wɔːtəpruːf] *a.* 不透水的；防水的

【记】组合词：water(水)+proof(防…的)

【例】The *waterproof* match can still work after eight hours in water. 防水火柴放在水里8小时候后仍能使用。

**wax** [wæks] *n.* 蜡；蜂蜡；*vt.* 给…上蜡

【例】In the extracting room, rotating blades shaved away the *wax* that covered each cell. 在提取室里，旋转的刀片刮掉覆盖蜂房的蜂蜡。

**\*weaken** ['wiːkən] *v.* (使)变弱，(使)减弱

【例】As you age even more, the sense *weakens* more. 年龄越大，感觉越不敏感。

**\*weakness** ['wiːknis] *n.* 虚弱；缺点

【例】Iridology can help doctors discover any constitutional *weakness* long before its clinical outbreak. 虹膜学能够帮助医生远在临床症状爆发前就发现体质虚弱症。

**\*wealthy** ['welθi] *a.* 富的，富裕的

【例】*Wealthy* nations should share their wealth with poorer nations by providing such things as food and education. 富国应以提供食品和教育等方式让穷国分享它们的财富。

**\*wean** [wiːn] *v.* (使)断奶，(使)戒掉

【例】It is hard to *wean* children off picture books when pictures have played a major part throughout their reading experiences. 当图画一直

在孩子们的阅读中扮演着主要角色时，就很难让他们去阅读不带图画的书籍了。

**weapon** [ˈwepən] *n.* 武器，兵器

【例】They were interested in the possibilities of using the rocket itself as a *weapon* of war. 他们对将火箭自身用作战争武器的可能性非常感兴趣。

**\*wedge** [wedʒ] *n.* 楔子，楔形；*v.* 楔入

【记】联想记忆：楔子(wedge)的边缘(edge)很尖锐

【例】The window doesn't stay closed unless you *wedge* it. 这扇窗关不严，除非用楔子楔上。

**weed** [wiːd] *n.* 杂草

【例】Bugs and *weeds* become resistant to poisons, so next year's poisons must be more lethal. 害虫和杂草会产生抗药性，所以来年的毒药必须更加致命。

**weigh** [wei] *v.* 称重

【例】These boxes are heavy with honey and may *weigh* up to 90 pounds each. 装满蜂蜜后的这些盒子非常重，每个都可能重达90磅。

**welfare** [ˈwelfeə] *n.* 福利

【记】wel(看做well好的)+fare → 好的东西 → 福利

【例】The office deals with all matters related to student *welfare*. 该办公室专门处理与学生福利相关的各种事情。

**well-being** [ˌwelˈbiːiŋ] *n.* 安宁，福利

【记】组合词：well(好，健康)+being(存在) → 安宁，福利

【例】They stated, "health is a complete state of physical, mental and social *well-being* and is not merely the absence of disease." 他们声称，"健康是集生理、精神和社会安定为一体的完整状态，而不仅仅是不生病。"

**\*whaling** [ˈweiliŋ] *n.* 捕鲸

【记】来自whale(*n.* 鲸)

【例】The town was first established as a *whaling* base although there isn't any whaling today. 这个城镇建立之初是一个捕鲸基地，但如今这里已经不再猎捕鲸鱼了。

**wheelchair** [ˈwiːltʃeə] *n.* (病人等用的)轮椅

【记】组合词：wheel(车轮)+chair(椅子) → 轮椅

【例】Handicapped toilets are located on this floor and the door shows a *wheelchair*. 残疾人用的厕所位于这一层，门上有一个轮椅标志。

**whereas** [weər'æz] *conj.* 然而，但是

【例】A cow produces only one calf a year *whereas* a female ostrich can lay an egg every other day. 牛一年只生一胎，然而雌鸵鸟每隔一天就下一个蛋。

**whisper** ['wispə] *n. /v.* 低语

【记】联想记忆：whi（看做who）+ sper（看做speaker）→ 谁在小声说话 → 低语

【例】I saw Peter *whisper* something to Michael. 我看见彼得跟迈克尔耳语了什么。

**whistle** ['wisl] *n.* 口哨；呼啸而过；*v.* 吹口哨

【记】联想记忆：w+hist(嘘)+le → 嘘声，吹口哨；发音记忆："猥琐" → 对女孩子吹口哨很猥琐

【例】This is where you *whistle* so the key holder will open the door for you. 你就在这里吹口哨，看门人就会给你开门。

**widespread** ['waidspred] *a.* 分布广的；普遍的

【记】组合词：wide(宽广的)+spread(传播，分布)

【例】The use of friction to make fire was also *widespread* in Europe. 摩擦生火的办法在欧洲也广为流传。

**wildlife** ['waildlaif] *n.* 野生动植物

【记】组合词：wild(野生的)+life(生命) → 野生动植物

【例】Most of the *wildlife* in the rainforest are gentle and harmless. 雨林中的大多数野生动植物都是温和无害的。

**willing** ['wiliŋ] *a.* 愿意的，乐意的

【例】Would you be *willing* to attend any of our promotions? 你愿意参加我们的任何一个宣传活动吗？

【派】willingness(*n.* 自发，愿意)

**windscreen** ['windskri:n] *n.* 挡风玻璃，风挡

【记】组合词：wind(风)+screen(屏，遮蔽物) → 挡风玻璃

【例】You must attach it to the front *windscreen* of your car. 你必须把它贴在汽车前面的挡风玻璃上。

**\*wire** ['waiə] *n.* 金属丝，电线

【例】The pulses would travel over glass fibres, not copper *wire*.
这些脉冲将通过玻璃纤维而不是铜丝传输。

**withdraw** [wið'drɔː] *v.* 收回；撤退

【记】词根记忆：with(向后)+draw(拉) → 向后拉扯 → 撤退；收回

【例】ATMs are extremely useful as they enable you to *withdraw* cash from your account whenever you want. 自动取款机非常有用，因为它可以使你随时从帐户内取款。

**withstand** [wið'stænd] *vt.* 抵挡；经受

【记】联想记忆：with(与…在一起)+stand(站) → 武警官兵手拉手站在一起抵挡洪流

【例】A desert animal can *withstand* high body temperatures. 生活在沙漠中的动物可以忍受较高的体温。

**witness** ['witnis] *n.* 证据；目击者；*vt.* 目击；为…作证

【例】Tom *witnessed* the accident. 汤姆目睹了那个意外事故。

**\*womb** [wuːm] *n.* 子宫；发源地

【记】联想记忆：人生的过程就是从子宫(womb)到坟墓(tomb)

【例】Foetuses can be tested while in the *womb*. 胎儿在子宫的时候可以进行检查。

womb    tomb

**\*workaholic** [ˌwəːkə'hɔlik] *n.* 工作狂

【记】联想记忆：work(工作)+aholic(看做 alcoholic含酒精的) → 工作狂

【例】Many people criticised this *workaholic* economy. 很多人批评这种工作狂式的经济。

workaholic

**workforce** ['wəːkfɔːs] *n.* 受雇的或现有的工作人员总数；劳动人口

【记】组合词：work(工作)+force(强加；队伍) → 劳动人口

【例】The rise in the female *workforce* in the European Community is a positive trend. 在欧共体中女性劳动人口增加是一个积极的趋势。

**world-wide** ['wəːldwaid] *a. / ad.* 遍及全球的(地)

【例】The use of artificial fertilizers *world-wide* increased by 40 per cent per unit of farmed land between the mid 1970s and late 1980s. 从20世纪70年代中期到80年代末，在全世界范围内每单位耕地的人造化肥使用量增长了40%。

**worm** [wəːm] *n.* 蠕虫；蜗杆；螺纹

【例】There are two *worm* gears, one vertical and one horizontal. 有两种蜗轮，一种是垂直蜗轮另一种是水平蜗轮。

**worthwhile** ['wəːθ'wail] *a.* 值得做的

【记】组合词：worth(值得)+while(时间) → 值得花时间的 → 值得做的

【例】I'm sure you've done *worthwhile* things in the last ten years. 我确信在过去的10年里，你做了很多有意义的事。

**worthy** ['wəːði] *a.* 有价值的；值得的

【例】I would praise him, but he is not *worthy*. 我想表扬他，但他自己不争气。

【派】unworthy(*a.* 没有价值的；不值得的)

**wrap** [ræp] *vt.* 裹；包；缠绕

【记】联想记忆：w+rap(使着迷) → 被缠绕着 → 缠绕

【例】I will *wrap* all of your Christmas gifts. 我会把你所有的圣诞礼物都包起来。

**wrinkle** ['riŋkəl] *n.* 皱纹；*v.* (使)起皱纹

【记】联想记忆：眨眼(twinkle)容易起皱纹(wrinkle)

【例】Those ladies wanted to make their looks free of *wrinkles*. 那些贵妇们希望自己的脸上没有皱纹。

wrinkle

**yield** [jiːld] *v.* 出产；放弃；*n.* 产量

【例】Higher *yields* have been achieved by increased irrigation and better crop breeding. 通过加强灌溉和提高育种质量实现了产量的提高。

**zone** [zəun] *n.* 地区；范围

【记】合唱组合Boy's Zone男孩地带

【例】There are many different climatic *zones* in Australia. 澳大利亚有很多不同的气候带。

**\*zoological** [ˌzəuə'lɔdʒikəl] *a.* 动物学的

【记】来自zoology(*n.* 动物学)

【例】I believe that 10,000 is a serious underestimate of the total number of *zoological* establishments in this world. 我认为全球的动物学机构的总体数量远超过10,000。

# 附录一  雅思阅读词汇分类

## 环境类

accumulation 堆积物
alluvial 冲积的
avalanche 雪崩
boulder 大石头，漂石
carbon 碳
cascade 喷流
catastrophe 大灾难
Celsius（温度）摄氏的
circulation 流通，循环
climatic 气候上的
combustion 燃烧
conservation 保护，保存
contaminate 弄脏；污染
counterbalance 使平衡
crater 火山口
cropland 农田
debris 残骸
decompression 泻压
deforestation 采伐森林
delta 三角洲
demographic 人口统计学的
demolish 毁坏
deteriorate（使）恶化
deterioration 恶化
disaster 灾难
disintegrate（使）碎裂
disrupt 破坏
drought 干旱

dump 倾倒，倾销
ecological 生态学的
ecosystem 生态系统
embankment 筑堤
eruption 爆发
evacuate 排泄
extinction 灭绝
Fahrenheit 华氏温度计
gas emission 气体排放
glacier 冰川
granite 花岗岩
greenhouse 温室
habitat 居住地，栖息地
humid 湿润的
irreversible 不可撤销的
log 原木
luxuriant 肥沃的
magma 岩浆
mechanism 机理，机制
meteorology 气象学
ozone 臭氧
petroleum 石油
phenomenon 现象
prioritize 优先考虑
pulverised rock 碎石
radiation 辐射
reclaim 开垦，改造
recurrent 反复发生的
recycle 回收利用
resource depletion 能源耗尽

sediment 沉积(物)

slope 斜坡

solar 太阳的

sulphuric acid 硫酸

the Earth's mantle 地幔

thrive 兴旺，繁荣

timber 木材

tropical 热带的

ultraviolet light 紫外光

vegetation 植被

viability 生存能力

viscous lava 粘性熔岩

volcano 火山

volcanologist 火山学家

water consumption 水资源消耗

## 科 技 类

aperture 光圈

box camera 箱式照相机

cartridge 胶卷

cinecamera 电影摄影机

diaphragm 光圈

eyepiece 目镜

film 胶片

filter 滤光镜

flash / flashlight 闪光灯

folding camera 风箱式照相机

gelatine 白明胶

guide number 闪光指数

holder 固定器，支架

latitude 宽容度

lens 镜头

magazine 软片盒

mask 遮光黑纸

photoelectric cell 光电管

photometer 曝光表

plate 感光片

plateholder 胶片夹

sensitivity 灵敏度

shutter release 快门线

shutter 快门

spool 片轴

spotlight / floodlight 聚光灯

still camera 照相机

strain 压力

sunshade 遮光罩

telemeter 测距器

tripod 三角架

viewfinder 取景器

wide-angle lens 广角镜头

zoom lens 变焦镜头

versatile 通用的

alchemy 炼金术

metallurgy 冶金

alloy 合金

electrode 电极

distill 蒸馏

quartz 石英

phosphorus 磷

inflammable 易燃的

ceramic 陶瓷的

insulate 隔离，绝缘

fiber 纤维

optics 光学

retina 视网膜

iris 虹膜

opaque 不透明的

microprocessor 微处理器

347

binary 二进制的

buffer 缓冲区

browser 浏览器

hypertext 超文本

reticular 网状的

Ethernet 以太网

domain 域

patent 专利

artificial 人造的

dome 圆顶

sewage 污水；下水道

hydraulic 水力的

landfill 垃圾掩埋（地）

ventilation 通风

polytechnic 各种工艺的

geometric 几何（学）的

asymmetry 不对称

bilateral 双边的

## 医 学 类

pediatrician 儿科医师

gynecologist 妇科医师

neurologist 神经专家

psychiatrist 精神病学专家

dentist 牙医师

surgeon 外科医师

anesthetist 麻醉师

clinic 诊所

sanatorium 疗养院

wholesome 有益于健康的

vaccinate 接种

complaint 疾病

affection 疾病

ulcer 溃疡

lesion 损害

injury 损伤

eruption 疹

spot 斑

pimple 丘疹；小疱

blackhead 黑头粉刺

blister 水疱

boil 疖

scar 疤痕

wart 疣

corn 鸡眼

bruise 挫伤

bump 肿

swelling 肿胀

twist 扭伤

symptom 症状

diagnosis 诊断

case 病例

epidemic 流行病

attack 发作

sneeze 打喷嚏

faint 晕厥

dizziness 眩晕

lose consciousness 失去知觉

diet 饮食

treatment 治疗

cure 治愈

anemia 贫血

arthritis 关节炎

bronchitis 支气管炎

cancer 癌

indigestion 消化不良

influenza 流感

leukemia 白血病

measles 麻疹

paralysis 瘫痪；麻痹

pneumonia 肺炎

poliomyelitis 脊髓灰质炎

rabies 狂犬病

scarlet fever 猩红热

smallpox 天花

swamp fever 疟疾

tumour 瘤

Surgery 外科

anesthesia 麻醉

blood transfusion 输血

transplant 移植

stitches 缝线

operating theatre 手术室

instruments 手术器械

bandage 绷带

gauze 纱布

compress 敷布

sticking plaster 橡皮膏，胶布

plaster 石膏

## 职 业 类

labour exchange 职业介绍所

full employment 全职就业

piecework 计件工作

timework 计时工作

assembly line work 组装线工作

occupation 职务

vacancy 空缺

work permit 工作许可证

application 求职

engage 雇用

work contract 劳务合同

industrial accident 劳动事故

vocational guidance 职业指导

vocational training 职业训练

labour costs 劳力成本

permanent worker 长期工，固定工

staff 人员

skilled worker 技术工人

specialized worker 熟练工人

collaborator 合作者

foreman 工头

craftsman 工匠

specialist 专家

night shift 夜班

proletarian 无产者

trade union 工会

guild 行会

association 协会

emigration 移民；移居

representative 代表

works council 劳资联合委员会

labour law 劳工法

remuneration 报酬

wage index 工资指数

basic wage 基础工资

gross wages 全部收入

hourly wages 计时工资

bonus 奖励

payday 发工资日，付薪日

pay slip 工资单

payroll 薪水册

unemployment benefit 失业救济

old-age pension 养老金

retirement 退休

claim 要求；索赔

go-slow 怠工
strike pay 罢工津贴（由工会给的）
demonstration 示威
sanction 制裁
unemployment 失业
discharge 辞退
dismissal 开除，解雇
negotiation 谈判

## 生 活 类

accommodation（膳宿）供应
lodging 寄宿（处）
lease 出租
tenant 房客；佃户
landlord 房东
dormmate 室友
dormitory 寝室
real estate 房地产
vicinity 近邻
flat 公寓
deposit 押金
linen 亚麻的
stationery 文具
laundry 洗衣；洗衣店
cafeteria 自助餐厅
cater 满足（需要）
aerobics 有氧健身操
badminton 羽毛球（运动）
baseball 棒球
squash 壁球
amateur 业余爱好者
gathering 聚会
excursion 远足
illiterate 文盲

discipline 学科，纪律
terminology 术语学；（总称）术语
dean（大学）教务长
curriculum 课程
syllabus 课程提纲
calendar 日历；日程
compulsory 必修的
recruit 招生
prestige 声望，威信
esteem 尊敬
aptitude 智力
matriculation 录取入学
vocation 职业
transferable（学分等）可转换的
scholarship 奖学金
tutorial 辅导（课）
assignment 任务；（课外）作业
dissertation 论文
credential 证明；文凭

## 生 物 类

molecule 分子
amino acids 氨基酸
protein 蛋白质
enzyme 酶
botany 植物学
flora 植物群
fauna 动物群
bacteria（pl.）细菌
fungi（pl.）真菌
algae 海藻
fade 凋谢；褪色
organism 生物体，有机体
reptile 爬行动物

amphibian 两栖动物
mammal 哺乳动物
primate 灵长目动物
evolution 进化
gene 基因
genetics 遗传学
helix 螺旋，螺旋状物
mutation 突变
predator 捕食者
embryo 胚胎
grasshopper 蚱蜢
cricket 蟋蟀
pollen 花粉
hive 蜂房
larva 幼虫
pupation (化)蛹
hemisphere (脑)半球
somatic 躯体的
limb 肢
anatomy 解剖学
paralyze 使瘫痪
artery 动脉
gland 腺体
pancreas 胰
hormone 荷尔蒙，激素
cholesterol 胆固醇

## 学科类

Chinese 语文
English 英语
Japanese 日语
mathematics 数学
science 理科
gymnastics 体育

history 历史
algebra 代数
geometry 几何
geography 地理
biology 生物
chemistry 化学
physics 物理
physical geography 自然物理
literature 文学
sociology 社会学
psychology 心理学
philosophy 哲学
engineering 工程学
mechanical engineering 机械工程学
electronic engineering 电子工程学
medicine 医学
social science 社会科学
agriculture 农学
astronomy 天文学
economics 经济学
politics 政治学
commercial science 商学
biochemistry 生物化学
anthropology 人类学
linguistics 语言学
accounting 会计学
law/ jurisprudence 法学
banking 银行学
metallurgy 冶金学
finance 财政学
mass-communication 大众传播学
journalism 新闻学
atomic energy 原子能学
civil engineering 土木工程

architecture 建筑学

chemical engineering 化学工程

accounting and statistics 会计统计

business administration 工商管理

library 图书馆学

diplomacy 外交

foreign language 外文

major 主修

minor 辅修

# 附录二  雅思听力常见同音异义词

| | | | |
|---|---|---|---|
| all together [ɔːl ˈtɔːgeðə] | altogether [ɔːl ˈtɔːgeðə] | bear[bɛə] | bare[bɛə] |
| band[bænd] | banned[bænd] | aloud[əˈlaud] | allowed[əˈlaud] |
| bread[bred] | bred[bred] | break[breik] | brake[breik] |
| check[tʃek] | cheque[tʃek] | compliment[kɔmpliment] | complement[kɔmpliment] |
| already[ɔːlˈredi] | all ready[ɔːlˈredi] | find[faind] | fined[faind] |
| flew[fluː] | flu[fluː] | floor[flɔː] | flaw[flɔː] |
| flower[flauə] | flour[flauə] | for[fɔː] | four[fɔː] |
| fourth[fɔːθ] | forth[fɔːθ] | hair[heə] | hare[heə] |
| wait[weit] | weight[weit] | waste[weist] | waist[weist] |
| heal[hiːl] | heel[hiːl] | here[hiə] | hear[hiə] |
| heroin[herəuin] | heroine[herəuin] | meet[miːt] | meat[miːt] |
| ours[auəz] | hours[auəz] | red[red] | read[red] |
| peace[piːs] | piece[piːs] | whether[ˈ(h)weðə] | weather[ˈ(h)weðə] |
| son[sʌn] | sun[sʌn] | rose[rouz] | rows[rouz] |
| story[stɔːri] | storey[stɔːri] | source[sɔːs] | sauce[sɔːs] |
| vain[vein] | vein[vein] | theirs[ðeəz] | there's[ðeəz] |
| alright[ɔːlˈrait] | all right[ɔːlˈrait] | whose[huːz] | who's[huːz] |
| altar[ˈɔːltə] | alter[ˈɔːltə] | always[ˈɔːlweis] | all ways[ˈɔːlweis] |
| anyone[ˈeniwʌn] | any one[ˈeniwʌn] | ware…wear | where[weə] |
| ascent[əˈsent] | assent[əˈsent] | vain[vein] | vein[vein] |
| berth[bəːθ] | birth[bəːθ] | tail[teil] | tale[teil] |
| boy[bɔi] | buoy[bɔi] | steel[stiːl] | steal[stiːl] |
| buy…by | bye[bai] | stare[steə] | stair[steə] |
| cell[sel] | sell[sel] | sort[sɔːt] | sought[sɔːt] |
| cite | site[sait] …sight | some[sʌm] | sum[sʌm] |
| climb[klaim] | clime[klaim] | sail[seil] | sale[seil] |
| coarse[kɔːs] | course[kɔːs] | root[ruːt] | route[ruːt] |
| council[ˈkaunsil] | counsel[ˈkaunsil] | right…rite | write[rait] |
| crewed[kruːd] | crude[kruːd] | principal[prinsəpl] | principle[prinsəpl] |

## 同 音 异 义 词

| | | | |
|---|---|---|---|
| cycle[saikl] | psychal[saikl] | plain[plein] | plane[plein] |
| fair[feə] | fare[feə] | paw···pore | pour[pɔː] |
| forword[fɔːwəd] | forward[fɔːwəd] | miner['mainə] | minor['mainə] |
| formally['fɔːməli] | formerly['fɔːməli] | mail[meil] | male[meil] |
| higher['haiə] | hire['haiə] | local['ləukəl] | locale['ləukəl] |
| in[in] | inn[in] | loan[ləun] | lone[ləun] |
| incite['insait] | insight['insait] | lessen['lesn] | lesson['lesn] |

# 附录三　雅思听力单词英、美发音比较

| 单词 | 英音 | 美音 | 单词 | 英音 | 美音 |
|---|---|---|---|---|---|
| ability | [ə'biliti] | [ə'biləti] | absent | ['æbsənt] | ['æbsnt] |
| abuse | [ə'bjuːz] | [ə'bjuz] | acquire | [ə'kwaiə] | [ə'kwair] |
| adult | ['ædəlt] | [ə'dʌlt] | aeration | [ˌeiə'reiʃən] | [ˌeiə'reʃən] |
| agency | ['eidʒənsi] | ['edʒənsi] | arm | [ɑːm] | [ɑrm] |
| assume | [ə'sjuːm] | [ə'sjum] | boot | [buːt] | [but] |
| border | ['bɔːdə] | ['bɔrdə] | bore | [bɔː] | [bɔr] |
| brochure | ['brəuʃuə] | ['brɔʃuə] | cable | ['keibl] | ['kebl] |
| calendar | ['kælində] | ['kæləndə] | cancel | ['kænsəl] | ['kænsl] |
| career | [kə'riə] | [kə'rir] | cassette | ['kɑːset] | [kə'set] |
| claim | [kleim] | [klem] | coarse | [kɔːs] | [kɔrs] |
| convenient | [kən'viːniənt] | [kən'vinjənt] | cord | [kɔːd] | [kɔrd] |
| council | ['kaunsəl] | ['kaunsl] | courageous | [kə'reidʒəs] | [kə'redʒəs] |
| craft | [krɑːft] | [kræft] | curative | ['kjuərətiv] | ['kjurətiv] |
| curious | ['kjuəriəs] | ['kjuriəs] | decay | [di'kei] | [di'ke] |
| discard | [dis'kɑːd] | [dis'kɑːrd] | draft | [drɑːft] | [dræft] |
| effect | [i'fekt] | [ə'fekt] | elite | [ei'liːt] | [i'liːt] |
| empire | ['empaiə] | ['empair] | engage | [in'geidʒ] | [in'gedʒ] |
| exhaust | [ig'zɔːst] | [ig'zɔst] | expire | [iks'paiə] | [iks'pair] |
| explosive | [iks'pləusiv] | [iks'plɔsiv] | extraordinary | [iks'trɔːdənəri] | [iks'trɔrdnəri] |
| extremely | [ik'striːmli] | [ik'strimli] | finance | [fai'næns] | [fə'næns] |
| focus | ['fəukəs] | ['fɔkəs] | gather | ['gæðə] | ['gæðər] |
| garage | ['gærɑːʒ] | [gə'rɑːʒ] | genetic | [dʒi'netik] | [dʒə'netik] |
| graduate | ['grædjuət] | ['grædjuit] | grant | [grɑːnt] | [grænt] |
| grassy | ['grɑːsi] | ['græsi] | hectare | [ˌhektɑː] | [ˌhəktər] |
| host | [həust] | [hɔst] | interest | ['intrist] | ['intərist] |
| laboratory | [lə'bɔːrətəri] | ['læbrətəri] | laundry | ['lɔːndri] | ['lɔndri] |
| missile | ['misail] | ['misl] | mysterious | [mis'tiəriəs] | [mis'tiriəs] |
| neither | [naiðə] | [niːðər] | necessarily | ['nesəsərili] | [ˌnesə'sərili] |
| positive | ['pɔzitiv] | ['pɔzətiv] | relevant | ['relivənt] | ['reləvənt] |
| rural | ['ruərəl] | ['rurəl] | sample | ['sɑːmpl] | ['sæmpl] |
| schedule | ['ʃedjuːl] | ['skedʒuːl] | secretary | ['sekritri] | ['sekriteri] |
| stationary | ['steiʃənəri] | ['steiʃəneri] | turbine | ['təːbain] | ['təːbin] |

# 附录四　　雅思常考单词英美对照表

| 中文 | British English | American English | 中文 | British English | American English |
|---|---|---|---|---|---|
| 足球 | football | soccer | 软饮 | minerals | soft-drinks |
| 账单 | bill | check | 二楼 | first floor | second floor |
| 纸币 | note | bill | 秋天 | autumn | fall |
| 数学 | maths | math | 洗澡 | bath | bathe |
| 图钉 | drawing pin | thumb tack | 硬盘 | disc | disk |
| 背心 | waist coat | vest | 电影 | film | movie |
| 女士紧身裤 | tights | (panty) hose | 公寓 | flat | apartment |
| 男士长裤 | trousers | pants | 电梯 | lift | elevator |
| 吊带 | braces | suspenders | 假期 | holiday | vacation |
| 手提包 | purse | pocket book | 酒吧 | pub | bar |
| 人行道 | pavement | sidewalk | 飞机 | aeroplane | airplane |
| 商店 | shop | store | 保证 | ensure | insure |
| 许可售酒店铺 | off licence | liquor store | 病 | ill | sick |
| 商业区 | town center | downtown | 红绿灯 | traffic light | stoplight |
| 车发动机罩盖 | bonnet | hood | 地铁 | tube | subway |
| 车后箱 | boot | trunk | 轮胎 | tyre | tire |
| 车前玻璃 | windscreen | windshield | 卡车 | van | truck |
| 高速公路 | motorway | highway | 广播 | wireless | radio |
| 立交桥 | flyover | overpass | 手提包 | handbag | purse |
| 邮件 | post | mail | 斧头 | axe | ax |
| 饼干 | biscuit | cookie | 预订 | book | reserve |
| 果酱 | jam | jelly | 取款机 | cashier | teller |
| 果冻 | jelly | gelatin | 确定 | certainly | sure |
| 罐 | jug | pitcher | 名 | forename | given name |
| 糖果 | sweets | candy | 监狱 | gaol | jail |
| 橡皮奶嘴 | dummy | pacifier | 包裹 | parcel | package |
| 尿布 | nappy | diaper | 铁路 | railway | railroad |
| 警察[口语] | copper | cop | 股票 | shares | stock |
| (板球)投球手 | bowler | pitcher | 手电筒 | torch | flashlight |
| (水)龙头 | tap | faucet | 任何地方 | anywhere | anyplace |
| 电视节目 | programme | show | 脱口秀 | chat show | talk show |

| 中文 | British English | American English | 中文 | British English | American English |
|------|-----------------|------------------|------|-----------------|------------------|
| 国际跳棋 | draughts | checkers | 窗帘 | curtain | drape |
| 比赛 | match | game | 引擎 | engine | motor |
| 句号 | full stop | period | 作业 | homework | assignment |
| 天线 | aerial | antenna | 碗橱 | cupboard | closet |
| 汽车 | motor-car | auto | 停车场 | car park | parking lot |
| 行李 | luggage | baggage | 公鸡 | cock | rooster |
| 罐头食物 | tinned goods | canned goods | 排气管 | exhaust pipe | tailpipe |
| 汽油 | petrol | gasoline | 花园 | garden | yard |
| 长途电话 | trunk call | long-distance call | 电报 | telegram | wire |

## 新东方独家引进

### 《剑桥雅思考试全真试题集 8》
（含光盘 2 张）

剑桥大学考试委员会 编著

定价：110 元 开本：16开 页码：176页

### 《剑桥雅思考试全真试题集 7》
（含光盘 2 张）

剑桥大学考试委员会 编著

定价：110 元 开本：16开 页码：176页

### 《剑桥雅思考试全真试题集 6》
（含光盘 2 张）

剑桥大学考试委员会 编著

定价：110 元 开本：16开 页码：176页

### 《剑桥雅思考试全真试题集 5》
（含光盘 2 张）

剑桥大学考试委员会 编著

定价：110 元 开本：16开 页码：176页

- 4套完整的学术类雅思全真试题
- 2套培训类雅思阅读与写作全真试题

### 《剑桥雅思真题精讲 8》
周成刚 主编

定价：28 元 开本：16开 页码：208页

### 《剑桥雅思考试全真试题集 7 精讲》
周成刚 主编

定价：28 元 开本：16开 页码：234页

### 《剑桥雅思真题精讲 4、5、6》
周成刚 主编

定价：55 元 开本：16开 页码：500页

- 洞悉雅思出题规律，精确剖析雅思真题
- 针对中国雅思考生的特点和需求，分题型全面破解

### 《剑桥雅思常见错误透析》

**Pauline Cullen，Julie Moore** 编著

定价：18元 开本：32开 页码：136页

### 《剑桥雅思语法》（附 MP3）

**Diana Hopkins，Pauline Cullen** 编著

定价：45 元 开本：16开 页码：272页

- 雅思备考资料官方出版机构推出的权威雅思语法教程
- 剑桥资深语法专家为全球雅思考生量身定做

### 《剑桥雅思词汇》（附 MP3）

**Pauline Cullen** 编著

- 错误警示：帮助考生避免常见错误
- 单元测试：协助考生检验自己的进步
- 试题练习：涵盖学术类、培训类阅读以及写作、听力测试内容

定价：40元 开本：16开 页码：180页

### 《剑桥雅思写作高分范文》（附 MP3）

刘巍巍 方林 编著

- 收集十年雅思写作题目，全部写作话题一网打尽
- 从雅思写作题目出发，全面提高考生写作能力

定价：38元 开本：16开 页码：248页

### 《剑桥雅思 12 周完全攻略——阅读 》

耿耿 乐静 孙吉芯 梅晗 编著

定价：35元 开本：16开 页码：320页

### 《剑桥雅思 12 周完全攻略——听力》
（附 MP3） 王超伟 编著

定价：29.8元 开本：16开 页码：184页

### 《剑桥雅思 12 周完全攻略——口语》
（附 MP3） 孙涛 王冬 编著

定价：29 元 开本：16开 页码：204页

- 针对中国雅思考生的学习特点，制定12周科学备考方案
- 覆盖雅思阅读、听力、口语考试核心话题，提供权威答案，帮助考生有的放矢地备考

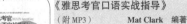

## 《雅思词汇词根＋联想记忆法（加强版）》
（附MP3） 俞敏洪 编著

- 完整收录雅思常考词汇，大量真题例句
- "词根＋联想"实用有趣，配有插图，加深记忆
- 按字母顺序编排，增加返记菜单，便于考生进行自测

定价：58元 开本：16开 页码：528页

## 《雅思词汇词根＋联想记忆法（乱序版）》
（附MP3） 俞敏洪 编著

- 完整收录雅思常考词汇，大量真题例句
- "词根＋联想"实用有趣，配有插图，加深记忆
- 增加返记菜单和索引，便于查找定位

定价：58元 开本：16开 页码：528页

## 《雅思词汇词根＋联想记忆法》
（附MP3） 俞敏洪 编著

- 原汁原味的真题例句，收词全面，涵盖雅思四大题型词汇
- 标出听力、口语单词，有针对性进行记忆

定价：32元 开本：32开 页码：368页

## 《雅思词汇词根＋联想记忆法——写作》
（附MP3） 俞敏洪 编著

定价：12元 开本：64开 页码：200页

## 《雅思词汇词根＋联想记忆法——听力》
（附MP3） 俞敏洪 编著

定价：12元 开本：64开 页码：160页

## 《雅思词汇词根＋联想记忆法——口语》
（附MP3） 俞敏洪 编著

定价：12元 开本：64开 页码：192页

## 《雅思词汇词根＋联想记忆法——阅读》
（附MP3） 俞敏洪 编著

定价：12元 开本：64开 页码：232页

- "词根＋联想"实用有趣，配有插图，加深记忆
- 涵盖雅思阅读词汇，收词全面，分类科学

## 《雅思考官口语实战指导》
（附MP3） Mat Clark 编著

- 分析中国考生的成绩现状，阐释评分系统的逐项要求
- 详尽介绍考试三部分程式，收录最新问题与话题卡片

定价：35元 开本：16开 页码：212页

## 《101雅思制胜法则：学术类》
（附MP3）Garry Adams, Terry Peck 编著

定价：45元 开本：16开 页码：312页

## 《101雅思制胜法则：培训类》
（附MP3）Garry Adams, Terry Peck 编著

定价：45元 开本：16开 页码：312页

## 《202雅思技能强化训练》
（附MP3）Garry Adams, Terry Peck 编著

定价：30元 开本：16开 页码：184页

## 《互动式三步搞定雅思1001词》
（附CD-ROM） Keith Burgess 编著

定价：28元 开本：16开 页码：160页

## 《404雅思精编模考试题：学术类》（附CD-ROM）
Donna Scovell, Vickie Pastellas, Max Knobel 编著

定价：34元 开本：16开 页码：224页

## 《404雅思精编模考试题：培训类》（附CD-ROM）
Donna Scovell, Vickie Pastellas, Max Knobel 编著

定价：35元 开本：16开 页码：224页

这套教材由澳大利亚雅思培训专家编写，自出版以来受到全球考生的广泛赞誉，是备战雅思考试的必选材料。这套教材主要包含：《101雅思制胜法则》，分为学术类和培训类两册，内含101条实用雅思备考技巧及大量的模拟练习；《202雅思技能强化训练》，包含针对雅思题型而设置的202道英语技能练习题及拓展练习；《404雅思精编模考试题》，分为学术类和培训类两册，内含4套完整的雅思模考题及针对雅思考试各题型的备考建议；《互动式三步搞定雅思1001词》，帮助考生通过识记、转述、应用"三步走"轻松记忆雅思常考词。

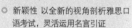